ROBERT CRAIS

Originaire de Louisiane, Robert Crais manifeste tôt l'ambition d'écrire : ainsi, sa formation d'ingénieur ne l'empêche pas de publier quelques nouvelles et de réaliser des films en amateur. Lorsqu'en 1976 il s'installe à Hollywood, rapidement, il collabore à l'écriture de séries télévisées à succès, jusqu'à devenir le scénariste de certaines, comme *La loi de Los Angeles* ou *Miami Vice*. Au milieu des années 80, il quitte la télévision pour se consacrer à l'écriture de romans policiers. Il figure aujourd'hui parmi les grands noms du genre, grâce à des titres comme *Prends garde au toréador*, *L'ange traqué*, ou encore *Meurtre à la sauce cajun*. Il vit aujourd'hui avec sa famille en Californie.

INDIGO BLUES

DU MÊME AUTEUR

CHEZ POCKET

L.A. REQUIEM

ROBERT CRAIS

INDIGO BLUES

Traduit de l'américain
par Hubert Tézenas

BELFOND

Titre original :
INDIGO SLAM,
publié par Hyperion, New York.

ISBN 2-266-12924-4

Je dédie ce livre
à Wayne Warga et Collin Wilcox,
deux hommes valeureux,
toujours au top,
avec affection et admiration.

SEATTLE

À deux heures quatorze du matin, en cette nuit où ils étaient censés abandonner leur ancienne vie pour en commencer une nouvelle, la pluie s'abattait en cataractes sur la maison, la véranda, et la camionnette Ford blanche à bord de laquelle venaient d'arriver les agents fédéraux chargés de leur transfert.

— Hé ! Teri, lança Charles. Viens voir ça.

La silhouette de son frère cadet se découpait sur la fenêtre du salon, plongé dans le noir, comme toute la maison à la demande des fédéraux. « Éteignez toutes les lampes. Servez-vous uniquement de bougies et de torches. » Telles étaient les instructions.

Teresa – que tout le monde appelait Teri – rejoignit son frère à la fenêtre, et, ensemble, ils observèrent la camionnette stationnée le long du trottoir. Un éclair zébra le ciel, comme une ampoule géante il illumina la fourgonnette et les petites maisons de bois qui s'alignaient le long de la rue étroite de Highland Park, quartier ouest de Seattle situé à une douzaine de kilomètres de la

Space Needle[1]. Par les portières ouvertes, on devinait la silhouette voûtée d'un homme en train d'empiler des cartons à l'arrière. Deux autres policiers discutaient avec le chauffeur. Puis ils remontèrent à pied l'allée menant à la maison. Les quatre officiels étaient tous habillés de façon identique : un long imperméable noir, et un chapeau assorti que l'averse violente les obligeait à retenir avec la main. Les trombes d'eau leur martelaient la tête et les épaules comme pour les enfoncer sous terre. D'ici quelques minutes, ce serait sur elle qu'elles s'abattraient, songea Teri.

— Regarde un peu ce camion, dit Charles. Mon vélo tient à l'aise là-dedans. Pourquoi j'peux pas l'prendre ?

— Ce n'est pas un camion, c'est une camionnette. Et ils ont dit qu'on n'avait droit qu'aux cartons.

Charles, neuf ans (trois de moins que Teri), n'avait aucune envie d'abandonner son vélo. Teri n'était pas ravie non plus d'abandonner ses affaires, mais les fédéraux avaient été formels : pas plus de huit cartons en tout. Quatre personnes, à raison de deux cartons par tête, cela faisait huit cartons. Ce n'était pas compliqué.

— Il y a la place.

— On t'achètera un autre vélo, Charles. Papa l'a dit.

— J'veux pas d'autre vélo, marmonna Charles.

1. Tour de 210 mètres en forme de flèche, coiffée d'une soucoupe volante, qui abrite un musée de l'espace. C'est l'un des bâtiments caractéristiques de Seattle. *(Toutes les notes sont du traducteur.)*

Le policier qui entra semblait mesurer deux mètres – le second, qui arriva dans la foulée, avait l'air encore plus grand. Leurs impers dégoulinaient sur le parquet, et le premier réflexe de Teri fut d'aller chercher une serpillière avant que les gouttes n'aient pénétré le bois. Mais les serpillières étaient déjà emballées, et cela n'avait plus aucune importance. Ils ne reverraient jamais cette maison. Le premier agent sourit à Teri et se présenta :

— Je m'appelle Peterson. Lui, c'est Jasper.

Tous deux ouvrirent le mince portefeuille en cuir qui renfermait leur insigne or et argent et le lui montrèrent. Le métal étincela furtivement à la lueur des bougies.

— On a presque fini, dit Peterson. Où est ton papa ?

Teri était en train d'assister Winona, qui avait tenu à faire des adieux en bonne et due forme à la chambre que les deux filles avaient partagée, quand les policiers avaient sonné, un quart d'heure plus tôt. Winona, six ans, était la plus jeune des trois enfants Hewitt. Teri avait dû l'accompagner tandis qu'elle récitait ses « Au r'voir, lit », « Au r'voir, placard », « Au r'voir, commode », les meubles n'ayant pas leur place dans les cartons.

— Aux toilettes. Vous voulez que je le prévienne ?

Le père de Teri, Clark Hewitt, avait ce qu'il appelait lui-même une « constitution fragile ». En clair, il se réfugiait aux toilettes chaque fois qu'il se sentait nerveux ; ce soir, il l'était tout particulièrement.

Le grand policier – Jasper – lui cria :

— Hé, Clark, magnez-vous un peu le train ! Tout le monde vous attend !

Peterson sourit à Teri.

— Vous êtes prêts, les enfants ?

Quelle question ! pensa Teri. Grâce à elle, Charles et Winona étaient habillés de pied en cap depuis une heure.

— Winona ! lança-t-elle.

La fillette déboula en courant dans le salon, ses cheveux jaune paille maintenus par un chouchou vert fluo, vêtue de son ciré rose style *Beverly Hills* et munie d'une valise-jouet mauve. Teri savait que la valise contenait des poupées : elle avait aidé sa petite sœur à la remplir. Quant à Charles, il avait posé son cartable bleu et son ciré jaune sur le canapé.

— Allez, Clark ! cria de nouveau Jasper, on lève le camp ! Y en a marre de se faire saucer !

Un bruit de chasse d'eau s'éleva derrière la cuisine, et Clark Hewitt apparut sur le seuil du salon. Son apparence était en tout point conforme à son caractère inquiet. Un homme sec, au regard fébrile.

— Voilà, je suis prêt.

— Vous êtes sûr de ne rien oublier ? On ne reviendra pas.

— Je ne crois pas, répondit-il en secouant la tête.

— Vous avez bien fermé toutes les issues ?

Clark fronça les sourcils, comme s'il avait du mal à se souvenir, et se tourna vers Teri.

— J'ai fermé à clé la porte du jardin, les fenêtres et le garage, énuméra-t-elle. Le gaz, le téléphone et l'électricité seront coupés demain.

Les fédéraux avaient remis à M. Hewitt une liste récapitulative intitulée : *Étapes d'une évacuation méthodique*, et Teri en avait suivi les instructions à la lettre.

— Il ne me reste plus qu'à souffler les bougies, conclut-elle, et on pourra partir.

Elle sentit le regard de Peterson se poser sur elle et la scruter. Puis, hochant la tête, il adressa à Jasper un petit signe de la main et reprit :

— Je m'en occupe, ma petite demoiselle. Jasper, installe-les dans la camionnette.

Clark marchait vers la sortie quand Reed Jasper l'interpella.

— Votre imper.

— Hein ?

— Planète Terre à Clark Hewitt, vous me recevez ? Je vous signale qu'il pleut comme vache qui pisse.

— Mon imper ? Je l'ai vu il n'y a pas cinq minutes.

Il se tourna de nouveau vers sa fille.

— Je vais te le chercher, dit celle-ci.

Elle s'élança dans le couloir, dépassa la porte de la chambre qu'elle avait partagée avec Winona et entra dans celle de son père. Soufflant la bougie, elle demeura quelques instants immobile dans le noir à écouter la pluie. L'imperméable était sur le lit, exactement là où elle l'avait posé, sous les yeux de son père. Mais il était comme ça, distrait, toujours en train de rêver à autre chose. Teri serra le vêtement contre son cœur et en huma le tissu bon marché. Une odeur d'homme s'en dégageait. L'odeur de son père. Rêvait-il à Salt Lake City, où ils devaient partir, quand il l'avait oublié ? Teri savait qu'il avait eu des histoires avec des gens très méchants qui lui voulaient du mal et que les fédéraux étaient venus pour les emmener à Salt Lake City, où ils changeraient de nom. Dès qu'ils auraient pris ce nouveau départ, expliquait papa, il chercherait du travail, et ils vivraient heureux. Teri ne savait pas au juste qui étaient ces ennemis, ni pourquoi ils en voulaient tellement à son père, seulement que c'était lié au fait qu'il avait témoigné à un procès. Ses tentatives d'explication avaient été confuses, et embrouillées, comme souvent. Déjà, quand leur mère était morte – Teri avait alors six ans –, son père lui avait raconté que sa maman était retournée chez elle, voir Jésus. Puis il avait fondu en larmes et bredouillé des paroles sans queue ni tête. Il avait fallu quatre jours à Teri pour comprendre que sa mère, gérante de nuit dans un supermarché, était morte dans un accident de la circulation, tuée par un chauffard ivre.

Elle balaya la pièce du regard. Cette chambre avait été celle de sa maman. Cette maison avait été celle de sa maman – et la sienne, aussi loin que remontaient ses souvenirs. La pièce, dont les deux fenêtres donnaient sur le jardin, à l'arrière de la maison, comportait une penderie, un lit double, une coiffeuse et une malle. Sa maman avait dormi dans ce lit et avait rangé ses vêtements dans cette malle. Sa maman s'était regardée dans ce miroir. Sa maman avait respiré l'air de cette chambre, et son corps avait transmis aux draps de ce lit la tiédeur délicieuse dans laquelle elle l'avait accueillie, petite, certains matins. Là, sa maman lui avait fait la lecture et chanté *Edelweiss*. Teri ferma les yeux, tenta de toutes ses forces de retrouver un peu de cette tiédeur – en vain. Elle avait toutes les peines du monde à se remémorer sa mère vivante ; seul lui venait à l'esprit le visage que montraient les photos. Et maintenant, ils quittaient cette maison… Adieu, maman.

Teri serra un peu plus fort l'imperméable de son père. À l'instant où elle tournait les talons pour quitter la chambre, elle perçut un bruit sourd dans le jardin. Un choc mat et puissant, contre le mur du fond, audible malgré les trombes d'eau. Elle jeta un coup d'œil par la fenêtre et vit une ombre noire glisser sous la pluie. À cet instant, Peterson entra silencieusement dans la chambre.

— Teri, s'il te plaît, file tout de suite rejoindre les autres, ordonna-t-il d'une voix pressante.

— Je viens de voir quelque chose bouger dans le jardin.

Peterson la poussa dans le couloir vers un troisième homme, à l'imperméable trempé. Celui qui avait chargé les cartons à l'arrière de la camionnette. Dans sa main droite, qui pendait le long de sa cuisse, Teri aperçut un pistolet.

Son père, Charles et Winona l'attendaient dans l'entrée avec Jasper. On aurait dit que les yeux de Clark allaient jaillir de leurs orbites et rebondir par terre comme des agates.

— Laisse tomber, Dan, fit Jasper. Elle a dû rêver.

Hewitt empoigna le bras de Jasper.

— Je croyais qu'ils n'avaient aucun moyen de savoir. Je croyais qu'on ne risquait rien !

Jasper se dégagea.

— Je vais quand même regarder, rapidos, pendant que tu les fais monter dans la camionnette, répondit Peterson, tendu. Hé, Jerry ! Grouille-toi !

Jerry – le troisième homme – apparut presque immédiatement et prit Winona dans ses bras.

— Viens, ma puce. Je t'emmène.

— Je t'accompagne, dit Jasper à Peterson, le souffle court.

Peterson repoussa son collègue vers la sortie.

— Installe-les dans la fourgonnette. Vite !

— Elle a dû se tromper, insista Jasper.

— Qu'est-ce qui se passe ? demanda Charles.

Un violent craquement leur parvint de la cuisine, comme si quelqu'un venait de forcer la porte donnant sur le jardin. Peterson poussa toute la famille vers la sortie en hurlant :

— Dépêchez-vous ! Emmenez-les !

Clark Hewitt gémit – une sorte de plainte venue d'ailleurs qui déclencha aussitôt les larmes de Winona. Jerry se mit à courir vers la camionnette, portant sa petite sœur d'un bras, traînant son père de l'autre, et criant des mots que Teri ne comprit pas.

— Bordel de merde ! hurla Jasper.

Il souleva Charles et le jeta en travers de son épaule comme un sac de patates. Puis il tira Teri par le bras, fort, si fort qu'elle eut terriblement mal et qu'elle crut que sa chair et ses os allaient se transformer en une espèce de bouillie rouge – comme dans les *Vendredi 13*. Jasper l'entraîna sous la pluie au moment où, dans les profondeurs de la maison, Peterson s'écriait :

— Au nom de la loi, plus un geste !

Sur ce, Teri entendit trois *pan !* secs qui n'avaient rien à voir avec le tonnerre.

La pluie enveloppa Teri comme une lourde pèlerine, et tandis que tout le monde se ruait vers la camionnette les éclaboussures lui fouettèrent les jambes. Charles agitait follement les jambes en hurlant :

— Mon ciré ! Je l'ai laissé dans le salon !

Le chauffeur avait baissé sa vitre, apparemment indifférent à la pluie. Il scrutait l'obscurité. Jerry fit monter Winona, puis Clark par la portière latérale. Le moteur de la camionnette vrombit.

Jasper courut à l'arrière et y poussa Teri. Clark et Winona s'agrippaient l'un à l'autre, coincés entre les cartons et le chauffeur. Winona sanglotait toujours, et son père haletait, les yeux écarquillés. Deux autres *pan !* s'échappèrent de la maison, tonitruants et distincts malgré le tambourinement de la pluie. Le chauffeur se retourna.

— Mais qu'est-ce qui se passe, bordel ?

Jerry attrapa un fusil à pompe caché sous la banquette.

— Je vais aider Peterson ! Éloigne-les d'ici ! lui ordonna-t-il.

Jasper dégaina son pistolet et se dirigea vers l'arrière du véhicule.

— Je t'accompagne, dit-il.

Jerry le repoussa fermement.

— Tu les emmènes, nom de Dieu ! *Tout de suite !*

Et il claqua la portière au nez de Jasper.

— Qu'est-ce que c'est que ce merdier ? rugit le chauffeur. Où est Peterson ?

Jasper semblait dépassé par les événements.

— Roule ! finit-il par crier. Il faut qu'on les éloigne d'ici !

Il enjamba des cartons et regarda par la vitre arrière en grommelant dans sa barbe :

— Il faut toujours qu'il y ait une merde ! Il y a toujours une putain de connerie qui fait tout foirer !

La fourgonnette s'éloigna du trottoir et prit rapidement de la vitesse. Le chauffeur cria quelque chose dans une espèce de micro, Jasper lâcha encore des jurons, le père de Teri se mit à pleurer, comme Winona, et Charles fit chorus. Et Jasper ? Pleurait-il aussi ? se demanda Teri. Impossible de le savoir : son visage était presque collé à la vitre dégoulinante.

Teri sentit ses yeux s'emplir de larmes, mais à ce moment-là elle pensa très fortement : *Tu ne pleureras pas.* Et elle se conforma à cette décision. Les larmes refluèrent, et Teri recouvra son calme. Elle était trempée, malgré son ciré. Le plancher ruisselait de toute l'eau qui s'était engouffrée pendant que les portières avaient été ouvertes, et les huit cartons qui renfermaient la totalité de leurs biens avaient subi le même sort.

— Qu'est-ce qui s'est passé ? s'écria son père. Vous m'aviez toujours dit qu'on ne risquait rien ! Vous m'aviez affirmé qu'ils ne pourraient pas nous retrouver !

Jasper se détourna de la vitre, l'air effrayé, lui aussi.

— Je ne comprends pas comment ils se sont débrouillés pour savoir.

— Bravo ! hurla Clark d'une voix suraiguë. Formidable ! Il ne leur reste plus qu'à nous achever !

Jasper regardait de nouveau par la vitre.

— Ils ne vous auront pas.

— Vous racontez toujours la même chose !

Jasper se retourna, fixa le père de Teri pendant un temps interminable avant de lâcher :

— Permettez-moi de vous rappeler que Peterson est resté sur place, monsieur Hewitt.

Clark, Winona et Charles sanglotaient comme des malheureux. Teri se faufila à quatre pattes entre les cartons et les rejoignit, se faisant une petite place entre sa sœur et son père. Le visage de ce dernier était blême et creusé. Entre son regard, liquéfié par la panique, et les mèches fines qui lui collaient au front, il avait l'air totalement égaré.

— N'aie pas peur, papa, souffla-t-elle.

Clark Hewitt gémit, et Teri sentit son corps trembler contre le sien. On était en plein mois de juillet, et la pluie était tiède. Son père ne tremblait pas de froid.

— Je ne les laisserai pas te faire du mal, ajouta-t-elle. Il ne t'arrivera rien. Je te le promets.

Clark Hewitt hocha la tête sans regarder sa fille. Teri le serra encore plus fort, et les tremblements s'atténuèrent peu à peu.

La camionnette tanguait toujours, immergée dans les ténèbres et la pluie.

TROIS ANS PLUS TARD :

LOS ANGELES

1

C'était jour de Plantes, dans la Cité des Anges. Ce jour-là, je sors toutes les plantes de l'agence sur mon petit balcon avec vue sur l'ouest de Los Angeles. Je les nettoie, les arrose, les nourris, puis je passe le reste de l'après-midi à me demander pourquoi elles sont jaunes, et non pas vertes. Une de mes amies – qui s'y connaît en plantes – m'a expliqué que je leur donnais trop d'eau ; j'ai donc réduit de moitié leur ration. Leur couleur n'a pas varié d'un iota, mais en prime elles se sont ratatinées. Quand une autre amie m'a affirmé que je continuais de les noyer, j'ai encore diminué les arrosages. Et alors, là, mes plantes sont carrément mortes. J'en ai racheté, mais je ne demande plus conseil à personne ; je me suis résigné.

J'étais en train de contempler tout ce jaune avec une moue dubitative quand Lucy me fait :

— Je doute de pouvoir me libérer avant un bon moment, Elvis. J'ai bien peur que notre programme de l'après-midi ne tombe à l'eau.

— Oh ?

Grâce à mon téléphone sans fil tout neuf, je pouvais parler à Lucy en bichonnant mes plantes.

Il faisait un peu plus de vingt-cinq degrés, l'air n'était que moyennement pollué, et une brise tiède venue de Santa Monica Boulevard se faufilait dans mon bureau par la porte-fenêtre entrouverte. Vêtue d'un long sarong et d'une chemise blanche aux pans noués sur le nombril, Cindy, ma voisine dans cet immeuble administratif, m'aperçut et me fit un petit signe du bout des doigts. Je portais, pour ma part, un jean Gap, une chemise en soie Tommy Bahama, et un holster Bianchi avec mon revolver, un Dan Wesson calibre 38. Le holster étant neuf, je le gardais constamment sur moi pour assouplir le cuir.

— Tracy tient à me présenter au directeur du service administratif. Le problème, c'est qu'il sera probablement coincé par une réunion au service des ventes jusqu'à dix-sept heures.

Lucy était avocate à Baton Rouge, en Louisiane, et la chaîne de télévision KROK, dont Tracy Mannos dirigeait la station locale de Los Angeles, lui avait proposé un poste. Elle était donc venue pour trois jours, afin de discuter de cette proposition et, le cas échéant, du contrat. C'était son dernier soir, et nous avions prévu de passer l'après-midi au marché mexicain d'Olvera Street, en plein centre-ville, le berceau historique de Los Angeles. L'endroit rêvé pour flâner main dans la main.

— Ne t'en fais pas, Lucy. Prends tout le temps dont tu auras besoin.

Lucy n'avait encore rien décidé quant à ce nouvel emploi, mais j'espérais bien que ça marcherait.

— Tu ne m'en veux pas ?

— Bien sûr que non. Si je passais te prendre à six heures ? On pourrait dîner de bonne heure au *Border Grill* et rentrer ensuite chez moi pour que tu fasses tes bagages.

Le *Border Grill* était la cantine préférée de Lucy.

— Tu es un amour, beau gosse. Merci.

— L'autre solution serait que je saute tout de suite dans ma bagnole et que je te sorte ton directeur de sa réunion avec mon flingue. Convaincant, non ?

— Certes, mais je ne voudrais pas que ce soit retenu contre moi au moment de la négociation.

— Ces avocats… Vous ne pensez qu'au fric.

J'étais en train d'expliquer à Lucy à quel point mes plantes me paraissaient mal en point, lorsque la porte de l'agence s'ouvrit sur trois enfants qui s'avancèrent dans la pièce. Je plaquai la main sur le combiné et leur lançai :

— Dehors !

L'aînée, une adolescente aux longs cheveux noirs, avait un visage pâle barré d'une paire de petites lunettes ovoïdes. À vue de nez, je lui donnai quinze ans, mais elle pouvait avoir un peu plus. Elle était accompagnée d'un garçon plus jeune, qui traînait par la main une fillette plus jeune encore. Le garçon portait un bermuda cinq fois trop grand pour lui et une paire de Nike Air et semblait faire la gueule. La fillette arborait un tee-shirt *X-Files*.

— Je suis envahi, murmurai-je dans le combiné.

L'adolescente s'approcha de la porte-fenêtre.

— Vous êtes M. Cole ?

Je levai un doigt pour la faire patienter, et elle hocha la tête.

— Luce, ne t'inquiète surtout pas du temps que ça prendra. Si tu finis en retard, aucune importance.

— Tu es un amour.

— Je sais.

— Rendez-vous au pied de l'immeuble à six heures.

Lucy me fit des petits bruits de bisous, et je répondis de la même façon. Si l'adolescente feignit de ne rien entendre, le garçon murmura quelque chose à la petite, qui gloussa. Je ne me suis jamais considéré comme un mec à bisous mais, depuis que je connais Lucy je fais et je dis toutes sortes d'âneries. L'amour…

Quand je coupai la communication, l'adolescente observait mes plantes en fronçant les sourcils.

— Quand elles jaunissent, c'est qu'elles ont trop de soleil.

Tout le monde se veut expert en plantes.

— Vous devriez essayer les cactus, ajouta-t-elle. C'est coriace.

— Merci du conseil.

Elle me suivit à l'intérieur, où la fillette s'était déjà assise sur le canapé tandis que le garçon passait en revue avec dédain les photos et figurines de Jiminy Cricket qui ornent mon bureau. À voir ses épaules voûtées, on aurait cru que le seul fait de rester debout l'épuisait. Je me retins de lui demander de se tenir droit.

— Alors, les jeunes ? En quoi puis-je vous être utile ?

Peut-être vendaient-ils des abonnements pour un magazine associatif.

— Vous êtes Elvis Cole, le détective privé ? demanda l'aînée.

— Lui-même.

Le garçon regarda sans s'y attarder mon Dan Wesson, puis se tourna vers la pendule Pinocchio accrochée au-dessus de mon meuble à dossiers, dont les yeux se déplacent d'un côté à l'autre à chaque tic-tac – du grand spectacle.

— Votre annonce dans les Pages jaunes dit que vous retrouvez les personnes disparues.

— Exact. Et cette semaine, je fais même une promotion. Je vous en retrouve deux pour le prix d'une.

Peut-être préparait-elle un exposé – du genre « Une journée avec le meilleur détective du monde ».

Elle soutint froidement mon regard.

— Je plaisantais, dis-je. Une blague de privé.

— Oh.

Le garçon toussa brièvement. Enfin, non, il ne toussa pas mais me traita de « con-nard » en camouflant l'insulte derrière un accès de toux. La petite gloussa de plus belle.

— Tu disais ? fis-je en décochant au lascar un regard peu amène.

Le gamin se renfrogna et, traînant les pieds, il passa derrière mon bureau. L'envie paraissait le démanger de barboter quelque chose.

— Sors de là, ordonnai-je.

— Hé, ça va, j'ai rien fait !

— Je veux te voir de ce côté-ci du bureau.

— Charles ! lâcha l'adolescente.

Un avertissement. Sans doute ce môme était-il casse-pieds plus souvent qu'à son tour.

— Wouaouh ! fit-il, coulant un nouveau regard en direction de mon Dan Wesson. C'est quoi, ce gun ?

— Un revolver Dan Wesson de calibre 38.

— T'as fumé combien de mecs ?

— Je vais peut-être devoir ajouter une encoche sur la crosse dans les secondes qui viennent.

— Charles, *s'il te plaît*, insista l'aînée, avant de se tourner vers moi. Monsieur Cole, je m'appelle Teresa Haines. Voici mon frère, Charles, et ma sœur, Winona. Notre père a disparu depuis onze jours, et nous aimerions que vous le retrouviez.

Je la dévisageai, croyant d'abord à une plaisanterie, mais elle n'avait pas l'air de plaisanter. Je regardai ensuite le garçon, et la petite sœur. Ils paraissaient tout aussi sérieux. Charles m'observait à la dérobée, et je sentis une sorte d'expectative derrière son attitude blasée. Winona, qui rivait sur moi des yeux ronds comme des soucoupes, semblait animée d'une foi inébranlable. Non, ils ne plaisantaient pas. Je passai derrière mon bureau, changeai d'avis, le contournai de nouveau et finis par m'asseoir dans un des fauteuils de direction en cuir installés face au canapé. Monsieur Relax. Monsieur Tout-Va-Bien.

— Quel âge avez-vous, mademoiselle Haines ?

— Quinze ans… seize dans deux mois. Charles en a douze, et Winona neuf. Notre père voyage souvent, et nous sommes habitués à nous débrouiller seuls, mais il n'a jamais été absent aussi longtemps, et là, on est carrément inquiets.

Charles toussa, et j'entendis « Couil-lon ». Mais, cette fois, l'insulte ne m'était pas adressée.

Je hochai la tête.

— Quel est le métier de votre père ?

— Il travaille dans l'imprimerie.

— Hmm-hmm. Et où est votre mère ?

— Elle est morte. Il y a cinq ans et demi. Dans un accident de voiture.

— Un empaffé d'ivrogne, grommela Charles.

Il fronçait les sourcils en contemplant le portrait de Lucy posé sur le dessus de mon meuble-classeur. Soudain, il se détourna, revint vers le bureau et se mit à tourner comme une mouche autour de mon téléphone en forme de tête de Mickey.

— Donc, récapitulai-je, votre père est absent depuis onze jours, il ne vous a pas fait signe, et vous ne savez pas quand il doit rentrer.

— C'est ça.

— Vous savez où il est allé ?

Charles se fendit d'un sourire insolent.

— Si on l'savait, ça s'rait pas une disparition !

Je le fixai, cette fois sans rien répondre.

— Une petite question, mademoiselle Haines. Pourquoi m'avez-vous choisi ?

— Vous avez travaillé sur l'affaire Teddy Martin.

Theodore Martin était un richard qui avait tué sa femme. J'avais été engagé par ses avocats pour le défendre, mais la suite ne s'était pas tout à fait déroulée comme Teddy l'escomptait. Du coup, j'étais passé à la télévision locale, et on avait même parlé de moi dans le *Times*.

— J'ai lu un article sur vous à la bibliothèque et après j'ai trouvé votre encart dans les Pages jaunes.

— Bien joué.

Je pensai à mon amie assistante sociale Patty Bell. Et si je lui passais un coup de fil ?

Teri Haines tira une enveloppe de la poche arrière de son pantalon et me la montra.

— Vous y trouverez sa date de naissance, son signalement, ce genre de détails, dit-elle, en déposant l'enveloppe sur la table basse qui nous séparait. Alors ? Vous êtes d'accord pour vous en occuper ?

Je regardai l'enveloppe sans y toucher. Il était quatorze heures trente, un jour de semaine, et ces gosses auraient dû être en classe. Un autre que je pourrais appeler, c'était ce lieutenant de la brigade des mineurs du LAPD[1] que je connaissais. Lui saurait sûrement quoi faire.

Teresa Haines se pencha en avant, et tout à coup je crus avoir devant moi une femme de trente ans.

— Je sais ce que vous êtes en train de vous dire. Vous êtes en train de vous dire : « Ce sont des gosses », mais attention, on a de quoi vous payer.

Après avoir extirpé d'une autre poche un portefeuille rouge à quatre sous, elle agita devant moi une liasse de billets de vingt, cinquante et cent dollars assez épaisse pour stopper net une balle de

1. Police de Los Angeles *(Los Angeles Police Department)*. Elle est dotée d'une brigade d'élite, chargée du grand banditisme et des homicides, la RHD *(Robbery-Homicide Division)*.

9 mm Parabellum. Il y en avait au moins pour deux mille dollars. Voire trois.

— Vous voyez ? Vous n'avez qu'à dire votre prix.

— Putain, Teri, t'es conne, dis surtout pas ça ! Il va nous dépouiller !

Charles s'était enfin désintéressé du téléphone Mickey et recommençait à tripoter mes Jiminy. J'allais devoir envisager de le menotter au pied du canapé…

Teri me dévisageait toujours.

— Alors ?

— D'où vient cet argent ?

Si sa paupière droite frémit, elle ne détourna pas les yeux.

— C'est papa qui nous l'a laissé. Pour vivre.

Les cheveux de Teri Haines, qui tombaient librement sur ses épaules, semblaient propres et bien coiffés. Les deux ou trois boutons d'acné sur le menton de son visage en forme de cœur n'avaient pas l'air de la complexer outre mesure. Comme son frère et sa petite sœur, elle paraissait bien nourrie et en bonne santé. Peut-être avaient-ils inventé cette histoire de toutes pièces. Peut-être voyaient-ils ça comme une bonne blague.

— Vous avez appelé la police ?

— Oh, non ! s'empressa-t-elle de répondre.

— Si mon père disparaissait, c'est ce que je ferais.

Elle secoua la tête.

— Ils sont payés pour, insistai-je. Sans compter qu'ils ne vous prennent pas un sou. Avec moi, en général, ça va au moins chercher dans les deux mille dollars.

— Putain, l'arnaque ! s'écria Charles.

Au moment où il prononça ces mots, un des petits portraits encadrés posés sur mon bureau tomba, renversant trois figurines. Charles se replia vers la porte.

— J'ai rien fait, m'sieur. J'vous jure !

Teresa se raidit.

— Nous ne voulons pas prévenir la police, monsieur Cole.

Je sentis qu'elle prenait sur elle pour rester calme, et cela lui demandait un sacré effort.

— Si votre père est absent depuis onze jours et que vous n'avez aucune nouvelle de lui, vous devez prévenir la police. Ils vous aideront. Il n'y a aucune raison d'avoir peur d'eux.

Elle secoua la tête.

— La police appellera les services sociaux, et on nous placera dans un foyer.

Je m'efforçai de paraître rassurant.

— Ils feront ce qu'il faut pour que vous soyez en sécurité, c'est tout. D'ailleurs, vous savez, rien ne dit que je ne serai pas obligé de les appeler moi-même.

J'écartai les mains et me fendis d'un sourire style Monsieur Rien-à-Craindre, mais Teri Haines ne marcha pas dans la combine. Son regard se figea, et, sous la surface dure et lisse, je crus deviner un éclair de frayeur.

Elle se leva lentement. Winona aussi.

— Votre encart parlait de confidentialité.

Là, c'était une accusation.

— Tu vois, grogna Charles, y f'ra rien – comme s'ils en avaient longuement discuté avant de venir et que son idée initiale se trouvait confirmée par les faits.

— Écoutez-moi, dis-je, vous êtes mineurs. Vous ne pouvez pas rester livrés à vous-mêmes.

Ces propos me classaient parmi les adultes – une sensation qui, curieusement, s'accompagna d'une désagréable impression de petitesse.

Teresa Haines remit l'argent dans son portefeuille et le rempocha, ainsi que l'enveloppe.

— Désolée de vous avoir dérangé.

— Comprenez-moi, Teri. La police, c'est la seule chose à faire.

— Va t'faire…, toussa Charles.

Là-dessus, Teresa, Charles et Winona se dirigèrent rapidement vers la porte et sortirent sans se donner la peine de la refermer.

Mon regard balaya le bureau. Un de mes Jiminy manquait à l'appel.

Je prêtai un instant l'oreille à la radio de Cindy, dont le nasillement me parvenait par le balcon. Les Red Hot Chili Peppers chantaient *Music Is My Aeroplane*. Je pinçai les lèvres et soufflai en laissant l'air s'échapper par les coins de ma bouche.

— Alors, Ducon, tu as vraiment l'intention de les laisser filer comme ça ?

Soit j'avais parlé tout seul, soit c'était un coup de Pinocchio.

J'enfilai mon blouson pour camoufler le Dan Wesson, dévalai les quatre volées de marches menant au hall d'entrée et émergeai sur le trottoir juste à temps pour les voir s'éloigner à bord d'une Saturn vert métallisé. L'âge légal pour conduire en Californie est de seize ans, mais Teri était au volant. Ce qui ne me surprit pas outre mesure.

Je retraversai le hall ventre à terre, descendis au garage souterrain, et quelques secondes plus tard ma Corvette avalait en trombe la pente de la rampe d'accès. Un camion aux armes de la POISSONNERIE LÉON manqua me percuter au moment où je débouchais sur Santa Monica Boulevard ; le chauffeur klaxonna à deux mains.

J'étais tellement obnubilé par mon envie de repérer la Saturn dans le trafic que je ne remarquai pas tout de suite que j'étais suivi. Ce n'était que partie remise.

2

Teri conduisait bien. Sa Saturn vira au sud juste après le bureau du shérif de West Hollywood, puis à l'est, avant de s'engager sur Melrose. Je m'abstins de slalomer entre les voitures pour lui couper la route et de lui tirer dans les pneus. Qu'est-ce que j'aurais fait, d'ailleurs, après avoir intercepté ces trois gamins ? Les tenir en respect au bout de mon 38 jusqu'à l'arrivée de la maréchaussée ?

C'était l'heure de la sortie au lycée de Fairfax, et les trottoirs débordaient de garçons et de filles ordinaires – cartable et planche à roulettes pour les premiers, nombril orné d'un piercing pour les secondes. La plupart de ces gamins avaient l'âge de Teri, à peu de chose près, mais eux, ils allaient à l'école. Charles passa la tête et le bras par la vitre passager et adressa un geste insultant à un groupe d'ados qui attendaient le bus. Trois le lui rendirent, et un autre lui lança quelque chose – sans doute une boîte de soda –, qui rebondit sur l'enjoliveur arrière droit de la Saturn.

Teri continua la remontée de Melrose, avec ses boutiques de fringues ultra-branchées, ses librairies spécialisées dans la BD et ses groupes de touristes venus d'Asie, et finit par bifurquer dans une étroite rue résidentielle. De modestes maisons s'alignaient de chaque côté, et les trottoirs étaient encombrés – essentiellement des gens venus faire leur shopping. Je stoppai au coin de la rue. Vers la moitié du pâté de maisons suivant, la Saturn s'engagea dans l'allée d'une maison basse au toit de tuiles, flanquée d'une petite véranda. Un palmier royal se dressait solitaire au milieu du jardinet. Les trois Haines descendirent et disparurent dans la maison. Retour au bercail après leur tentative infructueuse auprès du grand détective.

Je passai au ralenti, trouvai une place pour me garer un peu plus loin, et revins à pied. Aucun cri ne s'échappait de l'intérieur, aucune musique ne beuglait, aucune fumée ne sortait des fenêtres ou du toit. Charles devait dormir.

À hauteur de la maison voisine, je m'arrêtai sur le trottoir pour réfléchir. Lorsque j'avais entamé cette filature, je me croyais déterminé, une fois repérée l'adresse de ces gosses, à prévenir les services sociaux ou la police, après quoi, ce ne serait plus mon problème. Cependant, l'aspect irréprochable de la maison, du jardin, de la voiture et le comportement sensé des enfants avaient mis à mal mes résolutions. Manifestement, ils s'en tiraient très bien sans adultes. Appeler les flics, après tout, pourrait semer le désordre dans leur vie. Cela dit, je n'avais qu'une vision superficielle de la situation. À l'intérieur, tout n'était peut-être que misère et vermine. Je ne voyais qu'une façon de chasser mes doutes : fouiner.

Me faufilant à côté de la Saturn, je remontai discrètement l'allée et escaladai le compteur à gaz afin de jeter un coup d'œil dans la cuisine. La pièce, vide, était propre et rangée. Pas de rats, pas de mouches, pas de montagnes de vaisselle sale. Je passai à la fenêtre suivante et, au prix d'une traction, réussis à hisser mon menton suffisamment haut pour avoir un aperçu du salon, qui donnait sur une petite salle à manger. L'idée m'effleura que Charles, s'il me surprenait dans cette position, essaierait sûrement de m'assommer avec une brique ou un autre objet contondant, mais c'est le genre de risque qu'il faut prendre quand on est un privé de classe mondiale. Vivre est un risque. Charles et Winona, sages comme des images, regardaient un dessin animé à la télé. Comme la cuisine, le salon était propre, rangé. Malgré onze jours sans le moindre adulte, tout semblait normal.

Je rebroussai chemin et regagnai ma voiture. Assis au volant, je restai longtemps à surveiller la maison, m'efforçant de prendre une mine détachée et inoffensive, comme si j'attendais quelqu'un, pour éviter que des voisins trop nerveux n'appellent les flics. Un Noir passa à ma hauteur au volant d'une LeBaron grise. Je lui fis un petit signe de tête agrémenté d'un sourire, mais il détourna le regard. Sans doute n'avais-je pas encore l'air tout à fait assez inoffensif.

Deux heures dix plus tard, je redémarrai pour aller chercher Lucy. Je n'étais pas tout à fait persuadé de faire le bon choix en laissant ces gamins seuls, mais je ne l'étais pas non plus du bien-fondé d'une démarche auprès des services d'aide à l'enfance : les travailleurs sociaux les placeraient forcément dans un foyer ou une famille d'accueil où ils seraient peut-être en sécurité – mais étaient-ils en danger, dans la situation actuelle ? Il était temps que je cesse de raquer pour avoir un encart dans les Pages jaunes.

Les studios et les bureaux de KROK sont situés à deux pas de Doheny Drive, sur Olympic Boulevard, à l'extrémité sud de Beverly Hills. Ils dressent leur impressionnante structure de verre et d'acier parmi les supermarchés, les résidences de luxe et les clubs de remise en forme haut de gamme. La 20th Century Fox n'est pas loin, Century City non plus.

C'était l'heure de pointe, et Olympic était envahi par le flot de la circulation. Les employés du parking du club de gym d'en face mettaient les bouchées doubles afin de maîtriser le flux ininterrompu d'employés, d'avocats et de cadres des studios de cinéma pressés de soulever leurs kilos de fonte pour se « refaire une santé » après une dure journée de labeur. Quatre types en costume Versace attendaient devant le club, la tête tournée vers la majestueuse entrée de KROK, mais ce n'était pas l'immeuble qu'ils admiraient ; ils admiraient Lucy. Lucille Chenier mesure un mètre soixante-cinq, elle a les cheveux auburn, les yeux verts, et le hâle de qui passe pas mal de temps au grand air. Entrée à l'université d'État de Louisiane grâce à une bourse de tennis, elle continuait de s'entraîner régulièrement. Cela se voyait à son maintien et à sa silhouette musclée. Je me garai le long du trottoir et me sentis sourire dès l'instant où elle ouvrit la portière.

— Tu l'as, ce poste ?

— Je n'ai pas encore accepté, mais ils m'ont fait une offre très intéressante.

Ses yeux verts étaient stupéfiants. Absolument sans fond.

— Intéressante comment ?

Son sourire s'élargit.

— Ça a l'air plus qu'intéressant, dis-je.

Elle se pencha au-dessus du levier de vitesses pour m'offrir un baiser, que je lui rendis.

— Tu as réservé au *Border Grill* ?

— Oui.

— Génial ! (Elle se laissa aller en arrière sur son siège.) Je ferai ma valise quand on aura dîné, et après il nous restera encore la soirée pour siroter du champagne et va savoir quoi.

Une formidable vague de chaleur envahit l'habitacle.

— Va savoir quoi..., répétai-je en souriant.

Lucy me raconta en détail son entretien tandis que nous roulions vers Santa Monica, puis je lui parlai de Teri Haines, et aussi de Charles et de Winona, de la façon dont je les avais suivis jusque chez eux. Au fur et à mesure de mon récit, je vis un double sillon vertical se former entre les sourcils de Lucy.

— Ils sont seuls depuis onze jours ?

— Ouaip.

— Sans aucun adulte pour les surveiller ?

— Exact.

Le double sillon s'approfondit encore.

— Et tu as regardé dedans par les fenêtres ?

— Tout avait l'air normal.

Lucy se tortillait tellement sur son siège que je crus qu'elle allait finir par s'en éjecter. Elle secoua la tête, noua les mains et lâcha :

— Ça ne suffit pas. On devrait faire demi-tour.

— Hein ?

— *Demi-tour*. Il faut qu'on entre chez eux pour vérifier.

J'obéis. Quand s'exprime l'instinct maternel, il n'y a pas à discuter.

Vingt minutes plus tard, je quittais Melrose pour passer une nouvelle fois devant la maison jaune. Tout semblait calme et inchangé. La Saturn n'avait pas bougé. Au moins, les trois gamins n'étaient pas en train de participer à un rodéo.

— Tu vois ? Ils vont bien.

Le détective professionnel rendant sa sentence.

— Arrête-toi.

Nous nous garâmes dans l'allée derrière la Saturn, marchâmes jusqu'à la porte d'entrée, et je sonnai. Charles ouvrit sans vérifier à qui il avait affaire. Dès qu'il me vit, ses yeux s'écarquillèrent, et il tenta de nous claquer la porte au nez.

— Cassez-vous ! hurla-t-il. Ils sont là, ils vont nous embarquer !

Je repoussai la porte et me glissai à l'intérieur, Lucy sur mes talons. Charles n'avait pas lâché prise. Pesant de tout son poids sur le battant, il grognait et soufflait, tandis que ses semelles reculaient inexorablement en couinant sur le sol.

— Du calme, Charles, dis-je. Personne ne va vous embarquer.

— Charles, arrête ! ordonna Teri.

Elle n'eut à le dire qu'une fois, d'un ton cassant, et Charles obtempéra.

Teri et Winona se tenaient dans le salon. Le téléviseur était éteint. Winona s'était réfugiée derrière sa grande sœur, qui, très calme, paraissait parfaitement contrôler la situation. Elle ne me regardait pas ; elle n'avait d'yeux que pour Lucy.

— Je voulais être sûr que tout allait bien, expliquai-je.

— J't'avais dit qu'il fallait pas aller voir ce mec ! s'écria Charles. Putain, ils vont nous mettre en foyer, maintenant !

Teri traversa le salon et tendit la main à Lucy.

— Je m'appelle Teresa Haines. Et vous ?

Lucy lui serra la main.

— Lucille Chenier. Je suis une amie de M. Cole.

Un discret fumet de sauce tomate et d'ail flottait dans la maison.

— Vous travaillez pour les services sociaux ? demanda Teri.

Lucy sourit, chaleureuse et détendue.

— Pas du tout. Je n'habite pas Los Angeles. Je suis de passage.

Lucy lâcha la main de Teri et s'approcha de la cuisine sans se départir de son sourire.

— M. Cole m'a dit que vous êtes sans nouvelles de votre papa depuis plus d'une semaine ?

— Il va bientôt revenir.

— J'en suis sûre. Ça vous dérange si je jette un coup d'œil ?

Toujours ce sourire amical et rassurant.

— Où est le mandat ? intervint Charles. Va falloir sortir un mandat de perquisition, si vous voulez mater !

Il nous foudroya du regard depuis l'entrée, une main posée sur la poignée de la porte, prêt à décamper à la moindre alerte.

— Si ça peut vous rassurer, répondit Teri, ignorant son frère.

Lucy disparut dans les profondeurs de la maison. Teri se tourna vers moi, inclinant la tête d'un air interrogatif.

— C'est une maman, commentai-je en haussant les épaules.

— Vous avez changé d'avis ? Vous voulez bien nous aider ?

— Je voulais m'assurer que vous alliez bien.

— Et vous nous avez suivis.

— Bien sûr. (Cuisiné par une gamine !) Je voulais voir de près vos conditions de vie. Ah, et Charles m'a volé une figurine.

— C'est pas vrai ! hurla l'intéressé, en faisant d'immenses moulinets avec les bras et en s'arrachant les cheveux par poignées. Y en a marre qu'on m'accuse tout le temps !

Le drame absolu.

— Charles..., fit Teri, menaçante, en plissant les yeux.

Je tendis la main.

— Allez, petit, rends-la-moi.

Charles sortit le Jiminy de sa poche et le jeta au sol.

— Con-nard !

Le regard de Teri le transperça comme un rayon laser.

— Charles...

Il ramassa le Jiminy et s'approcha de moi en traînant les pieds, prêt à filer au moindre mouvement suspect de ma part. Il déposa le Jiminy au creux de ma paume et battit en retraite. Je considérai un instant la figurine et la lançai dans sa direction. Il l'attrapa au vol.

— Garde-le.

Charles parut surpris.

— Vous n'avez pas à faire ça, dit Teri.

— Je sais.

— Je suis vraiment désolée.

Je secouai la tête. Ce sont des choses qui arrivent.

Teresa Haines inspira profondément avant d'ajouter :

— Bon, vous avez vu que tout se passe bien ici…

— On dirait que vous maîtrisez la situation.

— Donc, vous n'allez pas être obligé d'appeler la police.

Je contemplai les profondeurs de ses yeux placides – sauf qu'ils n'étaient plus tout à fait aussi placides qu'auparavant. Une étincelle de peur dansait derrière les verres ovoïdes.

— Vous étiez consciente de ce risque quand vous êtes venue me trouver, et vous êtes venue quand même. Vous devez vous faire beaucoup de souci pour votre père.

L'étincelle devint flamme ; ses traits se figèrent, et soudain la flamme disparut – et les yeux retrouvèrent leur placidité. Teri s'était battue pour reprendre contenance, et elle avait réussi. Sacrée môme.

— Bien sûr que je me fais du souci. C'est naturel.

Lucy revint et se dirigea vers la cuisine.

— Ta chambre est impeccable, Teresa. Tu la partages avec Winona ?

— Oui, madame.

Toujours ce sourire.

— Celle de Charles est un vrai capharnaüm.

— Je sais. Impossible de lui faire faire son lit.

— Je connais ça, fit Lucy en riant. J'ai un fils de huit ans qui est exactement pareil.

Charles toussa, et cette fois j'entendis le mot « pé-tasse ».

— Hé là, dis-je.

Charles se replia en traînant les pieds dans le fond du salon, aussi loin de moi que possible, plaça le Jiminy sur la table et fit semblant de jouer avec.

J'entendis Lucy ouvrir le réfrigérateur, le four et le placard à provisions. Une inspection féminine, menée avec sérieux et méticulosité. Il se passait quelque chose entre Lucy et Teri, et, sans que je puisse comprendre pourquoi, je me sentais exclu.

— Qu'est-ce que vous mangez, Teresa ?

— C'est moi qui fais la cuisine pour tout le monde.

— Moi aussi, je fais la cuisine, intervint Winona.

Lucy revint dans le séjour et sourit à la fillette.

— Je parie que tu es très douée, ma chérie.

— On fait des spaghettis.

— Mon plat préféré. Vous en mangez au petit déjeuner ?

Winona gloussa.

— On mange des corn flakes !

Lucy lui sourit de nouveau et me lança un coup d'œil accompagné d'un signe de tête.

— Vous avez de quoi manger pour ce soir ? m'enquis-je.

— Oui.

— De toute façon, dit Teri, même quand papa est là, c'est moi qui m'occupe des courses et de la cuisine. Ce n'est pas un gros travail.

On la sentait outrée d'avance à l'idée qu'on puisse le supposer.

— Je me posais juste la question, précisai-je. Vous avez tous l'air en forme.

Une lueur d'espoir illumina les yeux de la jeune fille.

— Vous n'allez pas prévenir les services sociaux ?

Je la regardai en fronçant les sourcils.

— Vous êtes mineurs. Vous ne pouvez pas rester ici tout seuls.

Lucy glissa son bras sous le mien et serra. Fort. En adressant à Teresa un sourire complice.

— Il ne va pas les prévenir tout de suite, mon trésor, mais nous devrons bien l'envisager, si la situation se prolonge.

Je fronçai les sourcils de plus belle, cette fois en regardant Lucy.

— Que signifie ce « nous » ?

Lucy me serra le bras encore un peu plus fort.

— Ne te fais aucun souci dans l'immédiat, Teri. Pour l'instant, ce qu'il va faire, c'est retrouver ton père.

— Tiens donc, fis-je. Moi ?

Le sourire de Lucy me percuta de plein fouet.

— Bien sûr que oui. Dans ton intérêt.

— Mmm...

Elle se retourna vers Teri.

— Vous avez dîné ?

— J'allais m'y mettre.

Le visage de Lucy s'illumina.

— On s'apprêtait justement à aller dans un excellent restaurant. Si vous veniez avec nous ? (Pression sur mon bras.) Ce serait amusant, non ?

— Mmm, fis-je.

— Je veux des spaghettis, déclara Winona.

Je téléphonai au *Border Grill* pour demander s'ils pouvaient nous préparer une table pour cinq. Ils pouvaient.

Nous partîmes dîner tous les cinq – Lucy, Teresa, Winona, Charles et moi. Il fallut prendre la Saturn. Winona s'installa devant, entre Lucy et moi. En bref, Charles jeta une crevette sautée à la figure de la serveuse, tenta de voler le moulin à poivre et dévora deux desserts. Quant à l'addition, elle s'éleva à cent quatre-vingt-deux dollars cinquante.

Mmm…

3

Le lendemain matin de bonne heure, j'accompagnai Lucy à l'aéroport et attendis un moment avec elle devant la porte de la salle d'embarquement. Quand l'heure fatidique fut venue, nous nous embrassâmes, et elle disparut dans le tunnel d'accès à l'avion. Je m'approchai d'une baie vitrée, m'efforçant de dissimuler ma déprime.

Un monsieur d'un certain âge, appuyé sur une canne, s'immobilisa devant la vitre juste à côté de moi et secoua la tête d'un air lugubre.

— Nouvelle visite, nouveau départ, lâcha-t-il. Moi, je ne fais jamais d'adieux.

— Vous avez raison. C'est désagréable.

— L'adieu a quelque chose de définitif. Dire adieu, c'est une invitation au désastre.

Je me tournai vers lui.

— Comment ça, définitif ?

— Les grands oiseaux arrivent, les grands oiseaux s'en vont, et on ne sait jamais ce qui va se passer. (Soupir.) Pourvu qu'il n'y ait pas de bombe !

Je le dévisageai avec insistance.

— Je vous connais, non ?

Haussement d'épaules.

— Si, si, je crois vous avoir déjà vu quelque part.

C'était un bonhomme voûté, aux cheveux clairsemés, vêtu d'un pantalon large à l'ancienne mode. Il haussa de nouveau les épaules.

— Dieu seul le sait, mais c'est possible. Vous savez, j'ai passé ma vie dans cet endroit, à venir chercher des gens, à en déposer d'autres. Sans un adieu.

— J'en suis certain.

Il me tapota l'avant-bras en souriant. Un sourire aimable et empli de sagesse.

— C'est là que vous vous trompez, jeune homme. La seule chose qui soit certaine, c'est la mort. (Il me tapota de nouveau l'avant-bras et se pencha vers moi.) Vous ne lui avez pas dit adieu, j'espère.

Génial !

Je laissai mon oiseau de malheur face à la baie vitrée, pris ma Corvette et m'enfonçai dans Sepulveda Boulevard au nord pour retraverser la ville – le détective indépendant, libre comme l'air, retrouvant sa vie de tous les jours. Lucy me manquait déjà, ce qui me mettait de mauvais poil, mais curieusement, en même temps, je me sentais exalté et plein d'espoir. Elle pensait que la proposition de KROK allait déboucher. Si tel était le cas, son fils et elle viendraient s'installer ici, et du coup je les verrais tout le temps. Cette perspective me fit sourire, et ma mauvaise humeur se dissipa peu à peu. Le soleil avait nettement grimpé dans le ciel, l'air s'était réchauffé, et un léger halo orangé enflammait l'est, au-delà des collines de Baldwin. Le type même du temps changeant, déjà porteur d'une promesse de brouillard.

Je continuai sur Sepulveda jusqu'à Washington Boulevard et bifurquai à l'est, après les anciens studios MGM, pour rattraper La Cienega. C'est là que je vis dans le rétroviseur une Chrysler LeBaron grise franchir la ligne blanche, trois ou quatre voitures derrière moi. Elle resta quelques secondes à cheval sur la ligne, sans changer de file, comme si elle cherchait à mieux voir quelque chose devant, puis rentra dans le rang. Je repensai à la LeBaron qui était passée près de moi dans la rue de Teri Haines, mais conclus après mûre réflexion :

— Nan.

Je regardais sûrement trop de séries policières.

Un quart d'heure plus tard, je me garai derrière la Saturn et m'approchai à pied de l'entrée de la maison jaune. Je m'étais plus ou moins préparé à retrouver la maison réduite à l'état de ruines fumantes, mais non : Charles devait avoir tourné de l'œil par suite d'une indigestion. *Ne sois pas trop dur avec lui, Cole. Ce n'est qu'un gosse.* Ben tiens ! Les anciens disaient sûrement la même chose quand Attila était en culottes courtes.

Teri m'ouvrit. Elle portait un jean, une paire de baskets roses et un tee-shirt blanc trop long.

— Où sont Charles et Winona ?

— Je les ai emmenés à l'école. (Sans doute lut-elle de la surprise sur mes traits.) Charles est en sixième, Winona en neuvième. Vous ne croyez tout de même pas que je les laisserais mourir idiots, si ?

— Non.

Encore une fois remis à ma place par une gosse de quinze ans !

La maison était aussi irréprochable que la veille, le silence en plus. Une machine à laver ronronnait quelque part, à l'arrière, et la rumeur de la rue s'infiltrait par les fenêtres. Teri me fit entrer dans le salon et se tint à une distance respectueuse. Aux aguets.

— Vous voulez du café ? J'en fais toujours avant de les conduire à l'école.

Un bol bleu était posé sur la table basse, à côté d'un numéro du magazine *Seventeen*.

— Et vous ?

— J'en ai déjà pris.

— Je parlais de l'école.

Teri s'assit au bout du canapé et joignit les doigts autour d'un de ses genoux. Elle était si près du bord que je craignais de la voir tomber.

— On déménage trop souvent. J'ai fini par en avoir marre d'être toujours la petite nouvelle, et j'ai eu mon BC l'année dernière, quand on vivait en Arizona. Je ne vais plus à l'école.

Le BC. Brevet des collèges.

— Ah.

Elle pinça les lèvres.

— Excusez-moi, vous croyez vraiment que ça va vous aider à retrouver mon père de parler de moi ?

— Peut-être. Vous venez de me dire que vous avez vécu en Arizona, et c'est une information que j'ignorais. Il y a des chances qu'il soit retourné là-bas.

Je la vis rougir violemment derrière ses lunettes. Cette petite n'aimait pas se faire moucher.

— Si vous voulez que je retrouve votre père, je vais avoir besoin de pistes, comme on dit dans le métier. Ce qui signifie que je vous poserai un tas de questions, et que vous devrez me dire tout ce que vous savez. Ça nous permettra peut-être de nous orienter vers quelque chose. Vous me suivez ?

Elle acquiesça sans le moindre enthousiasme.

Je sortis mon carnet et mon stylo.

— Parlez-moi un peu de lui.

Son père s'appelait Clark Rudy Haines. Trente-neuf ans, un mètre soixante-dix-huit, soixante-seize kilos. Les cheveux châtains – ou en tout cas ce qu'il en restait –, les yeux marron. Des lunettes. Teri parla des lunettes de son père, but un peu de café, me fixa sans rien dire.

— Bon, fis-je.

— Bon, quoi ?

— J'ai besoin d'en savoir plus.

Elle parut gênée, comme si elle estimait inimaginable de me fournir davantage de détails. Comme si elle pensait tout à coup que ma présence était incongrue. Comme si elle se mordait les doigts d'avoir frappé à ma porte.

Je tapotai mon carnet du bout de mon stylo.

— Vous me dites qu'il travaille dans l'imprimerie. Parlez-m'en.

— D'accord.

Elle m'expliqua que son père était monteur dans l'imprimerie et qu'ils avaient quitté Tucson pour Los Angeles quand on lui avait proposé un poste chez Enright Quality Printing, à Culver City. Il avait été licencié peu de temps après et il avait du mal à retrouver du travail. Après m'avoir débité tout ça, elle se tut brusquement et m'examina fixement.

— Vous pensez qu'il pourrait être parti à la recherche d'un nouvel emploi ?

— Sans doute.

— Ça lui est déjà arrivé ?

— Oui, mais il n'est pas resté aussi longtemps absent.

Teri m'expliqua que son métier était une activité ponctuelle : les entreprises décrochaient une grosse commande par contrat, elles embauchaient des techniciens comme son père pour honorer cette commande, mais dès que l'objectif était atteint ils étaient remerciés. Elle ajouta que, chaque fois, il fallait chercher une autre mission ailleurs, d'où leurs fréquents déménagements.

— Il a une petite amie ?

Teri eut l'air surprise.

— On déménage trop souvent.

— Des amis, alors ?

Elle fronça les sourcils, toujours aussi concentrée.

— Je ne crois pas qu'il ait d'amis ici. À Tucson, peut-être.

Je pensai à son brevet des collèges. À ce statut détesté d'éternelle petite nouvelle.

— Et vous ? fis-je.

— Quoi, moi ?

— Vous en avez ? des amis ?

Elle sirota un peu de café et s'abstint de répondre. À croire qu'ils déménageaient trop souvent pour ça aussi.

— Votre père a un casier judiciaire ?

— Non.

— Il est joueur ? Il lui arrive de taper le carton dans les cercles de Belflower ? De parier aux courses ?

— Non.

— Il boit ? Il a des antécédents psychiatriques ?

— Absolument pas. (Ses traits se durcirent. Elle prit son bol à deux mains.) Pourquoi est-ce que vous me posez ce genre de questions ?

— Parce que aucun homme ne quitte ses enfants sans motif.

— À vous entendre, on croirait qu'il nous a abandonnés.

Je la fixai. La machine à laver marqua un temps d'arrêt et changea de cycle.

— Mon père n'est pas comme ça. Il n'a rien d'un ivrogne, et il n'a jamais eu de problèmes mentaux. C'est un bon père. Gentil et doux. Il est déjà parti, mais il est toujours revenu. (Elle secoua la tête.) Le problème, c'est qu'il y a trop d'imprimeurs, et pas assez de travail. Quand on entend parler d'une offre, il faut se présenter tout de suite, sans quoi on n'a aucune chance. (Elle semblait outrée. Comment osais-je suggérer que son absence pouvait avoir une autre raison ?) En fait, j'ai peur qu'il ait eu un accident. Supposez qu'il soit devenu amnésique ?

Amnésique.

J'encerclai « Enright » sur mon carnet.

— D'accord. Je vais aller faire un tour du côté de sa dernière boîte, au cas où le personnel serait au courant de quelque chose. Ah, ça m'aiderait beaucoup d'avoir sa photo.

Elle fronça les sourcils.

— Je ne crois pas qu'il y en a une seule ici.

— Tout le monde se fait tirer le portrait.

Elle se mordit la lèvre inférieure.

— Je ne crois pas, non.

— Allez, quoi, vous devez bien avoir une photo de votre père.

La fille d'une de mes amies, âgée de quinze ans, possède au moins un milliard de photos de son chat, de ses amis, de ses frères et sœurs, de ses vacances, de son école et de tout le reste. Des caisses entières.

Teri hocha la tête de droite à gauche.

— Dans la famille, on n'est pas très photo.

Je rempochai mon carnet et me levai.

— Soit. Allons regarder un peu la chambre de votre papa.

Mine horrifiée de la demoiselle.

— Je ne crois pas qu'il aimerait vous voir fouiner chez lui.

J'écartai les mains en signe d'impuissance.

— Quand on embauche un détective privé, on embauche un fouineur. C'est en fouinant qu'on retrouve les gens qui sont partis sans dire où ils allaient. Fouiner, c'est mon métier.

Elle ne parut pas apprécier cette tirade, mais me précéda néanmoins dans un petit couloir qui menait à une chambre aménagée au fond de la maison. Une pièce exiguë, chichement meublée d'un lit double, d'une commode et d'une table de chevet. Pas l'ombre d'un portrait sur la table ou sur la commode ; par contre, un grand et beau dessin en couleurs de chacun des trois enfants était fixé au mur par des punaises. Ces dessins, exécutés sur un papier épais avec des feutres de couleur, semblaient provenir d'un cahier à croquis. Ils étaient signés C.H.

— Ouah, fis-je, admiratif. C'est votre père qui a fait ça ?

— Oui.

— Un artiste.

Les portraits étaient d'un réalisme quasi photographique.

— Hmm-hmm.

Quand j'ouvris le tiroir supérieur de la commode, Teri se raidit, mais s'abstint de tout commentaire. J'explorai la commode et la table de chevet. La commode renfermait une douzaine de maillots de corps, slips et paires de chaussettes. C'était à peu près tout. Il y avait aussi un placard, mais je n'y trouvai pas grand-chose à part une veste, deux pantalons légers et un imperméable.

— À votre avis, il a fait ses bagages pour un long voyage ?

Au regard que Teri jeta à l'intérieur du placard on aurait pu croire qu'elle craignait que quelque chose ne lui saute à la figure. Elle fit signe que non.

— Je sais qu'il a deux vestes. Et il manque deux pantalons.

— D'accord. Donc, il a bien fait ses bagages.

— On dirait.

Je restai immobile au centre de la pièce, cherchant désespérément une inspiration.

— Vous avez des photos de votre maman ?

Avec un peu de chance, Clark figurerait peut-être dessus.

— Je ne crois pas, répondit-elle évasivement.

Bon sang de bonsoir. C'était bien la première fois que je me retrouvais dans une maison sans la moindre photo familiale.

— Bon. Oublions les photos. Où est-ce qu'il range ses relevés bancaires, ses reçus de cartes de crédit, ce genre de choses ?

— Il n'a pas de carte de crédit.

Je la contemplai, stupéfait.

— On règle tout en liquide. Quand on a un budget serré, c'est la meilleure solution.

Sûre d'elle.

— Je vois : pas de photos, pas de carte de crédit.

Pas d'indices…

— On a quand même un compte courant et un livret d'épargne, ajouta-t-elle. Vous voulez voir les papiers ?

— S'il vous plaît. Et aussi vos factures de téléphone.

Ses yeux se réduisirent à deux meurtrières.

— Pourquoi est-ce que vous voulez voir tout ça ?

— Les factures détaillées mentionnent tous les appels passés d'ici ou reçus en PCV. Vous comprenez ?

Je commençais à avoir mal au crâne. On aurait dit que cette fille attendait de moi que je retrouve son père comme ça, sans aucun élément. Elle me prenait pour un télépathe, sûr.

— Bon, fit-elle enfin. D'accord.

Du bout des lèvres.

— Vous savez où c'est rangé ?

— Bien sûr que je le sais !

Outrée.

Je m'attendais que ces documents se trouvent ici même, dans la chambre de son père – éventuellement dans la cuisine –, mais pas du tout. Elle me conduisit dans sa chambre. Deux lits jumeaux étaient alignés chacun contre un mur, l'un d'eux, recouvert d'un bataillon de peluches, l'autre surmonté de posters de Dean Cain [1], David Duchovny et Gillian Anderson [2]. Là encore, pas la moindre image de Teri ou de sa famille.

— Je me demande qui peut aimer Duchovny, soupirai-je.

Teri disparut en rougissant dans la penderie. À mon avis, je tenais ma réponse.

Elle ressortit avec une boîte à chaussures entourée d'un gros élastique, la posa sur son lit et en retira des liasses de formulaires attachées par des trombones. Elle semblait savoir précisément à quoi correspondait chaque liasse.

— Les factures de téléphone sont là-dedans ?

— Oui…

J'aperçus un gros paquet de dollars au milieu des factures – encore plus gros que celui qu'elle avait brandi à mon agence. Elle surprit mon regard sur les billets, fronça les sourcils, et les mit dans sa poche. Mieux vaut prévenir que guérir.

Une sonnerie tinta dans les profondeurs de la maison, et Teri se leva.

— La machine à laver. Il faut que j'aille mettre les vêtements dans le sèche-linge.

— D'accord.

Les comptes courants et d'épargne avaient été ouverts à la First Western Bank de Tucson, Arizona. Le livret d'épargne, qui affichait un solde de mille cent quatre dollars et seize cents, ne mentionnait aucun retrait ni dépôt inhabituel. En

1. Acteur-vedette de la série *Lois et Clark : Les nouvelles aventures de Superman.*

2. Les deux vedettes de la série *X-Files*.

ce qui concernait le compte-chèques, dont le solde était de huit cent soixante et un dollars quarante-sept, le dernier dépôt avait été effectué juste avant leur départ de Tucson. Chaque opération avait été minutieusement notée sur le talon du chéquier, d'une écriture ronde de jeune fille. Je mis de côté les papiers et m'intéressai aux factures téléphoniques. Les Haines n'étant à Los Angeles que depuis quatre mois et demi, il n'y en avait que quatre. La plupart des appels étaient régionaux – Culver City pour une bonne moitié d'entre eux. Ceux-ci avaient surtout été passés pendant le premier mois. Peut-être les démarches professionnelles de Clark, mais pas forcément. Je relevai aussi deux appels vers Tucson et cinq vers Seattle – dont trois le mois écoulé, et deux assez longs. Quand Teri revint dans la pièce, je lui demandai :

— Qui connaissez-vous à Seattle ?

Au regard qu'elle me lança, on aurait pu croire qu'elle ne comprenait pas le sens de ma question.

— Il y a ici cinq appels vers Seattle, trois le mois dernier, dont deux qui ont duré un bon bout de temps.

— Ma maman est là-bas.

— C'est là qu'elle est enterrée ?

Hochement de tête.

— Votre papa pourrait y avoir gardé des amis ?

— Ça m'étonnerait. (Elle rajusta ses lunettes.) On ne se plaisait pas là-bas. Je connais mon père, il n'y serait pas retourné.

— On verra ça.

— Je suis sûre qu'il n'est pas allé à Seattle.

— Soit.

Comme s'il ne valait pas la peine que je perde mon temps à vérifier.

Je remis le trombone des factures de téléphone, pliai la liasse en deux et la glissai dans ma poche. Teri ne parut pas plus apprécier ce geste que mes investigations. Je lui rendis les autres papiers.

— Bon, je vais essayer de retrouver votre père, mais il va falloir qu'on se mette d'accord, vous et moi.

Elle m'observait, attentive et méfiante.

— Je ne signalerai pas aux autorités que trois mineurs vivent seuls ici tant que vous me semblerez en sécurité et en bonne santé. Votre père peut revenir dès aujourd'hui. Ou non. Je peux le retrouver très vite. Ou non. Pour l'instant, vous vous débrouillez bien, et je m'en réjouis, mais si – à n'importe quel moment – j'ai le sentiment qu'il vaudrait mieux pour vous que je prévienne la police, je le ferai. Est-ce clair ?

Elle prit une mine butée.

— Vous me le direz avant ?

— Pas si je sens que vous avez l'intention de fuir.

Cela lui déplut encore plus que le reste.

— Je veux bien laisser les choses en l'état pour l'instant, mais je ne vais pas vous raconter d'histoires, ajoutai-je. Ça se passera comme je vous le dis, et pas autrement.

Elle m'étudia longuement, après quoi son regard dévia vers la boîte à chaussures.

— Vous n'avez plus besoin de ça ?

Je secouai la tête. Elle récupéra le carnet de chèques, le rattacha aux relevés bancaires avec les mêmes trombones que tout à l'heure et fourra le tout dans la boîte. Elle fit de même avec les factures diverses et le petit paquet de reçus qu'elle avait remplis de sa main. Quinze ans.

— Il y a longtemps que vous payez les factures ?

Elle décrypta parfaitement le sens de ma question.

— Mon père est quelqu'un de bien. Il nous aime beaucoup. Ce n'est pas sa faute si elle est morte. Ce n'est pas sa faute s'il a du mal avec ce genre de choses.

— Je comprends.

— Il faut bien que quelqu'un s'occupe de Charles et de Winona. Et fasse marcher la maison.

J'acquiesçai en silence.

— Il faut bien que quelqu'un veille sur cette famille.

Je m'attendais presque à des larmes, mais son regard demeura sec, clair et tranchant derrière les lunettes. Déterminé. Elle finit de ranger les papiers, ferma la boîte en terminant par le gros élastique. Quand ses yeux revinrent sur moi, ils étaient calmes. Elle ressortit la liasse de billets de sa poche.

— On n'a pas encore parlé de vos honoraires.

— Oubliez ça.

Son regard se durcit de nouveau.

— Combien ?

Nous restâmes un bon moment face à face. Je finis par soupirer.

— Cent dollars. Ça devrait aller.

Elle plissa les paupières.

— À l'agence, vous avez parlé de deux mille.

— C'est une mission moins difficile que je ne m'y attendais. Cent dollars maintenant, cent dollars quand je l'aurai retrouvé.

Elle tira deux billets de cent de la liasse et me les tendit.

— Prenez le tout maintenant. Mais j'aimerais avoir un reçu.

Je lui signai un reçu et partis à la recherche de son père.

4

Après avoir téléphoné aux renseignements pour me procurer l'adresse d'Enright Printing, je laissai Teri seule avec son café et sa lessive et repris La Cienega, cette fois vers le sud et Culver City. J'avais failli lui demander de ne plus conduire et d'être prudente en se rendant à pied au centre commercial, mais m'en étais abstenu. Teri avait ses habitudes : elle vivait ainsi depuis un bon moment. Elle ne tiendrait pas compte de mon avis. En fait, celui-ci m'était destiné plutôt qu'à elle. Les adultes parlent souvent aux enfants de cette façon, en sachant qu'ils ne les écouteront pas. Ça les rassure et leur donne l'impression d'avoir fait leur devoir.

Enright Quality Printing occupait un vaste hangar construit sur deux niveaux, à portée de voix de Washington Boulevard et à quelques rues de Sony Pictures. En chemin, je m'étais imaginé un petit commerce genre imprimerie-minute, mais ce n'était pas du tout ça. Enright était une grosse boîte, avec un tas d'employés, et des presses qui tournaient vingt-quatre heures sur vingt-quatre – du genre qui impriment des trucs à gros tirage pour des entreprises ou le gouvernement. Le hangar occupait l'essentiel du terrain ; quant à la partie non construite, elle se composait d'un petit parking réservé à la clientèle et d'un quai de chargement pour les camions. Lequel fourmillait d'activité.

Je laissai ma voiture au parking, gagnai à pied l'entrée principale et arrivai dans une petite salle d'attente. Une vitrine encastrée dans le mur exhibait quelques plaquettes, brochures et manuels imprimés chez Enright. Je m'approchai de la jeune femme postée au comptoir d'accueil et lui montrai ma carte.

— Je pourrais voir un responsable ?

La jeune femme examina le rectangle de carton comme si les mots qui y figuraient étaient écrits dans un alphabet inconnu.

— Désolée. Nous ne faisons pas les cartes de visite.

Je repris le bristol.

— Je n'ai pas besoin de cartes de visite. J'aimerais parler au responsable.

Elle plissa les yeux.

— M. Livermore, vous voulez dire ?

— C'est lui le patron ?

— Hmm-hmm.

— Alors, oui j'aimerais voir M. Livermore.

— Vous avez rendez-vous ?

— Niet.

— Il risque d'être occupé.

— Essayons toujours.

La patience est souvent récompensée.

Elle murmura deux trois mots dans son téléphone, et, quelques minutes plus tard, un homme petit et sec, qui paraissait avoir au moins cent ans, émergea des locaux administratifs. Froncement de sourcils en m'apercevant.

— Vous avez un truc à faire imprimer ?

Je lui tendis ma carte, et son froncement de sourcils s'accrut.

— Du boulot de merde, ça ! Vous devriez vous faire rembourser.

Il me restitua ma carte, que je rempochai. Se faire traiter de la sorte par un expert en cartes, c'est vraiment le top pour démarrer ce genre d'entretien !

— Z'êtes flic ?

— Privé. C'est marqué sur ma carte.

Il chassa une mouche imaginaire d'un revers de main.

— J'ai pas pu aller jusque-là. Quand je vois un boulot aussi merdique, je suis obligé de détourner le regard.

Ce mec semblait décidé à ne pas me lâcher la grappe.

— Alors, comme ça, reprit-il, vous voulez me causer ? D'accord pour répondre à vos questions, sauf que vous allez devoir m'accompagner dans ma tournée. J'ai quelques culs à botter.

— Aucun problème.

Je le suivis jusqu'au bout du couloir et pénétrai derrière lui dans l'imprimerie. Le vieux marchait vite. Impatient de botter son premier cul, je suppose.

L'imprimerie proprement dite était une salle gigantesque, climatisée et brillamment éclairée par des rangées de néons. Elle sentait le papier chaud. Des machines semblables aux ordinateurs du temps de la guerre froide tressautaient, cliquetaient et ronronnaient sous le regard d'hommes et de femmes qui surveillaient la progression du papier, du carton et des reliures. Ces machines faisaient un sacré boucan, et la plupart des ouvriers portaient un casque de protection – mais pas tous. Beaucoup fumaient. Une femme avec un mégot au coin de la bouche attira mon regard. DE LA MERDE À BOUFFER, UNE JOURNÉE À CHIER, disait son tee-shirt.

— Je cherche un de vos ex-employés, licencié il y a trois semaines : Clark Haines.

Livermore réitéra le geste de chasser la mouche.

— Je m'en suis débarrassé.

— Je sais. Je me demandais si vous aviez une idée de l'endroit où il se trouve actuellement.

— Essayez la morgue. Tous les toxicos finissent à la morgue.

— Toxico ?

Bouche bée, je crois bien.

Livermore fit halte si brutalement que je faillis lui rentrer dedans. Il foudroya du regard deux types plantés près d'une grosse presse offset et tapota sa montre plus qu'ostensiblement.

— On est où, là, à votre avis, dans un club de vacances ? Je vous paie pas pour glander, moi ! On a des commandes à livrer !

Les deux types se concentrèrent dare-dare sur leur machine, Livermore se remit en marche, et je me précipitai à ses trousses. Tant de culs à botter en si peu de temps…

— Vous voulez dire que Clark Haines se drogue ?

— Dès le premier jour, j'ai senti que ce type était une loque – toujours à courir aux chiottes, toujours en train de trembler, de transpirer, de chercher à se faire porter pâle. Je me suis douté que quelque chose clochait, alors, j'ai ouvert l'œil, vous pigez ?

De l'index, il tira allégrement la peau sous sa paupière droite et m'expédia un regard injecté de sang.

— J'ai fini par les piéger à l'arrière d'une camionnette, lui et l'autre. (Son index tendu transperça l'air comme un direct.) Et hop, à la trappe ! Dans ce domaine-là, chez nous, c'est tolérance zéro.

Je ne savais plus trop quoi dire. Quelque chose ne semblait pas coller, mais de fait, souvent, dans les affaires dont je m'occupe, quelque chose ne colle pas.

— Et depuis ? Vous avez eu de ses nouvelles ?

— Nan. Pourquoi est-ce que j'en aurais eu ?

— Il aurait pu vous demander des références. Il a dit à ses gosses qu'il cherchait un autre travail.

— Eh, ce Haines est un monteur de première, mais que voulez-vous que je raconte à mes confrères ? Allez-y, embauchez un toxico, vous avez tout à gagner ?

Sur ce, Livermore piqua droit sur un petit Hispanique occupé à introduire des feuillets de papier d'un format aussi petit que lui dans une machine à relier. Le boss saisit une grosse liasse de pages, les fit rapidement défiler sous ses doigts et secoua la tête d'un air dégoûté.

— C'est de la merde. Reprenez-moi cette série depuis le début.

Je zieutai par-dessus son épaule. Le texte et la mise en pages me paraissaient impeccables.

— Ça m'a l'air bien.

Le bras de Livermore décrivit une sorte d'arc de cercle.

— Vous vous imaginez ce gâchis, nom d'un chien ? Les noirs sont complètement salopés. Vous voyez pas qu'ils sont plus clairs, là ?

— Non.

Il jeta le tout dans une caisse de chutes et toisa l'Hispanique.

— Réimprimez-moi tout ce bazar. Qu'est-ce que vous croyez qu'on fabrique ici, des tortillas ?

À croire que l'imprimerie n'est pas encore un milieu touché par le politiquement correct.

L'Hispanique haussa les épaules et éteignit la machine à relier.

Livermore s'était déjà remis à arpenter l'allée.

— Et l'autre ? demandai-je en le rattrapant au trot. Celui que vous avez surpris avec Haines ?

— Un de nos chauffeurs. Encore un enfoiré de junkie, mais lui, ça se voyait. Ce mec-là avait le mot « branleur » gravé au milieu du front.

— Son nom ?

— Tre Michaels. À mon avis, c'est lui qui fourguait la came.

— Vous avez appelé les flics ?

— Nan. Bah, j'y ai pensé, mais tous les deux, ils ont fait un foin pas possible. Ils se sont mis à chialer, à s'arracher les cheveux et tout. Michaels est déjà en conditionnelle, vous saisissez le topo ? J'aurais pu facilement le renvoyer à l'ombre, mais je me suis dit, après tout, qu'est-ce que ça peut foutre, la seule chose qui compte, c'est de ne plus les revoir ici.

— Vous pourriez m'avoir son adresse ?

Livermore allongea le pas en chassant une nouvelle mouche.

— Retournez à la réception et voyez ça avec Colleen. Dites-lui que je suis d'accord pour vous refiler ce dont vous avez besoin.

Colleen ne se fit pas prier pour me fournir ce que je lui demandais.

Tre Michaels habitait au premier étage d'un immeuble situé en bordure de la Santa Monica Freeway, dans le quartier de Palms, à moins de dix pâtés de maisons de Culver City. Il n'était pas encore tout à fait onze heures à mon arrivée, mais Michaels n'était pas chez lui. Ayant localisé la gardienne au rez-de-chaussée, je lui expliquai que je devais parler à M. Michaels – un emprunt qu'il avait souscrit – et lui demandai si, par hasard, elle avait une idée de l'heure à laquelle il serait de retour. Elle n'en savait rien, mais ne se gêna pas pour m'apprendre que Michaels travaillait désormais dans un Bestco qui venait d'ouvrir dans le quartier et que j'avais de bonnes chances de l'y trouver. Elle me confia cette information en souriant, et je lui rendis son sourire. Il faut préciser que je suis tout simplement le meilleur détective de la côte Ouest – ou presque.

Cinq minutes plus tard, je quittai Overland pour me garer sur le parking du Bestco et pénétrai dans le magasin. Bestco est un de ces énormes supermarchés de l'électronique à prix cassés, et dès que j'eus franchi les portes vitrées trois vendeurs tout sourires me cernèrent, prêts à me proposer un prix égal ou même inférieur à celui de n'importe quelle promotion lancée chez un concurrent.

— Je cherche Tre Michaels.

Ce nom ne disait rien à deux des vendeurs, mais le troisième m'indiqua que Michaels travaillait au rayon grands écrans. Je me dirigeai donc par là.

Tre Michaels sirotait du café noir dans un gobelet en plastique pendant qu'un client genre moyen-oriental marchandait avec lui, au milieu d'une trentaine de téléviseurs à écran géant qui diffusaient tous la même image d'Arnold Schwarzenegger en train de balancer un salopard par une fenêtre. J'identifiai facilement Michaels grâce à son petit badge en plastique : TRE. Le client était en train d'expliquer qu'il pouvait trouver un meilleur prix ailleurs, mais que, si Bestco s'alignait sur ce prix, avec une remise supplémentaire en espèces de cinq pour cent, la livraison gratuite et deux ans de garantie pièces et main-d'œuvre, il était prêt à acheter. À quoi Michaels répondit que si le client pouvait lui fournir une preuve précise de ce meilleur prix, il pourrait envisager une remise de deux pour cent, mais, en vérité, il ne semblait pas particulièrement pressé d'en arriver là. Arnold l'intéressait davantage.

Michaels était un type grassouillet d'une trentaine d'années, au postérieur imposant et aux cheveux clairsemés. Son teint livide, ses pupilles réduites à deux têtes d'épingle, et sa façon d'humecter à tout bout de champ ses lèvres gercées me firent penser qu'il commençait à sentir les effets du manque et qu'il attendait son prochain fixe, mais peut-être étais-je trop influencé par Livermore. Tre Michaels n'avait pas l'air d'un toxico, mais après tout, dans la vraie vie, je n'ai jamais rencontré aucun toxico qui ressemble à un toxico.

Michaels leva les yeux sur moi, et j'en profitai pour lui montrer un Mitsubishi de cent trente centimètres.

— Quand vous aurez un moment, j'aimerais vous acheter ceci.

Il hocha la tête.

— Au prix affiché.

Sans un regard pour son précédent client, Michaels vint vers moi et me demanda :

— Espèces ou carte bancaire, monsieur ?

Le Moyen-Oriental se mit à faire tout un cirque, mais un autre vendeur s'approcha aussitôt pour lui mettre le grappin dessus, et ils s'éloignèrent très vite.

— Vous avez un bureau ? demandai-je.

Michaels sourit – comme s'il trouvait ma question idiote.

— On va enregistrer ça ici, à côté de la caisse.

Je baissai le ton et me penchai vers lui.

— Inutile d'enregistrer quoi que ce soit. J'ai juste quelques questions à vous poser concernant Clark Haines.

Tre Michaels se figea, un peu comme s'il venait de s'apercevoir qu'un photographe allait lui tirer le portrait. Il lorgna du côté du vendeur blond qui s'était éloigné avec son ex-client, pivota pour observer ses autres collègues, s'humecta les lèvres et se fendit de ce qu'il espérait être un sourire innocent.

— Je suis navré, monsieur. Je ne connais personne de ce nom.

— Allons, Tre. Je ne suis pas ici pour vous faire des ennuis. J'ai simplement besoin d'informations sur Clark Haines.

Nouvel humectage. Tout autour de nous, Arnold, qui venait de passer à travers un plancher, répandait une grêle de plombs sur des méchants sans visage, alors qu'en toile de fond le monde semblait voler en éclats.

— Sacré Arnold, fis-je, c'est vraiment quelqu'un, hein ? Il débarque dans un monde de violence, et les salauds prennent leurs jambes à leur cou. (Je braquai mon sourire sur Tre Michaels.) Dommage que les choses ne se passent pas comme ça dans la vraie vie, hein, Tre ?

Michaels secoua la tête, stupidement, ne sachant pas trop quelle attitude adopter – comme s'il avait peur de parler, mais presque encore plus de ce que je ferais s'il ne parlait pas.

— Je ne suis pas flic, Tre. Je cherche Clark, et je sais que vous le connaissez. Je sais que vous avez fait connaissance chez Enright. Je sais aussi que vous êtes en conditionnelle pour une affaire de stups et que vous lui avez vendu de la came au moins une fois. (J'écartai les mains.) Parlez-moi de Clark, et vous ne me reverrez plus.

— Bien sûr.

Il continuait de regarder autour de lui en passant sa langue sur ses lèvres, mais s'il comptait sur Arnold pour venir à la rescousse, il se gourait.

— Clark a disparu, insistai-je. J'essaie de le retrouver.

— Je ne sais pas où il est.

— Ne mentez pas, Tre. Si je baisse vos chaussettes ou si je remonte vos manches, je vous fiche mon billet que je trouverai des traces de picouses. Pareil si je fais fouiller votre appart : j'y trouverai de la came, c'est sûr. Vous n'avez pas intérêt à mentir : je ne me gênerai pas pour appeler deux ou trois flics de ma connaissance. Vous n'êtes qu'à un coup de fil de la perquise, Tre.

— Je mens pas ! Putain, je vous jure sur la tête du Christ que je ne sais pas où il est !

— Il vous en a acheté souvent ?

Michaels secoua la tête.

— Deux ou trois fois. Quatre, peut-être.

— Il achetait quoi ?

— Des doses d'héroïne.

De l'héroïne. Merde !

— Quand est-ce que vous l'avez vu pour la dernière fois ?

Il fit une grimace dubitative et ébaucha un vague haussement d'épaules, comme s'il avait du mal à se souvenir.

— Il m'a appelé il y a environ deux semaines. Il s'absentait pour quelques jours et il voulait m'acheter de quoi tenir.

— A-t-il précisé où il allait ?

Tre Michaels remua la tête. Un type d'un certain âge, qui avait tout d'un chef de rayon, nous observait à distance. Michaels s'en rendit compte et ne parut pas apprécier.

— Réfléchissez, Clark a peut-être cité un nom de personne ou de lieu ? Une petite amie, par exemple ?

Michaels poussa un long soupir.

— Écoutez, ça s'est passé il y a, quoi ? deux semaines… Et depuis, je n'ai plus entendu parler de lui, OK ? Je vous jure sur la tête de ma mère que je n'ai plus eu de ses nouvelles !

Le chef de rayon s'approcha un peu plus près, les oreilles dressées. Michaels se pencha vers moi et murmura :

— Putain, mec, s'ils me lourdent, mon agent de probation va drôlement me faire chier. *S'il vous plaît...*

Ayant laissé Tre Michaels au milieu d'une mer d'Arnold déchaînés, je repartis lentement vers mon agence. Bien que la journée fût chaude et claire, l'air me semblait sale, et le soleil avait quelque chose d'écrasant, comme si sa lumière constituait une sorte de fardeau. Je pensais à Teri, à Charles, à Winona, au fait que le père que je cherchais pour eux n'était déjà plus tout à fait celui qu'ils voulaient retrouver, et je parvins à une triste conclusion : trop souvent, on ne connaît pas vraiment les gens qui nous entourent, même quand on les aime très fort.

5

Il était un peu plus de quatorze heures quand je me lançai à l'assaut des virages de Laurel Canyon pour rejoindre les collines de Hollywood et ma maison en forme de A, située à deux pas de Woodrow Wilson Drive. La montée de Laurel est interminable, mais, au fur et à mesure qu'on s'éloigne de la ville pour s'élever à travers les arbres et la roche éventrée, on laisse derrière soi la cohue et le stress de la vie moderne. Souvent, mais pas toujours. Et encore moins quand on a l'esprit encombré par trois enfants livrés à eux-mêmes dont on vient de découvrir que le père introuvable est un camé.

Je me garai sous l'auvent qui me tient lieu de garage, désactivai l'alarme et entrai par la porte de la cuisine. La maison était fraîche, silencieuse, encore imprégnée de la présence de Lucy – le fruit de mon imagination ? Il m'arrive de prendre mes désirs pour la réalité.

— Il y a quelqu'un ? lançai-je.

Pas de réponse.

Je partage mon toit avec un grand chat tout noir aux oreilles déchiquetées et au crâne aplati, qu'il a tendance à tenir de travers depuis le jour où il s'est pris une balle de 22. Cet événement l'a aigri… ce n'est pas le chat le plus affectueux du monde ; l'autre soir, quand Lucy est venue chez moi, il a craché deux fois de suite avant de s'éclipser par la chatière. Le lendemain matin, il était là pour nous regarder partir, et je m'attendais à le retrouver à l'intérieur – mais non. C'est qu'il lui arrive de bouder, en plus.

Je pris une bouteille d'eau minérale dans le frigo, bus une gorgée, posai sur le bar les factures téléphoniques de Clark Haines et laissai mon regard s'attarder dessus. Tre Michaels m'avait dit que Clark envisageait de s'absenter, et les factures faisaient mention de plusieurs appels vers Tucson et Seattle, mais l'intrusion de la drogue dans cette affaire changeait tout. Certains toxicos meurent d'overdose, d'autres se font descendre pendant qu'ils essaient d'acheter leur merde, et il était donc fort possible que le voyage de Clark Haines ne l'ait pas mené plus loin que la morgue. Je passai les trente-deux minutes suivantes au téléphone, à appeler tous les services d'urgence de la région et l'institut médico-légal du comté de Los Angeles pour demander si Clark Haines – ou toute autre personne correspondant à son signalement – avait été récemment admis, mort ou vivant, mais ce n'était pas le cas. Ouf. Au moins, j'avais esquivé cette balle-là.

J'examinai de nouveau les factures, en m'intéressant aux deux appels vers Tucson et aux cinq vers Seattle. En quatre mois, il y avait eu quatre-vingt-six appels locaux. Les deux appels vers Tucson l'avaient été à deux numéros distincts. Les cinq appels vers Seattle s'adressaient à deux numéros aussi, l'un appelé une fois, l'autre quatre. Je composai le premier numéro de Tucson.

— Désert Déménagements, récita une voix de femme.

Je lui demandai si je pouvais parler à Clark Haines – ou si elle savait où je pouvais le joindre. Ce nom ne lui disait rien. Clark avait sans doute fait appel à cette société pour son déménagement de Tucson à Los Angeles, et elle n'en avait déjà plus aucun souvenir. Une certaine Rosemary Teal répondit à mon second appel. Je demandai de nouveau à parler à Clark, et elle m'expliqua qu'il avait déménagé, mais qu'elle n'était pas sûre de savoir où il se trouvait actuellement. Comment savait-elle qu'il avait déménagé ? Clark avait été son voisin. Avait-elle eu de ses nouvelles depuis son départ ? Une seule fois. Il avait téléphoné pour qu'elle vérifie s'il avait bien coupé le gaz. Sur ce, elle insista pour que je me présente, et je raccrochai. *Vérifier le gaz.* Toxico, mais voisin scrupuleux. Aux numéros de Seattle, à présent. Au premier, une voix de jeune femme me répondit : « New York Printing. » Quand je demandai à parler à Clark Haines, elle me répondit qu'aucun Clark Haines ne faisait partie de l'entreprise. Je composai le second numéro, et, à la troisième sonnerie :

— Allô ?

Une voix d'homme, éraillée.

— Salut. Clark est là ?

D'une voix nette, polie, presque enjouée.

— Qui est-ce ?

Soupçonneux.

— Tre Michaels. Clark m'a dit qu'il passerait chez vous, et il m'a laissé votre numéro.

— Vous devez vous tromper.

À deux moments distincts, Clark Haines avait parlé à quelqu'un, sur cette même ligne, pendant plus d'une heure.

— Je suis sûr d'avoir noté le bon numéro. On parle bien de Clark Haines, hein ? Il m'a dit lui-même que je n'avais qu'à l'appeler à ce numéro ou que, s'il n'y était pas, vous pourriez me dire où le joindre.

— Je ne connais pas de Clark Haines.

Et il raccrocha. Pas très convaincant, c'était le moins qu'on puisse dire.

J'appelai une copine de la compagnie téléphonique et lui dictai le numéro pour avoir le nom de l'abonné. Quarante secondes plus tard, elle revint en ligne :

— La ligne est enregistrée au nom d'un M. Wilson Brownell. Tu veux l'adresse ?

— Bien sûr.

Je pris note, raccrochai et pensai un instant aux deux cents dollars que m'avait versés Teri Haines. De toute évidence, Wilson Brownell connaissait Clark et, en d'autres circonstances, l'étape suivante de mon enquête aurait consisté à aller lui rendre une petite visite. Normalement, le billet d'avion pour Seattle et l'hôtel faisaient partie des frais à la charge du client, mais avoir pour cliente une gosse de quinze ans n'avait pas grand-chose de normal. Teresa, Charles et Winona survivaient seuls parce que leur père, chômeur apparemment doublé d'un toxicomane au CV plus que flou, les avait – en tout état de cause – plantés là. Il était possible que Clark Haines ne revienne jamais, ou ne soit pas retrouvé vivant, et la meilleure chose à faire était encore de prévenir les flics pour les laisser s'occuper de tout ça. Je ne pouvais raisonnablement pas espérer le moindre dédommagement si je partais pour Seattle.

Sauf que j'avais promis à Teri Haines de faire le maximum pour retrouver son père, et que l'idée d'abandonner la piste Brownell sans même l'avoir suivie m'agaçait prodigieusement. Après avoir pensé une dernière fois aux deux cents dollars, je décrochai mon téléphone et composai un numéro familier.

Dès la première sonnerie, une voix d'homme répondit :

— Pike.

Joe Pike est mon associé. L'agence nous appartient à tous les deux.

— Je suis à la recherche d'un certain Clark Haines et je crois qu'il est à Seattle. Il a trois gosses, et j'aurais besoin que tu veilles sur eux pendant que je fais un tour là-bas.

Pike ne réagit pas.

— Joe ?

Comme si la communication avait été coupée.

— Ils s'en tirent plutôt bien, ajoutai-je, mais je préférerais savoir que tu es dans les parages, au cas où ils auraient besoin d'aide.

— Trois gosses..., fit Pike.

— Juste pour m'assurer qu'ils ne mettent pas le feu à leur baraque.

Encore un silence.

J'attendais toujours qu'il dise quelque chose quand le chat entra par la chatière. Il cracha si fort que Pike demanda :

— C'est ton chat ?

La bestiole passa au trot dans le salon, crachant de plus belle. En colère, le bougre. Il passa du salon à la cuisine avant de filer vers l'entrée. Il s'arrêta pour humer l'air, cracha une nouvelle fois.

— Je te rappelle dans cinq minutes, dis-je.

Je raccrochai et observai le chat.

— Ça va, vieux ?

Ses yeux s'étrécirent, mais il resta à distance.

Je m'assis sur le carrelage de la cuisine, la main tendue ; au bout d'un moment, il finit par s'approcher. Son pelage dru était chaud. Il aurait eu bien besoin d'un bain. Je lui caressai le dos et lui palpai les côtes, les hanches, les pattes. J'étais en train de me demander si quelqu'un lui avait encore tiré dessus ou s'il s'était fait courser par un coyote, mais je ne sentis rien de cassé, ni d'enfoncé, aucune plaie.

— Qu'est-ce qui ne va pas, vieux ?

Il s'enfuit d'un bond, disparut par la chatière, et ce fut alors que j'aperçus le sang.

Trois gouttelettes rouges sur le carrelage de la cuisine, tout près du seuil, deux petites qui se chevauchaient à moitié, une troisième un peu plus grosse à quelques centimètres. Je les avais enjambées sans les voir à mon entrée.

— Merde alors.

J'effleurai la plus grosse. Presque sèche.

Je me dis que le chat avait peut-être ramené un écureuil ou un mulot, mais je ne voyais ni restes, ni poils, ni aucune trace. Il lui arrivait de traîner une proie jusque dans ma chambre, je grimpai donc à l'étage pour vérifier. Rien. Je redescendis, inspectai le salon, la salle à manger et l'arrière-cuisine, en vain. Ma nuque fut envahie d'une vague de picotements. Je vérifiai chaque issue avant de remonter dans ma chambre. Les armes de poing de ma table de chevet étaient toujours dans leur tiroir, les munitions aussi. *Idem* pour mon fusil de chasse et ma carabine dans la penderie. Mes montres, mes bijoux, mon liquide, mes cartes de crédit, rien ne manquait. Pourtant, quelque chose clochait. J'étais à peu près certain d'avoir laissé les vêtements de la penderie plutôt du côté droit de la tringle, et ils se trouvaient maintenant plutôt au milieu ; par ailleurs, quelqu'un ou quelque chose avait touché aux deux rayons supérieurs de ma bibliothèque : la poussière n'était plus uniformément répartie. J'éprouvais le sentiment aigu d'une altération subtile de l'ordre des choses, doublé d'un soupçon de plus en plus précis : quelqu'un s'était introduit chez moi, mais pas pour cambrioler. Je ressortis dans le jardin afin de vérifier le boîtier du système d'alarme installé à l'extérieur de la maison. Des éraflures toutes fraîches faisaient briller le métal autour des têtes de vis. Comme si quelqu'un avait neutralisé l'alarme avant d'entrer en passant par la cuisine. Le chat l'avait sûrement griffé à sa sortie, vu qu'il – ou elle – avait déjà achevé sa fouille.

— Putain !… Ça craint vraiment.

Le chat tournait en rond au sommet de la pente, toujours excité, toujours en rogne. Cet animal est un obsessionnel ; il ne se libère pas facilement de sa colère.

— Viens par ici, toi.

Il s'approcha, amer, en grognant et en faisant entendre des bruits bizarres. Je l'attrapai et le serrai contre moi.

— Heureusement, tu n'as rien.

Il se débattit jusqu'à ce que je le libère. Gare au chien qui se serait risqué à lui chercher noise dans un moment pareil.

Je rentrai, me lavai soigneusement les mains et rappelai Joe.

— Quelqu'un s'est introduit chez moi.

— Tu crois que c'est en rapport avec le père des gosses ?

Je réfléchis.

— Je ne vois pas comment ça serait possible, mais je ne suis sûr de rien.

— Je devrais veiller sur toi plutôt que sur ces enfants…

— Peut-être. (Je lui donnai l'adresse des Haines.) Retrouve-moi sur place, je te les présenterai. Je m'envole demain matin de bonne heure.

— Comme tu voudras.

Pike raccrocha, et je restai immobile au milieu de la cuisine, environné de silence. Quelqu'un avait pénétré chez moi, je le ressentais comme une sorte de viol, j'en avais la chair de poule, j'étais plein de colère. Je retirai mon Dan Wesson de son holster, le posai sur le bar et croisai les bras.

— Qu'ils reviennent, pour voir !

Jouer les durs est parfois utile, pas toujours, cependant, et la vision de ce flingue ne modifia en rien mon impression de vulnérabilité et de danger imminent. Les flingues n'empêchent pas ce genre de choses.

J'éteignis toutes les lumières, verrouillai les issues à double tour et remis l'alarme en marche. Elle ne m'avait pas été d'un grand secours, mais il faut bien faire avec ce qu'on a.

Je m'installai au volant et repartis chez Teri Haines.

6

Il était à peine plus de six heures, ce soir-là, quand j'appuyai sur le bouton de la sonnette. Charles m'ouvrit la porte. En grand, comme la fois précédente, sans s'inquiéter une seconde de qui se tenait derrière.

— Demande toujours qui c'est, lui conseillai-je. Avant d'ouvrir.

Charles brandit un couteau-scie dont la lame mesurait au moins trente centimètres.

— Pas b'soin d'demander, quand on est prêt.

Parfois, il n'y a rien d'autre à faire que de secouer la tête.

Charles portait un monstrueux bermuda flottant, un tee-shirt noir à l'effigie de Wolverine [1] qui lui tombait presque aux genoux, et était chaussé d'une paire d'énormes écrase-merde. La frimousse de Teri apparut derrière son épaule.

— Vous l'avez retrouvé ? demanda-t-elle, pleine d'espoir.

— Non. Mais j'ai quelques idées en tête. Si vous me laissiez entrer, qu'on en discute ?

1. Héros mutant de bande dessinée, membre des *X-Men*.

La petite Winona était installée à la table de la salle à manger, où reposaient aussi les assiettes de Charles et de Teri. J'avais interrompu leur dîner. Encore des spaghettis. Peut-être qu'ils ne savaient rien cuisiner d'autre.

— Ça sent très bon.

Monsieur Ravi.

— On vient de finir, répondit Teri, mais si vous avez faim, il en reste.

— Merci, ce n'est pas la peine.

— Laissez-nous juste le temps de débarrasser.

— Bien sûr.

Je me dirigeai vers le salon et m'assis sur le canapé. En écartant un livre emprunté à la bibliothèque, *Her Pilgrim Soul*, un recueil de nouvelles de Brennert[1].

Winona glissa à bas de sa chaise, posa ses couverts dans son assiette, puis emporta l'assiette et le verre dans la cuisine. Teri fit de même, ainsi que Charles. Sans que personne ait besoin de lui crier dessus. Chacun savait ce qu'il avait à faire, et chacun le faisait, selon un code tacite. La table fut débarrassée en quelques minutes. Teri et Charles revinrent – elle pour enlever les sets de table, lui pour nettoyer la table avec une éponge humide. Des gestes mille fois répétés et qui le seraient encore des milliers d'autres fois, les gestes naturels de la vie quotidienne, un rituel. Tout en les observant, je méditai sur les secrets de famille. Teri voulait que je retrouve son père, mais l'homme que je recherchais ne paraissait pas

1. Alan Brennert, né en 1954, est surtout connu pour ses scénarios de *Wonder Woman*, *La Cinquième Dimension*, *La Loi de Los Angeles*, et, pour la BD, *Batman*.

être celui qu'elle connaissait. Et celui que je finirais par retrouver serait sans doute encore différent. Dans ma branche, les choses se passent souvent ainsi.

Une fois la table nettoyée, Teri me rejoignit, s'assit dans le grand fauteuil, un sourire aux lèvres.

— Vous voulez une tasse de café ?

— Non, merci.

— Si vous changez d'avis, n'hésitez pas. (Tout à fait comme il faut. Absolument maîtresse de son environnement et de son rôle dans cet entretien avec l'employé venu au rapport.) Alors ? Qu'avez-vous appris ?

L'eau se mit à couler dans la cuisine : c'était au tour de Winona, pour la vaisselle.

— Votre père vous a déjà parlé d'un certain Tre Michaels ?

Teri secoua la tête.

— Non. Non, je ne crois pas.

— Et de Wilson Brownell ?

Son regard se figea, comme si ce nom avait failli déclencher quelque chose, mais elle finit par détourner le regard, pensive. Charles émergea de la cuisine en traînant les pieds et s'adossa au mur.

— Tre Michaels a travaillé avec votre papa, expliquai-je. Il l'a vu il y a deux semaines, et votre papa lui a dit qu'il envisageait de partir quelques jours, mais sans préciser où. Vers la même époque, votre père a passé cinq appels longue distance à Seattle, chez un certain Wilson Brownell – dont deux qui ont duré plus d'une heure.

À la mention de Seattle, Teri et Charles échangèrent un regard. Charles croisa les bras.

— J'ai téléphoné tout à l'heure à ce M. Brownell, qui a nié connaître votre père. À mon avis, il ment et je crois que votre père est peut-être allé le voir à Seattle. Je prends l'avion demain matin pour aller lui poser personnellement quelques questions.

Je m'abstins de toute allusion à la drogue.

— Pourquoi est-ce qu'il faut que vous alliez à Seattle ? me demanda Teri, apparemment troublée.

— Je viens de vous l'expliquer.

Son froncement de sourcils s'accentua. Je crus qu'elle allait émettre une objection, mais on sentait que, malgré ses réticences, le désir de retrouver son père était plus fort que tout.

— D'accord. Je vais vous donner plus d'argent.

Je levai une main.

— Laissez tomber. On verra tout ça avec votre père quand je l'aurai retrouvé.

Charles aussi fronçait les sourcils. Il semblait encore moins emballé que Teri par l'idée de mon voyage à Seattle.

— Vous partez combien de temps ?

— Deux jours, peut-être trois. Moins si je trouve immédiatement ce que je veux.

Tous deux me regardaient fixement, les yeux écarquillés.

— J'ai demandé à mon associé de passer. Il s'appelle Joe Pike et il sera là si vous avez besoin de quoi que ce soit.

— Besoin de quoi ? grogna Charles. Vous nous prenez pour des bébés, ou quoi ?

— Non, mais je dormirai mieux si je sais qu'il y a quelqu'un dans les parages pour vous donner un coup de main en cas de nécessité.

La sonnette retentit. Charles empoigna son couteau et se rua vers l'entrée.

— N'oublie pas de demander qui c'est, lançai-je.

Charles ouvrit en grand, découvrant un Joe Pike, immobile comme une statue, qui en emplissait tout l'encadrement. Pike est tout en muscles, une belle bête d'un mètre quatre-vingt-cinq, aux cheveux noirs coupés ras. Son visage demeure indéchiffrable pour qui ne le connaît pas de longue date. On voit de grosses veines saillir de ses bras, et il s'est fait tatouer des flèches rouge vif sur les deltoïdes il y a bien longtemps. Pointées vers l'avant, les flèches. Il portait ce jour-là un sweat-shirt gris dont il avait lui-même coupé les manches, un jean bleu et ses éternelles lunettes de pilote aux verres d'un noir insondable. Les verres s'inclinèrent en direction de Charles.

Lequel lâcha son couteau et hurla :

— Barrez-vous !

Il tenta de refermer la porte, mais Pike la bloqua sans effort et la rouvrit en douceur.

— Calme-toi, Charles ! C'est lui, Joe Pike, qui travaille avec moi.

Adossé contre la porte, le garçon poussait de toutes ses forces pour essayer de la refermer, en faisant entendre des petits bruits du genre *grr, grr, grr*.

— Charles ! cria Teri.

Haletant, il fit un bond en arrière, contourna Winona et disparut dans la cuisine. La fillette était plantée sur le seuil, les mains savonneuses et ruisselantes, la poitrine gonflée comme si elle s'apprêtait à fondre en larmes.

— N'aie pas peur, dit Teri à sa petite sœur. C'est un gentil. (Elle se retourna vers moi.) On est capables de se débrouiller tout seuls, monsieur Cole. On n'a pas besoin de baby-sitter.

La tête de Charles reparut dans le cadre de la porte.

Joe Pike regarda le couteau tombé au sol, les enfants, et moi.

— Baby-sitter ?

J'écartai les bras en signe d'impuissance.

— Il ne va pas s'installer ici, plaidai-je. Il sera simplement dans le secteur, et je vais vous laisser son numéro de téléphone. En cas de besoin, vous n'aurez qu'à l'appeler. (Je me tournai alors vers Joe.) N'est-ce pas, Joe ?

La tête de Pike pivota lentement, jusqu'à ce que ses verres noir d'encre soient orientés vers moi. Je suppose qu'il était amusé, mais allez savoir.

Teri pinça les lèvres. Obstinée.

— Tout va bien. On n'a besoin de rien.

— Écoutez, il est hors de question que je vous laisse seuls tous les trois. Joe sera dans le coin, il se peut même qu'il passe vous voir une fois ou deux. C'est comme ça, et pas autrement.

Teri n'apprécia pas, mais je n'avais pas l'intention de lui laisser le choix.

— Bon. Je suppose que je n'ai pas grand-chose à y redire.

Cassante.

— Non, fis-je en secouant la tête.

Charles, qui n'avait cessé d'épier Joe, contourna Winona en traînant les pieds.

— Faites voir votre gun.

Pike se baissa pour ramasser le couteau-scie, le lança en l'air et le rattrapa par la lame. Il fixa Charles, et Charles se réfugia de nouveau derrière Winona. Pike s'approcha et lui tendit le couteau. Toujours en le tenant par la lame.

— Range ça avant que quelqu'un se blesse.

Charles s'empara du couteau et fila dans la cuisine.

Pike se tourna vers Teri.

— Heureux de faire votre connaissance, mademoiselle Haines. Je m'appelle Joe.

Il lui tendit la main – et elle la prit. Je crus même la voir rougir.

Winona souriait de toutes ses dents.

— Et moi, je m'appelle Winona.

Pike me jeta un coup d'œil.

— Tu peux y aller. Tout se passera bien.

Sacré Joe. Le connaître, c'est l'aimer.

Je les laissai tous les quatre et repartis en voiture dans le crépuscule violacé.

À l'approche de ma maison, j'éprouvai une méfiance qui ne m'est pas coutumière. Les trois gouttes de sang séché souillaient toujours le carrelage juste à côté de la chatière, et cette bâtisse silencieuse dégageait une irritante sensation d'étrangeté. Le chat entra, flaira les gouttes de sang, se coula sur le carrelage et s'assit devant son bol.

Je lui servis une boîte de pâtée au thon, puis j'ouvris la porte-fenêtre coulissante qui donnait sur la terrasse. L'air frais du crépuscule fleurait bon la sauge sauvage. Je plaçai un disque de Jimmy Buffett sur la platine laser, me servis un verre de tequila, bus une gorgée, ressortis dans mon jardin escarpé et cueillis un gros citron vert sur l'arbre que j'y avais moi-même planté deux ans plus tôt. Excellent avec la Cuervo Gold. Quelqu'un s'était donc introduit chez moi. L'alternative était évidente : soit je me laissais dominer par le malaise, soit non ; dans un cas comme dans l'autre, la décision m'appartenait. Un événement n'est jamais autre chose que ce qu'on en fait.

Je passai les deux heures suivantes à récurer les deux salles de bains, la cuisine et les sols. Je jetai ma brosse à dents et en sortis une neuve. Je lavai les draps, les taies d'oreiller et les serviettes. Je sortis toutes les assiettes et tous les couverts des placards et tiroirs de la cuisine et les entassai dans le lave-vaisselle ; je passai l'aspirateur sur le canapé, les fauteuils et les tapis. Je briquai le parquet, continuai à nettoyer et à boire jusqu'aux premiers feux de l'aube. Là, enfin, je me sentis de nouveau chez moi.

Je préparai mes bagages avant de sombrer dans un sommeil tourmenté, tandis que Jimmy Buffett continuait de chanter les couchers de soleil antillais, la flibuste, et un monde où les filles de quinze ans n'étaient pas contraintes de supporter seules le poids d'une famille.

Un peu plus tard, je m'envolai pour Seattle.

7

Seattle est une de mes villes préférées. Si L.A. n'existait pas, je pourrais y vivre. Alors que le ciel au-dessus de Los Angeles est souvent flou et sans relief, on peut admirer à Seattle un paysage nuageux en perpétuelle mutation. Le ciel y est vivant : il respire, il bouge, il apaise la ville et ses habitants, les protège de son manteau, lâchant régulièrement des pluies qui lavent à la fois l'air et le sol. On trouve à Seattle le meilleur café d'Amérique et quelques-unes des meilleures librairies, on y pêche le saumon argenté, et, jusqu'à une époque récente, les prix de l'immobilier y étaient tellement bas par rapport à ceux du sud de la Californie que des flots de Californiens montaient s'y installer. Une amie à moi a vendu sa maison d'Orange County et s'est offert une superbe baraque les pieds dans l'eau sur Bainbridge Island. Cash. Elle a confié le reste de son capital à un fonds de pension. Résultat, elle passe désormais le plus clair de son temps à peindre des aquarelles et à ramasser des palourdes. Les Californiens sont si nombreux à avoir fait la même chose que le prix du mètre carré à Seattle a fini par crever le plafond – au point que beaucoup d'autochtones n'ont plus les moyens de vivre dans leur propre ville. C'est pour ça que, quand je passe dans la région, je préfère raconter que je viens de l'Oregon.

M'étant procuré une Ford Mustang et un plan de la ville à l'agence de location Sea-Tac, j'empruntai la Highway 509 nord et mis le cap sur Elliot Bay, où je connais un excellent resto de fruits de mer tapi à l'ombre de la Space Needle. Je déjeunai d'un sandwich au crabe avec des frites arrosé d'un thé à la mangue, puis demandai à un agent comment rejoindre la rue de Wilson Brownell. Avec un peu de chance, je le trouverais en train de glander chez lui en compagnie de Clark. Avec un peu de chance, je pourrais attraper le dernier vol pour L.A. le soir même et je n'aurais même pas besoin de prendre une chambre d'hôtel. Il faut croire à ce qu'on fait.

Brownell vivait sur l'autre rive du canal Duwamish, à White Center, un ancien quartier ouvrier de l'ouest de Seattle, dont les rues étroites, nées autour d'une aciérie, sont bordées d'immeubles trapus et de maisons de bois. De jeunes hommes au visage hâve et au regard sombre rôdaient à proximité de l'aciérie, comme s'ils enrageaient de ne pouvoir y travailler. Je manquai deux fois l'immeuble de Brownell, d'abord parce que j'avais raté le numéro, puis, l'ayant repéré, faute de place pour me garer. En fin de compte, je laissai ma voiture devant une bouche d'incendie à six pâtés de maisons de distance. De la flexibilité dans l'art de la détection…

Le rez-de-chaussée de l'immeuble de Brownell était occupé par trois commerces : une friperie, un atelier de réparation de pièces métalliques pour bateaux, et un vidéo-club : Extreme Video. La vitrine du magasin de vidéos était tapissée d'affiches soit de Jackie Chan, soit de jeunes et jolies Asiatiques le plus souvent ficelées sur une chaise avec des milliers de cordes. Extrême, en effet.

Quand j'arrivai devant, trois jeunes en tee-shirt se tournaient les pouces, buvant des canettes de jus de fruits. L'un d'eux était coiffé d'une casquette des Seattle Mariners, et tous trois portaient un jean retroussé sur une paire de bottes. L'entrée de l'immeuble, défendue par une grille non verrouillée, était au coin du bâtiment, juste après l'atelier de réparation. Une liste des occupants était affichée au mur, non loin d'une batterie de boîtes aux lettres munies chacune d'une étiquette adhésive censée indiquer un nom et un numéro d'appartement – aucun Brownell ne figurait sur la liste – mais les lettres inscrites sur les étiquettes avaient été effacées par le temps.

— Salut, les gars, vous connaissez Wilson Brownell ?

— Sûr, répondit le jeune à la casquette. Il habite ici.

— Vous connaissez son numéro d'appart ?

— À peu près sûr que c'est le B. Au premier.

Vous voyez comme les gens sont sympa à Seattle !

Je montai l'escalier quatre à quatre et longeai le couloir en cherchant l'appartement B. La porte d'en face était ouverte, et je remarquai une vieille femme aux cheveux crêpés, tassée dans un fauteuil ultra-rembourré, qui me scrutait en plissant les yeux. Elle serrait au creux de sa main une télécommande grosse comme une matraque et regardait la chaîne parlementaire. Je lui décochai un sourire.

— Bonjour.

Elle plissa les yeux de plus belle.

On n'entendait pas un bruit chez Brownell. Pas de radio, pas de télévision, aucune voix en train de faire des messes basses, rien d'autre que les sénateurs qui palabraient chez la voisine et la rumeur de la rue. L'immeuble, ancien, n'avait pas l'air conditionné, et la plupart des fenêtres étaient grandes ouvertes. Je commençai par frapper, puis j'appuyai sur la sonnette.

— Il est au travail, couillon.

Comme ça, *couillon* !

— À c'te heure, tous les bonshommes qui se respectent sont au travail, ajouta-t-elle en me toisant froidement, comme pour me faire comprendre que j'aurais dû y être également.

Elle faisait soixante-dix ans, mais pouvait aussi bien en avoir quatre-vingts. La peau de son visage rappelait le cuir ocre, et ses cheveux poivre et sel remontaient vers l'arrière, à la façon de la fiancée de Frankenstein. Elle portait une robe de chambre légère en coton et une paire de mules, et braquait sa télécommande sur moi. À croire qu'elle espérait ainsi me faire disparaître.

— Désolé de vous déranger, madame.

Je lui adressai mon sourire le plus décontracté, du style je ne suis qu'un brave gars en train de vaquer à mes affaires de brave gars, et consultai ostensiblement ma montre. Treize heures cinquante-quatre.

— Il m'avait pourtant dit de passer à deux heures. Vous savez quand il rentre ?

Le meilleur détective du monde passe à la vitesse supérieure pour embobiner la petite vieille rivée devant son poste.

Le plissement d'yeux s'atténua quelque peu, et elle agita sa télécommande. Le babil des sénateurs disparut.

— Pas avant cinq heures et demie, six heures moins le quart. Dans ces eaux-là.

— Oh là là ! ça fait tard, fis-je, secouant la tête et simulant une profonde déception. Un vieux pote à nous vient d'arriver en ville, et on doit fêter ça. Si ça se trouve, il est déjà passé par ici.

Si ça se trouvait, Clark était en cet instant même de l'autre côté de cette porte, endormi sur le canapé. Le métier veut ça : on jette sa ligne et on attend que ça morde.

La dame prit mal mon explication :

— J'en sais rien, moi. J'espionne pas les gens.

— Naturellement.

— Y a des gens qui entrent et des gens qui sortent. Une vieille comme moi qui vit seule, tout le monde s'en fiche.

Elle tourna la tête vers le téléviseur. Il me sembla percevoir une odeur de litière pour chats et de navet.

— Un type un peu plus petit que moi, plus maigre, aussi, avec des lunettes. Dégarni.

Elle remit le son en secouant sa télécommande.

— Les gens entrent, les gens sortent.

J'opinai. Monsieur Je-Comprends-Parfaitement, Monsieur Je-ne-M'attendais-Naturellement-Pas-à-Ce-Que-Vous-Vous-Souveniez. Ensuite, je me giflai le front et je fis comme si je venais de m'apercevoir que j'étais effectivement le dernier des couillons.

— Mince, m'écriai-je, il s'attend peut-être à ce que j'aille le chercher à son travail ! Je parie que c'est là qu'on devait se retrouver ! Bien sûr !

Le meilleur détective du monde recourant à la technique de la défaillance humaine afin d'amadouer une informatrice potentielle.

La dame fronça les sourcils en regardant l'écran, coupa de nouveau le son.

— Quelle histoire à la con.

— Je vous demande pardon ?

Ses lèvres s'étirèrent en un étroit sourire qui voulait dire : Attention, mon gars, je suis affûtée comme une lame de rasoir, et si tu ne fais pas gaffe, je m'offrirai ta tête sur un plateau.

— Si vous cherchez à savoir quelque chose, vous avez qu'à demander. Pas besoin d'inventer cette salade à la con de vieux potes qui cherchent à se revoir. C'est vraiment nul !

Je souris de nouveau, mais cette fois mon sourire disait : D'accord, ma vieille, tu m'as eu.

— Excusez-moi.

Démasqué par la fiancée de Frankenstein.

Elle haussa imperceptiblement les épaules, comme si, après tout, ce n'était pas grave.

— Fallait bien essayer, mais là, vous avez poussé le bouchon un peu loin. Vous êtes trop bien de votre personne, aucune chance qu'on vous prenne pour l'ami d'un tocard comme Wilson Brownell.

À croire qu'ils ne s'entendaient pas vraiment.

— Alors, insista-t-elle, c'est quoi, la vraie histoire ?

— Un ami de Brownell me doit six cents dollars.

Elle ricana, secoua la tête.

— J'aurais dû m'en douter. Tôt ou tard, on en revient toujours à des histoires de pognon, hein ?

— Hmm-hmm. (La cupidité est inscrite dans nos gènes à tous.) Alors, cet homme que je vous ai décrit ? Vous l'avez vu ?

Elle haussa les épaules – sans hostilité cette fois.

— Votre description est plutôt mince, jeune homme. Ça pourrait être n'importe qui.

— C'est vrai. Vous sauriez me dire où travaille Brownell ?

— Dans une imprimerie.

— New World Printing ?

C'était le second numéro de Seattle appelé par Clark.

— Peut-être.

— Vous ne lui direz pas que je suis passé, hein ?

Elle se détourna de nouveau vers les sénateurs.

— Est-ce que cet enfoiré m'a déjà aidé en quoi que ce soit ?

Aucun doute, ils ne s'entendaient pas du tout.

Je redescendis l'escalier, émergeai dans la rue et observai l'immeuble. Deux des trois jeunes étaient partis, mais celui qui portait la casquette des Mariners feuilletait un magazine automobile, assis sur un tabouret en bois devant le vidéo-club. L'appartement de la fiancée de Frankenstein était situé juste au-dessus de l'atelier de réparation, à l'avant de l'immeuble, j'en déduisis donc que celui de Brownell donnait sur l'arrière. Je m'éloignai jusqu'au coin de la rue, tournai et m'engageai dans l'allée de service. Un réseau d'échelles de secours rouillées grimpait vers le toit, véritable toile d'araignée métallique. Je me mis à compter les fenêtres pour localiser celles de Brownell grâce à la position de celles de la fiancée de Frankenstein côté façade. Il y en avait un paquet. Ornées parfois d'une plante en pot, parfois de linge en train de sécher. Devant une autre, un tricycle de gosse était accroché à l'échelle de secours. Les vitres de Brownell étaient fermées.

J'escaladai une poubelle pour atteindre le bas de l'échelle, me hissai d'une traction sur le rebord d'une des fenêtres de Brownell, qui s'ouvrit d'une simple poussée et me faufilai dans la salle à manger. On devrait toujours fermer soigneusement ses fenêtres, même dans une ville aussi tranquille que Seattle.

Clark Haines ne dormait pas sur le canapé. L'appartement, silencieux et chaud parce qu'il était resté fermé, sentait le café et le pop-corn. La salle à manger donnait en face de moi sur un petit séjour, avec une kitchenette à ma droite. Au-delà de la kitchenette, une porte menait sans doute à une chambre et à la salle de bains. Un canapé en skaï et un fauteuil dépareillé encombraient un coin du séjour, en face d'un Sony Trinitron et d'un magnétoscope. Une table basse jonchée de magazines était posée de biais entre le canapé et le fauteuil. Un téléphone jaune à cadran rotatif était posé dessus. Dans la salle à manger, une petite table en pin, trois chaises, et une étagère Ikea surmontée de deux ou trois plantes, d'un poisson rouge-orange vif tournoyant sans fin dans un bocal à cornichons géant, et de quelques photos d'une Noire au sourire charmant. Jeune. Comme les photos semblaient vieilles, je me dis que la femme, à ce jour, l'était peut-être aussi. Plusieurs dessins encadrés la représentant, d'un réalisme quasi photographique, étaient fixés aux murs. Ils étaient signés *Wilson*, mais leur style et la technique utilisée me rappelèrent sur-le-champ les portraits qu'avait faits Clark Haines de ses enfants.

On espère toujours tomber sur une évidence : un sac de couchage et un oreiller sur le canapé, une valise, un pense-bête : R.V. CLARK 5 HEURES collé sur la porte du frigo, n'importe quel indice de la présence d'un hôte de passage – ou à la rigueur de l'endroit où se trouve ledit visiteur. *Nada*. Je trouvai un pack de bières dans le frigo, et les placards contenaient un stock d'alcool suffisant pour étancher la soif d'un groupe de représentants en encyclopédies réunis pour leur séminaire annuel – mais cela ne signifiait pas nécessairement que Brownell avait eu de la visite. Peut-être était-ce tout simplement un pochard. Quant aux publications posées sur la table basse, il s'agissait de brochures et de revues spécialisées dans le matériel d'imprimerie professionnel – dont certaines pages étaient cornées – et de catalogues de fournitures. Les pages cornées se rapportaient toutes à des fournisseurs de papier et d'encre en Europe et en Asie. Sur quatre d'entre eux, on pouvait encore lire l'adresse postale de leur destinataire : ils avaient été envoyés à M. Wilson Brownell. La plupart des revues faisaient tout un foin sur une technique appelée « micro-scanning numérique : la génération zéro perte ». Du chinois. Mais bon, quand on est imprimeur, j'imagine qu'on aime entendre des histoires d'imprimeur.

Après un bref coup d'œil dans la salle de bains, je passai dans la chambre. Clark Haines n'y était pas non plus. Un lit double adossé au mur et soigneusement fait, une malle, une commode, une table à dessin. Un seul lit, une seule brosse à dents, une seule trousse de toilette, une seule serviette, aucun bagage en vue, pas de couchage d'appoint. D'autres photographies de la même femme reposaient sur la commode et la malle. Un Noir souriant figurait également sur certaines d'entre elles. Wilson Brownell. Je repérai un dessin en cours sur la table, un dessin à l'encre de Chine, aux traits précis, sorte d'évocation hyperréaliste du ciel de Seattle. Wilson Brownell était peut-être un ivrogne, mais c'était aussi un artiste de talent, et l'idée me vint qu'il pouvait avoir formé Clark. Et si Clark était tout simplement revenu prendre des cours de dessin ?...

J'inspectai la table de chevet et la malle, et j'étais en train de farfouiller dans la commode quand je remarquai un petit cliché instantané coincé sous le miroir de la commode, et à demi caché par les portraits de la femme. On y voyait deux couples debout sur une jetée – Brownell et sa femme à gauche, et un couple blanc nettement plus jeune à droite. La femme blanche avait le teint pâle, des vagues de cheveux noirs et des lunettes. Le portrait de Teri Haines, avec quelques années de plus. Elle tenait en souriant la main d'un homme fluet dont le crâne commençait déjà à se dégarnir. Je retournai la photo. Au verso, une main avait écrit : *Clark et Rachel Hewitt, Edna et moi, 1986*. J'observai de nouveau le cliché. La femme blanche ne pouvait être que la mère de Teri, et son compagnon ne pouvait être que

Clark – à ceci près que son patronyme n'était pas Haines, mais Hewitt.

Je glissai la photo dans ma poche, remis tout le reste en place, ressortis par la même fenêtre. Une fois dans la rue, je pénétrai pour la deuxième fois dans l'entrée de l'immeuble et remontai l'escalier. La porte de la fiancée de Frankenstein était toujours ouverte, et elle continuait de secouer sa télécommande. Moi aussi, si j'avais suivi les débats du Congrès toute la journée, j'aurais sûrement eu envie de secouer quelque chose.

— Encore une petite question, dis-je.

Elle plissa les yeux et coupa le son.

Je lui montrai l'instantané, cette fois sans me donner la peine de sourire.

— Ce type fait partie des gens qui entrent et qui sortent ?

Elle examina la photo, et son regard monta jusqu'à moi.

— Il vous doit de l'argent, lui aussi ?

— Tout le monde m'en doit. Je suis trop généreux de nature.

Elle ouvrit la main, frotta son pouce contre son index.

— Ça vous dirait d'étendre votre générosité à une vieille dame comme moi ?

Je lui remis un billet de vingt craquant.

— Il est arrivé il y a une semaine. Jeudi. Il est resté deux jours et il est reparti. Vous auriez dû entendre ce bazar.

— Comment ça ?

Elle fit la grimace.

— Des râles, des cris, des râles et encore des cris. J'ai aucune idée de ce qui a pu se passer là-dedans. (Elle frissonnait, comme si elle ne voulait pas savoir.) Je l'ai pas revu depuis.

— Merci du coup de pouce.

Elle escamota mon billet de vingt et retourna à la chaîne parlementaire.

— Oubliez ça.

Tôt ou tard, on en revient invariablement à des histoires de pognon.

8

L'imprimerie New World était installée sur la rive est du canal Duwamish, entre Georgetown et les terrains de Boeing, dans un vieux quartier industriel, construit du temps où le métal et la brique étaient encore bon marché. Une élégante entrée de verre occupait une partie de la façade, avec à l'intérieur une réceptionniste qui allait forcément décrocher son téléphone pour prévenir M. Brownell qu'un certain M. Cole désirait le voir. Vu le peu de coopération manifesté par celui-ci quand je lui avais parlé au téléphone, il était probable qu'au pire il refuserait de me voir, et qu'au mieux il serait averti de ma visite, et donc prêt à me servir un boniment quelconque. Dans un cas comme dans l'autre, ça ne m'arrangeait pas. Je me suis rendu compte que, quand on surprend les gens sur leur lieu de travail, leur première préoccupation étant d'éviter une scène gênante, on peut plus facilement leur extorquer des informations qu'ailleurs. Encore une subtilité du métier de détective.

Je me garai devant l'imprimerie et la contournai en direction du quai de chargement, aménagé sur un flanc du bâtiment ; deux hommes se démenaient pour hisser à l'arrière d'un semi-remorque une caisse qui devait contenir au moins cinq tonnes de papier cartonné.

— Hé, les gars, vous savez où je pourrais trouver Wilson Brownell ?

— Ouais, répondit le plus jeune, affublé d'une épaisse moustache, d'un anneau à l'oreille gauche et d'un bandana rouge aux allures de calotte, en m'indiquant l'intérieur de l'imprimerie. Vous suivez l'allée jusqu'au fond, vous dépassez le bureau et vous poussez la porte à double battant. Il est là.

— Merci.

Je longeai une allée interminable, bordée de palettes sur lesquelles s'empilaient des cartons de brochures, de magazines et de prospectus. J'en soulevai deux et repris ma marche avec ce que j'espérais être une expression affairée – une abeille parmi d'autres, transportant diligemment son fardeau à travers la ruche.

Derrière le bureau, un type à moitié chauve, au ventre en tonneau et aux petits yeux cruels parlait avec un autre, plus jeune, à la pomme d'Adam en perpétuel mouvement. Des bras, un torse et un cou maigrichons, mais une bedaine spectaculaire. Comme si quelqu'un lui avait fourré une boule de bowling géante dans la chemise. Il me lorgna en plissant les paupières, ainsi que le font parfois les gens quand ils tâchent de se rappeler qui vous êtes, mais, le temps que son cerveau se mette en branle, j'avais déjà franchi la porte à double battant et je me retrouvai à l'intérieur d'une salle caverneuse, peuplée d'opérateurs et de machines grondantes. Une femme passa devant moi en poussant un chariot.

— Wilson Brownell, s'il vous plaît ? demandai-je en souriant.

Elle me le montra du doigt, et je le vis au fond de la salle, debout devant une grosse machine avec deux autres hommes – un jeune sur le tee-shirt duquel était inscrit KURT EST VIVANT[1], et un type d'âge moyen, en costard. Une grosse plaque de métal avait été retirée du flanc de la machine pour leur permettre d'en examiner les entrailles.

Wilson Brownell avait une soixantaine d'années, et il me parut plus grand que sur les photos trouvées chez lui. Vêtu d'un pantalon kaki et d'une chemise écossaise, il avait les cheveux courts, plutôt gris que noirs, et une paire de lunettes à monture noire. Professoral. Avec son stylo, il indiquait quelque chose dans les profondeurs de la machine. Debout, les bras croisés, le type en costard n'avait pas trop l'air d'apprécier ses explications. Brownell cessa enfin de pointer son stylo sur la machine, et le costard s'éloigna sans décroiser les bras. Brownell adressa une phrase au jeune, qui se mit aussitôt à quatre pattes et glissa la tête à l'intérieur de la machine. Je m'approchai.

— Monsieur Brownell ?

— Oui ?

Brownell posa sur moi des pupilles mouillées et embrumées. Je perçus une odeur d'alcool, discrète et lointaine. Qui l'accompagnait sans doute en permanence.

1. Allusion à Kurt Cobain, chanteur du groupe Nirvana, qui s'est suicidé.

Je pris soin de me placer dos au jeune gars, afin que Wilson Brownell soit le seul à m'entendre.

— Je m'appelle Elvis Cole. Je vous ai téléphoné deux fois. J'essaie de retrouver un certain Clark Haines.

Brownell hocha la tête.

— Connais pas.

— Clark Hewitt, peut-être ?

Brownell tourna la tête vers le jeunot puis s'humecta les lèvres.

— Vous n'avez rien à faire ici. (Il coula un regard par-dessus mon épaule.) Ils vous ont laissé entrer ?

— Allons, monsieur Brownell. Je sais que Clark vous a appelé plusieurs fois de Los Angeles, j'ai vu sa facture détaillée. Je sais aussi qu'il est venu chez vous. (Il avait visiblement peur.) Je ne suis pas ici pour vous chercher des poux dans la tête, ni à vous ni à Clark. Ses trois gosses sont seuls depuis onze jours, et il se trouve qu'ils ont besoin de lui. S'il ne rentre pas, quelqu'un d'extérieur va bien devoir s'en occuper.

Elvis Cole, détective du XXIe siècle – le privé à l'écoute de vos souffrances.

— Je ne sais rien. Je ne vois pas de quoi vous parlez.

Il secoua la tête, et l'odeur d'alcool se fit plus nette.

— Ces gosses sont livrés à eux-mêmes, insistai-je. Je veux juste savoir si Clark a l'intention de rentrer chez lui.

Il leva les mains et soupira bruyamment.

— Ce n'est pas compliqué, Wilson. Soit je retrouve Clark, soit je confie ses gosses aux services sociaux, et ils seront placés en foyer. Vous comprenez ce que je veux dire ?

Je mourais d'envie de lui coller une baffe. De le choper par les oreilles et de secouer un bon coup.

— Clark perdra ses enfants si je n'arrive pas à lui parler, et vous serez en partie responsable.

J'espérais l'inciter à coopérer en le culpabilisant.

Wilson Brownell regarda de nouveau derrière moi, et ses yeux s'agrandirent légèrement. Ses traits se durcirent. Il fit un pas vers moi.

— Faites plaisir à tout le monde : barrez-vous, d'accord ? Je vous aiderais si je pouvais, mais je ne peux pas, point final.

Il fit volte-face, et je le contournai, de manière à me retrouver devant lui. Là, je vis le type à la bedaine en boule de bowling planté juste devant la porte, qui nous fixait en fronçant les sourcils.

— Comment ça, point final ? Vous n'avez pas entendu ce que je viens de vous dire sur les enfants de Clark ?

— Je vous répète que je ne peux pas vous aider.

Wilson Brownell avait parlé fort ; suffisamment, en tout cas, pour attirer l'attention du jeune, à quatre pattes, qui nous matait en se tordant le cou.

Deux hommes venaient de rejoindre le type dégarni. Entre deux âges, le cheveu gris et clairsemé, la peau tannée par le grand air, avec cette constitution massive à la limite de l'embonpoint dont on s'imaginait il y a une vingtaine d'années qu'elle caractérisait les meilleurs porte-flingue. Le dégarni pointa l'index dans notre direction, un des nouveaux venus lui dit quelque chose, et le dégarni vint vers nous. Brownell me saisit l'épaule comme un naufragé qui s'agrippe à une bouée.

— Écoutez-moi, nom de Dieu, murmura-t-il d'une voix rauque. Ne mentionnez surtout pas Clark. Ne prononcez pas son nom si vous voulez sortir d'ici vivant.

Sur ce, il partit d'un grand éclat de rire et m'administra une claque sur l'épaule – comme si je venais de lui raconter la blague la plus poilante du millénaire.

— Tu n'as qu'à dire à Lisa que je suis capable de choisir mes copines moi-même, merci bien ! Si j'ai besoin d'un coup de main, je lui ferai signe !

Assez fort pour être entendu par la moitié de la population de la Colombie-Britannique.

Je soutins fixement son regard.

Le dégarni nous avait rejoints. Les deux gorilles, toujours en attente devant la porte, nous observaient, intrigués.

— Je ne sais pas qui est cet homme, lança le dégarni à Brownell. Il est entré comme ça.

La main toujours sur mon épaule, Brownell cessa de rire, mais plaqua un grand sourire sur ses lèvres.

— Désolé, Donnie. Je savais qu'il passerait, j'aurais dû vous prévenir. C'est un pote à moi.

Je laissai mon regard dériver de Brownell à Donnie, puis revenir sur Brownell. Où avais-je mis les pieds ?

Brownell secoua la tête.

— Ça fait trois mois que sa femme essaie de me brancher sur une de ses copines. Je n'arrête pas de dire : Mais qu'est-ce que tu veux que je fasse d'une nouvelle gonzesse, alors que je suis toujours aussi amoureux de mon Edna ?

Donnie darda sur moi ses yeux de furet. Il semblait en passe de prendre une décision.

— Alors, quoi, z'êtes muet ? Vous n'avez rien à dire ?

Brownell me fixait intensément – au laser.

— Non, lâchai-je à contrecœur.

Donnie avait pris sa décision. Il se retourna vers les deux costauds et leur adressa un bref coup de menton. Ils s'éclipsèrent.

— Vous n'auriez pas dû venir.

— Je suis désolé, Donnie, intervint Brownell. Bon sang…

Les yeux de furet m'épinglèrent de nouveau, et un sourire minuscule ourla la commissure des lèvres de Donnie.

— Suivez-moi, dit-il. Je vais vous montrer la sortie.

Je suivis le dégarni jusqu'à la porte de l'imprimerie, remontai dans ma Ford Mustang, et roulai jusqu'au premier café, où je commandai un double *mochachino* [1]. Je demeurai assis là un long moment, perplexe – état qui m'est plus ou moins naturel. En m'envolant pour Seattle, je m'attendais à rencontrer quelques difficultés dans mes rapports avec Wilson Brownell, mais rien de tel. La seule mention du nom de Clark l'avait paralysé de terreur. Et, à vrai dire, il semblait craindre autant ses collègues que moi. Soit il avait un motif sérieux, soit Brownell n'était qu'un cinglé de plus, atteint d'une forme quelconque de

1. Double espresso avec du lait chocolaté et de la crème fouettée.

psychose paranoïaque. Les cinglés ne manquent pas. Je pouvais rester ici, à tâcher de deviner quelle hypothèse était la bonne, mais je ne serais pas plus avancé. Il fallait donc que j'interroge Wilson Brownell, et pour cela je ne voyais que deux solutions : ou je retournais tout de suite à l'imprimerie et je lui soutirais l'information dont j'avais besoin sous la menace de mon calibre, ou j'attendais sa sortie pour lui poser mes questions. Selon la fiancée de Frankenstein, il rentrait chez lui entre dix-sept heures trente et dix-sept heures quarante-cinq, ce qui signifiait qu'il devait quitter l'imprimerie entre dix-sept heures et dix-sept heures quinze. Il était quatorze heures quarante-trois, j'avais donc deux heures vingt devant moi, et je décidai d'aller faire un tour sur la tombe de Rachel Hewitt. Si Clark était allé s'y recueillir, il avait peut-être laissé des fleurs. S'il avait laissé des fleurs, l'étiquette du fleuriste serait peut-être encore dessus, et s'il y avait l'étiquette du fleuriste, je tiendrais un début de piste… Ça faisait beaucoup de si et de peut-être, mais les si et les peut-être définissent ma vie.

Le patron du café me prêta son annuaire. Douze cimetières étaient répertoriés dans l'agglomération de Seattle. Je recopiai les numéros sur une serviette en papier, fis la monnaie de trois dollars et insérai une première pièce de vingt-cinq cents dans la fente du téléphone. Les quatre premiers cimetières n'avaient jamais entendu parler de la moindre Rachel Hewitt, mais au cinquième une dame me dit :

— En effet, nous avons bien une Rachel Hewitt parmi nos clients.

Nos clients.

— Vous la connaissiez ?

— Oh, grand Dieu, non.

— Vous venez pourtant de me répondre sans avoir besoin de vérifier dans vos registres.

— Oh, ma foi, c'est que j'ai déjà répondu à cette question la semaine dernière, pour une autre personne. Lundi, je crois. Oui, c'est cela, lundi.

— Au téléphone, ou de vive voix ?

— Oh, il est venu ici.

Je décrivis Clark.

— Est-ce qu'il correspondait à ce signalement ?

— Oh, pas du tout. Ce monsieur était grand et très blond, avec des cheveux ras.

Je la priai de me donner quelques indications de trajet, puis raccrochai. Dix-huit minutes plus tard, je franchissais le portail du cimetière de Resthaven Views et stoppai ma Mustang devant le bureau. La dame à qui j'avais parlé au téléphone s'appelait Mme Lawrence. Elle était d'un certain âge et extrêmement douce. Elle me montra un plan détaillé du cimetière et m'indiqua le chemin le plus court pour rejoindre la tombe de Rachel Hewitt en voiture.

— Ce monsieur qui est venu lundi dernier, demandai-je, vous savez qui c'était ?

— Oh, un ami ou un parent, j'imagine. Comme vous.

Comme moi.

Rachel Hewitt reposait à mi-hauteur d'une butte tapissée de gazon près de la bordure ouest du cimetière, avec une vue dégagée et charmante sur le lac Washington. Je garai ma voiture à l'ombre d'un sycomore et me dirigeai vers le nord en comptant les pierres tombales. Celle de

Rachel Hewitt était la cinquième, mais la stèle était vierge de tout ornement. Soit Clark n'était pas venu, soit il avait omis d'apporter des fleurs.

Merde !

Pas de fleurs, pas de piste.

Trois voitures étaient garées en contrebas. Des gens circulaient entre les tombes, d'autres étaient assis dans l'herbe, d'autres debout, il y avait même un vieillard confortablement installé dans un fauteuil de jardin pliant – sûrement venu rendre visite à de vieux amis ou à des êtres chers. Plus haut, deux mausolées jumeaux se dressaient au sommet de la butte, bénéficiant de ce qui était sans doute le plus beau point de vue sur le lac. Les arbres qui montaient la garde tout autour leur prêtaient gracieusement leur ombre, et je mis un moment avant d'apercevoir deux véhicules stationnés sous leurs frondaisons : une vieille camionnette beige et une Lexus noire. Il y avait manifestement du monde à bord de la Lexus, mais j'étais trop loin pour voir qui. Un éclair brilla furtivement à l'avant, et l'idée me vint qu'un de ses occupants devait être en train d'observer le paysage à la jumelle. Pour admirer la vue, sûrement. Et profiter d'une belle journée au royaume des morts.

Je passai devant la pierre tombale de Rachel Hewitt, sortis de ma poche l'instantané chipé chez Brownell et repensai à la ressemblance frappante entre Teri et sa mère. Je rangeai la photo, contemplai le lac, tentant de refouler mon amertume. Pas facile, quand on vient de se taper plus de mille cinq cents bornes en avion – à ses propres frais – pour se retrouver sans la queue d'un indice devant une tombe. Je restais confiant quant à mes chances de retrouver Clark, mais les probabilités de le retrouver dans un délai raisonnable devaient néanmoins être revues à la baisse. De plus, j'allais devoir faire quelque chose pour ses enfants. D'ailleurs, même si je lui mettais la main dessus, il se pouvait que je doive contacter les services sociaux. Clark ne me paraissait pas franchement offrir le profil du meilleur papa du monde. Rachel n'aurait pas trop apprécié son attitude, mais ainsi va la vie. Peut-être aurait-elle pu mieux choisir le père de ses enfants.

Je quittai le cimetière et repartis vers le sud en longeant le lac à la surface parfaitement étale. C'était un magnifique après-midi. Quelques visiteurs faisaient du roller sur la rive ou bronzaient sur les langues de plage, et personne ne semblait le moins du monde perturbé par la proximité des tombeaux.

Je bifurquai à l'ouest après Seward Park et stoppai à un feu rouge à côté d'une Toyota verte conduite par une femme. Je lui souris, et elle me rendit mon sourire. Aimable. Je jetai un coup d'œil dans le rétroviseur et repérai une Lexus noire à deux voitures de distance. Elle ressemblait comme deux gouttes d'eau à celle du mausolée, mais je ne la voyais pas assez bien pour en être sûr.

— Allez, Cole, tu déconnes, grommelai-je. D'abord à L.A., et maintenant à Seattle ?

La femme de la Toyota m'observait. Je détournai le regard, gêné.

— Ressaisis-toi, Cole. Voilà que tu te mets à parler tout seul.

Je la regardai à la dérobée. Elle était en train de remonter sa vitre.

Le feu passa au vert, et la Lexus resta derrière moi, mais deux blocs plus loin, après que j'eus ralenti, elle me dépassa et se perdit dans le trafic. Au volant, un type blond coiffé à la tondeuse, tandis qu'un autre, noir de poil et à peu près aussi massif qu'un ours kodiak, encombrait le siège passager. Ni l'un ni l'autre ne me jetèrent le moindre coup d'œil.

— Tu vois ? Ce n'était rien.

La femme en Toyota me dépassa à son tour. Sans lever le pied.

Je me garai à un pâté de maisons et demi du portail d'entrée de l'imprimerie New World à seize heures quarante-deux. À dix-sept heures, les premiers employés apparurent, à pied ou en voiture ; six minutes plus tard, Wilson Brownell sortit au volant d'une petite Plymouth jaune. Je lui laissai un bloc d'avance avant de me placer dans son sillage. Il partit vers l'ouest, traversa le canal Duwamish, continua sans hésiter jusqu'à sa rue et se gara au pied de l'immeuble, sous les fenêtres de la fiancée de Frankenstein. Je m'arrêtai devant une sortie de garage une rue plus loin et attendis de le voir entrer dans l'immeuble pour me chercher une place de stationnement convenable, mais Brownell n'entra pas. Après avoir verrouillé sa voiture, il s'en fut à pied vers le nord, tourna au premier coin de rue et disparut. Laissant ma voiture devant la sortie de garage, je m'élançai au trot et atteignis le coin de la rue à l'instant où il entrait dans un café, le *Lou's Bar*. J'avais trouvé chez lui un gros pack de bières et une douzaine de bouteilles diverses, mais apparemment Brownell tenait à s'envoyer quelques verres en public avant de rentrer se torcher sérieusement. Ou alors, il n'avait pas envie d'être seul.

Wilson Brownell avait les yeux fixés sur la main du barman en train de lui servir une dose de vodka Popov avec glace quand je fis mon entrée. J'attendis la fin de l'opération et, quand le barman se fut éloigné, je m'installai sur le tabouret voisin. Deux femmes se faisaient des messes basses de part et d'autre d'une petite table cernée d'ombre, et nous étions trois clients au bar – à ceci près que le troisième dormait, le front contre le bois du comptoir.

— Bon Dieu ! lâcha Brownell en me voyant.

— Non, fis-je, l'air serein. Mais on nous confond souvent.

— Je n'ai rien à vous dire.

Brownell fit mine de se lever, mais je lui coinçai le pied à l'arrière de son tabouret et lui appuyai fort sur l'épaule tout en enfonçant mon pouce entre ses clavicules, dans la partie molle du cou. Je n'aime pas la brutalité, mais j'étais prêt à en faire usage si nécessaire pour retrouver Clark Hewitt et le ramener chez lui. Personne, dans le bar, ne parut s'apercevoir de quoi que ce soit.

— Ouille, dit-il. Putain, mon cou…

— Si vous vous calmez, je vous lâche. Mais essayez de vous lever, et je vous étends pour le compte.

Il cessa de se débattre, et je réduisis ma pression. Dès que je l'eus libéré, il avala une rasade de Popov.

— Bon sang, ça fait mal.

Je sortis mon portefeuille et lui montrai ma licence.

— Une gamine de quinze ans qui s'est présentée à moi sous le nom de Teresa Haines m'a offert deux cents dollars pour retrouver son père.

Nouvelle lampée de vodka.

— Je suis venu de Los Angeles, à mes frais, parce que Teresa, son frère et sa sœur – dont je sais maintenant qu'ils s'appellent Hewitt – n'ont plus aucune nouvelle de leur papa, qui semble les avoir abandonnés.

Encore un petit coup de Popov.

— J'ai découvert que Clark Haines, qui s'appelle en réalité Hewitt, est toxicomane. J'ai découvert que ce M. Hewitt est venu à Seattle et qu'il a passé du temps avec son vieil ami M. Brownell, mais qu'apparemment ce M. Brownell est loin de s'intéresser assez au sort des enfants de son ami pour accepter de m'aider à retrouver leur père.

Je rangeai mon portefeuille, sortis la photo des deux couples et la posai sur le comptoir.

Son séjour dans ma poche l'avait quelque peu froissée. Brownell contracta les mâchoires.

— Vous êtes entré chez moi ?

— Oui.

Ses mâchoires se crispèrent un peu plus. Il prit la photo et l'empocha. Il but encore une gorgée de vodka, sa main tremblait.

— Vous comprenez rien à rien, bordel.

Sa voix était douce, lointaine.

— Je sais que Clark est venu chez vous.

Il secoua la tête, et la voix douce s'éleva de nouveau :

— Vous avez mis les pieds dans quelque chose que vous n'imaginez pas. Si vous aviez un minimum de jugeote, vous rentreriez chez vous.

— Expliquez-moi, et je rentrerai.

Il secoua de nouveau la tête, tenta de lever son verre de Popov, mais sa main tremblait trop. Et si vous voulez mon avis, ce n'était pas à cause de l'alcool.

— Je ne peux pas vous aider. Je n'ai rien à vous dire. (Il battit plusieurs fois des cils, comme s'il cherchait à refouler des larmes.) J'adore Clark, vous comprenez ? Mais il n'y a rien que je puisse faire, vraiment. Je ne sais pas où il est passé, et vous, vous ne devriez pas poser toutes ces questions. Navré pour ses gosses, mais il n'y a rien que je puisse faire pour eux non plus. Absolument rien.

Sa main tremblait si fort qu'une giclée de Popov s'échappa du verre.

— Bon Dieu, Brownell... Qu'est-ce qui peut vous faire aussi peur ?

La porte s'ouvrit sur le blond de la Lexus, qui fit irruption dans la salle. Il frôlait le mètre quatre-vingt-dix, avait des épaules massives, un visage taillé à la serpe, et une paire d'yeux bleu acier capables de vous transpercer instantanément. Il s'écarta du seuil pour laisser la place à son camarade, qui avait effectivement besoin de tout l'espace disponible. Cette montagne humaine d'un mètre quatre-vingt-quinze, aux épaules légèrement tombantes, à la panse énorme, marchait avec cette sorte de dandinement qu'on trouve chez les haltérophiles – les vrais. Chacune de ses cuisses avait la circonférence d'une poubelle de cent litres. Le tondu portait un blouson bleu sur un tee-shirt jaune et un jean, mais son copain était affublé d'une chemise en soie criarde, d'un bermuda bouffant et d'une paire de Keds montantes. Il arborait un sourire de camé et léchait une sucette jaune.

— Willie, lança le tondu.

— Oh, merde… ! s'écria Brownell.

Il se leva en renversant son tabouret, puis décampa par la porte du fond. Envolé. Le barman ne leva pas la tête. Ni les deux femmes. Ni le client affalé sur le bar.

Le tondu et son pote s'approchèrent de moi.

— Vous venez avec nous.

La prononciation du tondu avait quelque chose de raide et de laborieux. Elle me fit penser à Arnold Schwarzenegger, sauf que cet accent-ci était russe.

— Cékikiladi ?

Le meilleur détective du monde mouche les caïds grâce à son fameux sens de la repartie.

L'haltérophile passa une main sous sa chemise et en ressortit un Sig automatique.

— Soit tu viens, soit on te tue.

D'un ton normal, comme s'il se fichait éperdument d'être entendu par un tiers. Lui aussi était russe.

— Vous me suivez depuis Los Angeles, les gars ?

L'haltérophile me bouscula, et j'eus la désagréable sensation de me retrouver coincé par un bulldozer au fond d'une impasse.

— Tais-toi. Marche.

Je me tus. Je marchai.

Peut-être Wilson Brownell avait-il dit vrai. J'avais mis les pieds dans une affaire beaucoup plus grave que je ne l'imaginais, et il était trop tard pour faire machine arrière…

Vous me direz qu'on ne risque pas grand-chose à émettre des prédictions après coup.

9

Le tondu maintint la porte ouverte pendant que l'haltérophile me poussait dehors, puis il sortit à son tour. Le calibre de l'haltérophile pendait le long de sa jambe, et il ne faisait pas le moindre effort pour le planquer. Une femme accompagnée de deux enfants émergea d'une boulangerie de l'autre côté de la rue, vit l'arme, attrapa ses gosses par la manche et se replia fissa dans la boulangerie.

— Eh, les gars, vous ne savez pas qu'il est illégal de se promener avec ce genre de matos ?

— On est en Amérique, fit l'haltérophile. En Amérique, on fait ce qu'on veut.

— À votre place, je rangerais ça quand même. Les flics vont rappliquer dans les dix secondes.

J'espérais vaguement l'inciter à me laisser partir en lui fichant la trouille.

Le canon de son arme eut un petit soubresaut – comme si c'était elle qui haussait les épaules, pas lui.

— Qu'ils viennent !

Un coup dans l'eau.

— Vous êtes qui ?

— Personne, lâcha le tondu en secouant la tête.

— On va où, là ?

— À la voiture.

Une vraie situation de comédie.

La Lexus noire était parquée devant une bouche à incendie, à l'extrémité de la rue. Ce matin, j'avais pris l'avion pour Seattle afin de retrouver le père disparu de trois enfants mineurs dans le cadre de ce qui se présentait comme une toute petite affaire, et voilà que deux Russes déjantés et totalement inconnus au bataillon m'emmenaient faire un tour en voiture. D'accord pour me balader à pied avec ces mecs, mais pas question de monter dans leur bagnole. Tout enlèvement comporte deux lieux du crime. Le premier est celui où vous vous faites embarquer, le second, celui où les flics retrouvent votre corps.

Si l'haltérophile avait l'air plutôt distrait, rien de ce qui se passait autour de nous ne semblait échapper au tondu. Son regard bleu acier fouillait les devantures, les rues transversales et les toits avec un mouvement de balayage lent et régulier. Je me demandai deux choses : ce qu'il cherchait, et où il avait pris cette habitude.

— L'Afghanistan, lâchai-je.

Les yeux bleu glacier suspendirent leur recherche.

— *Da*, lâcha l'haltérophile. Alexeï a été spetsnaz. Vous connaissez les spetsnaz ?

Les yeux bleus se braquèrent sur l'haltérophile, et Alexeï marmonna quelque chose d'une voix douce, en russe. Les sourcils de l'haltérophile se rapprochèrent comme deux chenilles qui s'apprêtent à danser. Nerveux. Visiblement, lui aussi avait peur d'Alexeï.

— Je connais, répondis-je.

Les spetsnaz, l'équivalent pour l'ex-Union soviétique de nos forces spéciales, avaient en outre quelques points communs avec les SS de Hitler. Des patriotes ultra-motivés, au goût prononcé pour le meurtre.

— C'est bien un genre de nouille autrichienne, n'est-ce pas ?

Les yeux bleu acier s'arrêtèrent sur moi, et Alexeï sourit. Un sourire tout en longueur – et vide.

— *Da*, c'est ça. Une petite nouille.

Combien de jeunes Afghans avaient vu ce sourire avant de mourir ?...

L'haltérophile me suivait, mais Alexeï marchait sur le côté et trois pas en arrière, de façon à ne jamais se trouver dans la ligne de tir de son camarade. Si j'arrivais à l'y attirer, je pourrais m'en faire un bouclier pour tenter de m'échapper. Superman en aurait été capable, Flash Gordon aussi. Pourquoi pas moi ?

Je ralentis le pas. Presque aussitôt, Alexeï se décala encore un peu plus sur le côté, sortit de nulle part un Glock semi-automatique et adopta une position de tir absolument parfaite. Ils étaient tous les deux sacrément équipés.

— On sera mieux dans la voiture, l'ami, dit-il.

J'écartai les bras, et nous reprîmes notre marche. Pour la tentative d'évasion, on verrait plus tard.

Ils me firent monter à l'avant de la Lexus. Alexeï prit le volant, l'haltérophile s'installa derrière. La voiture grinça sous son poids. Foutus stéroïdes ! Nous démarrâmes, et l'haltérophile se pencha vers nous pour insérer un CD dans le lecteur. James Brown hurla qu'il se sentait bien, et l'haltérophile commença à dodeliner de la tête au rythme de la musique.

— Vous aimez James Brown ? me demanda-t-il.

Je me retournai vers lui.

— Baisse le son, Dimitri, grogna Alexeï.

Dimitri baissa le son, mais à peine, et entama une sorte de danse – une série de petits mouvements de mains cadencés – en tournant alternativement la tête d'un côté de la Lexus, puis de l'autre, comme quelqu'un qui ne veut rien rater du paysage.

— J'adore James Brown, déclara Dimitri. Et Hootie & the Blowfish, et Ronald McDonald. Vous aimez le Big Mac ?

Je cherchai le regard d'Alexeï, mais il était ailleurs.

— Je suis plutôt Burger King, répondis-je.

Dimitri parut troublé.

— Mais ils n'ont pas la sauce à frites.

Il ajouta quelque chose en russe à l'intention d'Alexeï.

Alexeï secoua la tête, irrité.

— Non. Pas de sauce à frites.

— C'est pour de vrai, tout ça, les gars ?

— Ça veut dire quoi, « pour de vrai » ? demanda l'haltérophile.

Alexeï pointa son Glock sur ma poitrine.

— C'est un vrai de vrai. Vous voulez vérifier ?

— Non.

— Alors, fermez-la.

Grrr.

Une légère pluie commençait à tomber, Alexeï déclencha les essuie-glaces. Nous empruntâmes le viaduc d'Alaskan Way au-dessus d'Elliot Bay pour rejoindre Ballard, tournâmes en direction de la berge et cahotâmes un moment sur les pavés de la partie la plus ancienne des quais jusqu'à un entrepôt construit au bout d'une jetée. Comme cette dernière, l'entrepôt était vieux et délabré, et ses énormes portes rouillées qui coulissaient sur des rails avaient perdu les trois quarts de leur peinture et dégageaient une forte impression de misère. Dimitri s'extirpa de la Lexus, ouvrit l'une des portes, et la voiture pénétra dans le bâtiment. Nous nous garâmes entre une Porsche Carrera flambant neuve à cent plaques et un cabriolet Mercedes SL qui en valait bien quatre-vingts. À croire que la misère s'arrêtait à la porte.

L'entrepôt était une caverne immense et sombre aux relents de poisson, de pluie et d'huile de moteur. Des grains de poussière voletaient dans la lumière blême qui s'insinuait par les lucarnes et les fissures. De l'eau suintait du toit. Plusieurs hommes taillés comme des dockers, au volant de chariots élévateurs chargés de caisses en bois, entraient et sortaient par la porte du fond, faisant de leur mieux pour nous ignorer. Alexeï klaxonna deux fois, coupa le moteur et m'ordonna de descendre. Une batterie de bureaux exigus occupaient l'un des côtés de la bâtisse. En réponse aux coups de klaxon, un homme pansu émergea du dernier bureau, une cigarette pendant au coin des lèvres. Il nous fit signe d'approcher. Nous étions attendus.

Nous entrâmes tous trois dans un bureau miteux et sombre. L'unique source de lumière était une lampe bon marché, posée sur le haut d'un meuble à dossiers situé dans un coin de la pièce. Trois hommes étaient assis autour d'un bureau en chêne qui devait déjà être d'occasion dans les années trente ; deux d'entre eux avaient nettement dépassé la cinquantaine, le troisième – celui qui nous avait fait signe – pouvait être un peu plus jeune. J'avais espéré un moment retrouver Clark, mais non. Et c'était sans doute aussi bien.

Une chaise pliante trônait au centre de la pièce, inoccupée. L'homme pansu la montra du doigt et dit quelque chose en russe.

— Pour vous, traduisit Alexeï.

— Je reste debout, merci.

Alexeï jeta un coup d'œil sur Dimitri, qui me suivait toujours comme mon ombre, et un gnon genre bâton de dynamite m'explosa contre l'oreille. Je sentis mon corps basculer, me retrouvai en déséquilibre sur un genou et sentis deux énormes mains me soulever et me poser sur la chaise. Alexeï se pencha sur moi.

— Assez rigolé. (Sa voix était lointaine.) Ce n'était qu'une gifle, vous comprenez ça ? Si Dimitri avait fermé le poing, vous seriez mort.

— D'accord, d'accord.

Sa tronche de dingue s'inclina d'un côté, puis de l'autre, et je crus que j'allais vomir.

Un quatrième homme arriva, moins grand que les autres, mais d'une carrure encore plus impressionnante. Difficile cependant de remarquer les détails quand on est sonné. Je constatais malgré tout qu'il avait la cinquantaine, des cheveux gris en désordre, un visage rubicond et arborait une chemise bleu foncé au col ouvert sur une touffe de poils grisonnants. Il tenait un gobelet McDo, taille maxi. Peut-être l'initiateur de Dimitri.

À son entrée, tous les autres se levèrent en murmurant des salutations respectueuses. Le nouveau venu leur parla en russe, et Alexeï lui remit mon portefeuille. Le nouveau venu posa son gobelet avant de s'asseoir sur le coin du bureau pour en examiner le contenu. Mon sort était en train de se jouer.

Je tournai la tête d'un côté, et de l'autre. Ma désorientation commençait à s'atténuer, mais mon oreille restait brûlante, douloureuse.

Ayant terminé l'inspection de mon portefeuille, l'armoire à glace le laissa tomber par terre. Son regard était fatigué, sans vie, indifférent. Vraiment le spectacle rêvé quand on est plaqué sur une chaise par un Russe de cent cinquante kilos aux doigts d'acier.

— Je m'appelle Andreï Markov, me dit-il.

— Ah bon.

Il parlait un bon anglais.

— Où est Clark Hewitt ?

Sa question résonna comme un coup de carillon dans une nef déserte. Clark était donc au centre de toute cette histoire.

— Je n'en sais rien.

Markov fit un bref signe du menton, et les doigts d'acier se refermèrent comme des tenailles sur mes omoplates. Alexeï me frappa avec le canon de son Glock, et une explosion de douleur m'irradia l'oreille – l'autre. Certains jours, ça craint vraiment, on ferait mieux de rester au fond de son plumard.

— Qui est Clark Hewitt ? demandai-je. Et en quoi est-ce qu'il est tellement important ?

— Dites-moi où il est, répondit Markov, ou je vous tue.

— Je n'en sais rien.

Mes oreilles bourdonnaient. Je secouai la tête pour chasser le vacarme, mais il ne fit qu'empirer.

Nouveau signe du menton ; cette fois, Alexeï arma son Glock et enfonça le canon au creux de mon cou. Dimitri recula d'un pas pour se préserver des éclaboussures.

— Je n'ai jamais vu Clark Hewitt, m'empressai-je d'ajouter, et je ne sais pas où il est. Je ne sais rien de lui.

Markov glissa quelque chose à Alexeï, qui répondit – tout ça en russe.

— Ne mentez pas, m'avertit Markov. Vous avez posé des questions à son sujet. Vous êtes allé sur la tombe de sa femme.

— Son nom est apparu dans le cadre d'une affaire sur laquelle je travaille en ce moment, et je suis venu ici pour me renseigner.

— Quelle affaire ?

— On m'a chargé de retrouver un importateur de drogue de San Francisco. Avant de disparaître, il m'a confié qu'il s'apprêtait à venir acheter de la drogue à Seattle par l'intermédiaire d'un contact du nom de Clark Hewitt. Je suis ici pour essayer de tirer ça au clair.

Le mensonge est un art.

Markov me fixa à nouveau, réfléchissant à ce que je venais de dire, cherchant à déterminer s'il devait me croire ou non, et se demandant probablement jusqu'où il devait aller au cas où il ne me croirait pas. Le Glock planait tel un rapace à sept ou huit centimètres de mon oreille gauche. Je pouvais peut-être le détourner et me jeter ensuite sur Dimitri, ce qui, avec un peu de chance, prolongerait ma vie d'une petite dizaine de secondes.

Au loin, un chien aboya. Un aboiement grave, rauque, de plus en plus proche.

— Je ne connais pas Hewitt, insistai-je. J'ignore qui vous êtes. Qu'est-ce que c'est que cette histoire, bon sang ?

Le téléphone sonna. L'homme qui se tenait à la droite de Markov décrocha, puis écouta sans mot dire. Il reposa l'appareil, prononça une phrase, et le regard de Markov vacilla.

Quelque chose se passait dans l'entrepôt. Le chien semblait s'être rapproché, des hommes se déplaçaient, et j'entendis des éclats de voix. Markov grommela des paroles en russe. Le Glock disparut, et Alexeï s'écarta de moi. Les aboiements étaient juste derrière les portes. Un type en costume fit irruption dans la pièce, brandissant un insigne fédéral.

— Police !

Un grand type – et son costume lui allait bien. Il me regarda un instant, s'approcha de nous puis enfonça un doigt dans le plexus de Dimitri.

— Recule, le gros.

Dimitri observa Markov avec une moue. Le colosse hocha la tête. Dimitri recula.

Le type en costard me fixa.

— Ça va ?

— J'ai l'air d'aller ?

— On va vous donner de la glace. (Il se tourna vers Markov.) Je suis l'agent spécial Reed Jasper, police fédérale. Les hommes qui m'accompagnent sont des douaniers. Ils sont en possession de certains documents dont ils aimeraient discuter avec vous.

Un type puissamment bâti, en tenue d'assaut et armé d'un Browning 9 mm, se tenait juste derrière la porte, avec un chien qui tirait sur sa laisse et semblait mourir d'envie d'entrer dans la pièce. Un molosse tout en muscles, peut-être un croisement de berger et de chien de traîneau, qui ne demandait qu'à mordre. Derrière, d'autres policiers passaient en revue l'entrepôt.

Andreï Markov écarta les mains :

— Je suis toujours heureux de coopérer avec les autorités, agent Jasper.

J'intervins :

— Je m'appelle Cole. Je suis détective privé à Los Angeles. Ces hommes m'ont amené ici contre mon gré et m'ont frappé. Je voudrais porter plainte.

Jasper rangea son insigne, ramassa mon portefeuille et me fit lever de ma chaise au moment où le type au molosse pénétrait dans la pièce. Jasper paraissait avoir oublié les Russes. Toute son attention était concentrée sur moi, comme si je constituais l'unique raison de sa présence ici, et que s'occuper de ces barges ne relevait pas de ses compétences.

— Vous survivrez, lâcha-t-il.

— Je vous dis que je voudrais porter plainte.

— Bien sûr.

Et il me poussa hors de la pièce.

Une douzaine d'agents fédéraux allaient et venaient dans l'entrepôt. Si je repérai deux autres maîtres-chiens en tenue d'assaut, la plupart des agents portaient un blouson imperméable bleu dans le dos duquel était inscrit : POLICE – DOUANE. Jasper les croisa sans mot dire, et nous ressortîmes sous la pluie. Peut-être l'agent fédéral allait-il enfin pouvoir m'expliquer ce qui se passait, pourquoi Clark Hewitt était si important, pourquoi on m'avait enlevé, et pourquoi Andreï Markov était passé à deux petits doigts de me faire sauter la cervelle.

— Je suis sacrément content de vous voir, déclarai-je.

— Ça ne durera pas.

— Qu'est-ce que ça veut dire ?

Un autre type en blouson bleu attendait devant une voiture banalisée.

— C'est notre client ?

— Ouais, répondit Jasper en lui lançant mon portefeuille.

L'autre l'empocha sans le regarder, contourna la bagnole et s'installa au volant. POLICE FÉDÉRALE, précisait son blouson.

— Hé, les gars, vous voulez bien me dire ce qui se passe, là ?

J'avais un tantinet l'impression de me répéter, mais personne ne semblait vouloir se donner la peine de me répondre.

Jasper me plaqua contre la portière, me mit les mains dans le dos, et des menottes me mordirent les poignets.

— Vous êtes en état d'arrestation, connard. Si vous connaissez un bon avocat, je vous conseille de préparer votre coup de fil.

Wilson Brownell avait raison. J'avais mis les pieds dans un vrai merdier et j'étais en train de m'enfoncer.

10

La pluie se mit à marteler de plus en plus fort la carrosserie du véhicule banalisé au fur et à mesure que nous traversions Seattle en direction du siège de la Cour fédérale, au sud-est de la ville. À deux ou trois reprises, Jasper marmonna une phrase au chauffeur, qui lui marmonna une réponse, mais ni l'un ni l'autre ne daigna me marmonner quoi que ce soit. Le chauffeur s'appelait Lemming.

Après les Russes énervés, j'avais droit aux fédéraux énervés. Nul doute que Rod Serling [1] serait le suivant.

La pluie se tut à la seconde où nous passâmes sous l'immeuble pour nous enfoncer dans le parking souterrain. Lemming ne se donna pas la peine de chercher une place autorisée : il stoppa juste devant l'ascenseur, dont la porte verrouillée était surveillée par un agent noir quasi chauve. SCULLY, WILLIAM P., dixit son badge.

— C'est lui ?

— Ouais.

1. Créateur et présentateur de la série fantastique *La Quatrième Dimension*.

Scully débloqua la porte et pénétra dans la cabine.

— Ramenez votre cul. On vous emmène en haut.

— Si vous êtes Scully, demandai-je, où est Mulder ?

Personne ne répondit. Apparemment, ces gens-là ne regardaient pas *X-Files.*

Ils me firent monter au cinquième étage, puis m'escortèrent le long d'un corridor, comme un candidat à la présidence menacé de mort. Après avoir franchi une porte avec l'inscription POLICE FÉDÉRALE, nous nous retrouvâmes dans une grande salle contenant une demi-douzaine de bureaux ; réunis autour de l'un d'eux, quatre agents discutaient. Scully sortit une poche de glace d'un petit réfrigérateur branché près de la machine à café, défit mes menottes et me conseilla de m'appliquer la glace sur l'œil.

— Un bref séjour en chambre froide vous fera le plus grand bien.

— Je crois que j'ai besoin de soins médicaux. Si on appelait le 911 ?

— Appuyez bien sur la glace.

Ils me firent passer dans une pièce aveugle meublée d'une table et de quatre chaises. Lemming m'indiqua la chaise la plus éloignée de la porte.

— Asseyez-vous.

— Et mon avocat ?

— Asseyez-vous.

Je m'assis. Jasper s'assit en face de moi, mais les deux autres restèrent debout. Puis Scully chuchota à l'oreille de Lemming, qui sortit.

— D'abord, dit Jasper, je veux que vous sachiez qu'on vous retient seulement pour vous interroger. On n'a pas l'intention de vous mettre en examen pour le moment, même si on se réserve cette possibilité pour plus tard.

— M'interroger sur quoi ?

— Le meurtre d'un agent fédéral.

— Redites voir ?

— Pourquoi cherchez-vous Clark Hewitt ? intervint Scully.

Je me tournai vers lui. D'abord Markov, et maintenant ces mecs. Mon regard alla de Scully à Jasper, revint sur Scully. Ils me fixaient comme deux faucons en vol stationnaire qui viennent de repérer un mulot et s'apprêtent à lui plonger dessus.

— Désolé, je n'ai pas bien saisi...

— Laissez tomber vos conneries, grommela Scully. On pose les questions, et vous, vous répondez.

Je lui adressai un large sourire.

— Ah bon ? C'est comme ça que ça marche, Scully ?

— Ouais. C'est comme ça que ça marche.

Mon orbite était en feu. J'y appliquai la glace.

— Vous travaillez pour qui ? demanda Jasper.

— Je viens de l'expliquer à Markov. Et je n'ai pas trouvé ça très agréable.

— Je vous plains.

— D'où connaissez-vous Markov ? fit Scully.

— Je ne le connais pas. Ses gorilles m'ont embarqué dans leur bagnole et m'ont traîné jusqu'à lui.

Scully jeta un coup d'œil sur Jasper.

— Alexeï Dobcek et Dimitri Sautine, opina Jasper.

Le regard de Scully revint sur moi.

— Pour quelle raison ?

— Pour qu'il me pose les mêmes questions que vous.

— Et vous avez répondu quoi ?

— La même chose qu'à vous.

— Notre tâche serait facilitée si vous vous montriez un peu plus coopératif, Cole.

— Vous obtiendriez peut-être un peu plus de coopération si vous m'expliquiez de quoi il s'agit, ripostai-je, haussant le ton.

Je commençais à en avoir ras la casquette. Mon dos était raide, ma joue et mon oreille me faisaient mal, et la glace était déjà en train de fondre. Je ne comprenais rien à ce qui se passait, et du coup j'avais la sensation plus ou moins nette d'être le dindon de la farce. Je m'étais tapé le voyage de Los Angeles sur mes propres deniers pour retrouver un papa en cavale. Là plus rien ne semblait correspondre à ma recherche initiale, et cela aussi renforçait cette impression de m'être fait avoir.

Je posai la poche de glace sur la table et me levai.

— Si vous avez l'intention de m'inculper, allez-y. Mais si vous voulez me garder, je veux un avocat.

— Rasseyez-vous.

Je fixai Scully.

— Non, Scully, je crois pas que je vais me rasseoir.

Jasper se leva et se pencha par-dessus la table.

— Remettez votre cul sur cette putain de chaise !

Il gueulait.

— Vous allez devoir le faire vous-même, et ça risque d'être moins facile que vous ne le pensez. Sans crier, s'il vous plaît ! J'admirais mon propre calme.

Jasper fit mine de contourner la table, mais Scully le retint.

— Reed.

Jasper s'arrêta, le souffle court, comme moi. Sauf que moi, c'était à force d'être bousculé par tout ce monde sans rien y comprendre. Apparemment, j'étais le seul à ne rien savoir. Je devinais des petites choses, ici ou là, qui ne me disaient rien qui vaille, mais je n'avais aucun fil conducteur, aucune vision globale. Peut-être était-il temps que je me mette à bouder. Si je téléphonais à Charles pour qu'il me refile quelques tuyaux sur sa technique ? Ou bien, pourquoi pas, coller deux ou trois beignes bien senties à Jasper, s'il essayait de me rasseoir de force. Mais une demi-douzaine de fédéraux auraient tôt fait de se ruer dans la pièce pour me plaquer au sol. Tout de même, c'était tentant.

Scully, William P. de son prénom, me regardait depuis ce qui me paraissait une éternité lorsque la porte s'ouvrit sur Lemming, qui lui glissa quelques mots à l'oreille. Scully écouta sans rien dire, opina, et la tension retomba d'un cran.

— Une minute.

Il tapota l'épaule de Jasper, et tous deux sortirent de la pièce avec Lemming. Je me sentais mieux. Je n'étais sans doute qu'à une trentaine de secondes de l'incarcération, mais on se sent toujours mieux quand on vient d'avoir le dessus sur un mec.

Trois minutes plus tard, Scully et Jasper revinrent, sans Lemming. Jasper apportait une enveloppe brune de format A 4, Scully deux gobelets de café en plastique et une nouvelle poche de glace. Il me lança la glace, plaça un des gobelets devant moi sur la table, but une gorgée de l'autre.

— On vous a un peu malmené, commença-t-il ; c'était une regrettable erreur. (Il eut un geste en direction de l'enveloppe.) Notre bureau à L.A. nous a faxé quelques informations vous concernant. On dirait que vous êtes réglo, Cole. Je propose qu'on fasse marche arrière et qu'on reprenne tout de zéro, vous et nous.

— J'écoute, fis-je en appliquant la glace sur le point d'impact du Glock.

— Andreï Markov cherche Clark Hewitt pour lui faire la peau, reprit Scully. Nous, on le cherche pour le protéger. C'est la grande différence entre Markov et nous.

Je le dévisageai sans broncher. Le détective dur à cuire, qui refuse de lâcher quoi que ce soit. Ou bien le détective qui boude.

— Laissez-moi deviner… Clark Hewitt a autrefois été en cheville avec Markov, mais il a témoigné contre lui, et vous l'avez pris sous votre protection.

Jasper sourit – un sourire dénué d'humour.

— Qu'est-ce que vous savez d'autre ?

— Je ne sais rien du tout, Jasper, mais je suis très doué pour les devinettes. Markov cherche Hewitt, et vous aussi. Sauf que vous n'êtes ni la police, ni le Trésor[1], ni le FBI. Vous êtes des flics, et les flics sont chargés de superviser le programme fédéral de protection des témoins. (Je déplaçai la glace sur mon oreille et me laissai aller en arrière sur ma chaise.) Comme vous n'avez pas l'air de savoir où est Clark, j'en déduis que vous l'avez perdu.

Jasper fronça les sourcils.

— On ne l'a pas perdu, bordel ! Il est parti. Quand on entre dans le programme, on n'est pas forcé d'y rester. Les témoins peuvent en sortir quand ils veulent.

— Markov a-t-il une idée de l'identité actuelle de Clark ou de l'endroit où il se trouve ? me demanda Scully.

— Non. C'est ce qu'il aurait voulu que je lui dise.

— Comment est-ce qu'il vous a repéré ?

— Ses hommes surveillaient la tombe de Rachel Hewitt.

Scully siffla.

— Putain, fit-il, déjà trois ans, et ils sont toujours sur le coup ! (Il souffla bruyamment.) Quand cet enfoiré de Russe promet quelque chose, c'est pas de la rigolade.

— Qui est Markov ? demandai-je.

— Un caïd de la mafia ukrainienne, répondit Jasper. Il a débarqué ici il y a quelques années avec son frère Vassili. Vassili était aux commandes. Ils se sont installés et ont progressivement étendu leurs activités ; l'une de celles-ci

1. Les services secrets américains dépendent du département du Trésor.

consistait à imprimer des faux dollars pour les exporter vers le marché ukrainien.

Je hochai la tête. Clark l'imprimeur. Clark l'artiste.

— Clark a joué au faussaire.

— Ouaip, fit Scully.

— Et ? Qu'est-ce qui s'est passé entre Markov et lui ?

— Vassili s'est mis en tête que Clark détournait une partie de sa production pour son propre compte et celui de ses amis. Quand Clark a découvert que Vassili envisageait de l'éliminer, il est venu nous demander de l'aide.

— Et il a accepté de devenir témoin à charge pour bénéficier du programme de protection.

— Il n'avait guère le choix. Les Markov ont toujours mis leurs menaces à exécution.

— Il tapait vraiment dans la caisse ?

Jasper haussa les épaules.

— Allez savoir ! À cause de lui, en tout cas, Vassili purge entre douze et vingt ans à Mercer Island. Andreï a juré de traquer Hewitt et sa famille sans relâche, jusqu'à ce qu'il le trouve, et il s'y emploie. Trois ans ont passé, et ses hommes sont toujours sur la brèche. Le jour où vous vous êtes pointé, il a vu en vous une piste susceptible de le mener à Clark.

Génial.

— Si Clark est entré dans le programme, comment se fait-il que vous ayez perdu sa trace ?

Jasper me dévisagea un long moment, s'humecta les lèvres et détourna les yeux.

Scully eut un imperceptible mouvement de bouche, comme si lui aussi commençait à avoir les lèvres sèches.

— La prise en charge de Clark a mal tourné. Ça se passait en pleine nuit, il pleuvait à verse, et on s'apprêtait à le transférer avec ses enfants vers une planque provisoire en attendant de l'installer quelque part pour de bon. On lui a dit de ne pas s'en faire, qu'il ne craignait rien.

— Mais ce n'était pas vrai, dis-je sans cesser de le fixer.

Les yeux de Jasper se rétrécirent avant de revenir sur moi.

— Je ne sais pas comment, mais les hommes de Markov ont été prévenus. La camionnette était chargée, on allait lever le camp, et ils nous ont surpris. (Il fit une pause, son regard se perdit quelque part derrière moi : il était en train de revivre cette nuit-là.) Mon coéquipier s'appelait Dan Peterson. Il y a laissé la vie.

— Tu devrais aller te chercher un verre d'eau, Reed, suggéra Scully.

Jasper secoua la tête.

— Et vous n'avez pas réussi à coincer Markov, dis-je.

Jasper inspira brusquement, comme s'il venait de se rappeler ma présence.

— Peterson m'a donné l'ordre d'embarquer Clark et ses gosses dans la camionnette et de les évacuer de la zone à risque. C'est ce que j'ai fait. Lui est resté. Je n'ai rien vu, et je ne sais toujours pas ce qui s'est passé. Le département de police de Seattle s'est rendu sur place suite à notre appel. Ils ont retrouvé Danny dans la baraque. Il s'était fait tirer dessus dans le jardin, mais avait réussi à se traîner à l'intérieur. (Il eut un geste résigné.) Personne n'a jamais réussi à mettre un nom ou un visage sur le meurtrier, mais nous, on sait que c'était Markov. Cette nuit-là, tout est allé de travers. Ça n'aurait jamais dû arriver.

— On a assuré le transfert et la réinstallation, enchaîna Scully, mais Clark n'avait plus confiance en nous. Il a changé de nom dès son arrivée dans la ville où on l'avait planqué, et toute la famille a disparu peu de temps après. (Haussement d'épaules.) Un choix légitime. Personne n'est tenu de rester dans le programme.

Jasper fit un geste sec de la main et se raidit soudain sur sa chaise – il s'efforçait de mettre en veilleuse ses sentiments personnels. Un petit sport où tous les flics que je connais sont très forts.

— Là-dessus, reprit-il, vous débarquez avec un tas de questions sur Clark.

— Un privé de Los Angeles, renchérit Scully en hochant la tête.

Je fixai Reed Jasper, puis William P. Scully, et je pensai à Teri, à Charles et à Winona qui attendaient le retour de leur papa. Que savaient-ils de cette sombre histoire ? J'arrivai à la conclusion qu'ils devaient en connaître une partie. Ce qui était probablement la raison pour laquelle ils n'avaient pas paru emballés par la perspective de mon départ pour Seattle. Ils devaient avoir sacrément peur de perdre leur père, pour mettre un type comme moi dans le coup. Pensant à l'épreuve qu'ils avaient endurée trois ans plus tôt, j'essayai d'imaginer à quoi pouvait ressembler la vie d'enfants contraints aux secrets et aux mensonges. Ne dit-on pas que les secrets ne le demeurent jamais, même quand on voudrait ? Même quand des vies en dépendent ?

Je regardai Scully dans le blanc des yeux et posai les deux mains à plat sur la table.

— Je ne sais ni où est Clark, ni où sont ses gosses, ni quoi que ce soit sur lui.

Jasper m'observait. Il ne me croyait pas, ça se voyait comme le nez au milieu de la figure. Scully non plus.

— Écoutez, Cole, nous n'avons plus officiellement mission de le protéger. Il s'agit plutôt d'une sorte d'obligation morale, vous saisissez ?

Je me fendis de mon sourire le plus décontracté.

— Dites donc, les gars, j'ai l'impression qu'on est face à un sacré malentendu.

Et je leur servis exactement la même histoire qu'à Markov.

— Je suis venu ici pour retrouver un certain Clark Hewitt, qui serait, paraît-il, en contact avec un réseau de dealers. Je n'ai que son nom – et si le nom est le même, mon Clark à moi n'a rien à voir ni avec les Russes, ni avec la contrefaçon, ni avec rien de ce que vous me racontez. (Mon sourire s'élargit, comme si la coïncidence qui nous avait réunis me réjouissait au plus haut point.) Je n'ai jamais entendu parler de tout ça.

Scully approuva, mais, à l'évidence, il ne me croyait toujours pas.

— Vous travaillez pour qui ?

— Vous savez bien que je ne vous le dirai pas. Le mot « confidentialité » est inscrit noir sur blanc sur ma carte, et c'est pas pour rien.

— C'est important, Cole. Clark est en danger de mort. Ses enfants aussi.

Je haussai les épaules. Clark et ses enfants avaient été en danger de mort trois ans plus tôt, et ils vivaient toujours.

— Je pense que vous savez quelque chose, ajouta Scully. Je pense que Clark est récemment passé par L.A., et si je le pense, Markov le pensera aussi.

— Je vous aiderais si c'était possible…

L'agent spécial Reed Jasper hocha la tête et se leva. Il ne me croyait pas non plus, mais se sentait impuissant.

— Bien sûr.

— Je peux m'en aller ?

Scully m'ouvrit la porte.

— Foutez le camp.

Il était vingt-trois heures vingt-deux lorsque je ressortis du bâtiment de la Cour fédérale, sous une pluie battante et régulière. Une pluie tiède comme l'air, mais qui m'apparut plus oppressante que purificatrice. Mon état d'esprit, sans doute.

Le monde avait changé. Il change souvent, je m'en suis rendu compte, mais ses changements continuent à me surprendre – et, trop souvent, à m'effrayer. La seule chose à faire, c'est de s'adapter.

J'étais venu à Seattle pour retrouver un certain Clark Haines, et j'y étais presque parvenu, en un sens, pourtant cela ne semblait plus compter. Seuls comptaient à présent ses trois enfants, livrés à eux-mêmes alors qu'un caïd de la mafia russe s'était juré de leur faire la peau.

11

Le lendemain matin, ma joue gauche était bouffie et bleuie à l'endroit où Alexeï Dobcek m'avait frappé. J'avais pourtant passé une bonne partie de la nuit debout, à tâcher d'y appliquer de la glace, mais mon stock était insuffisant, sans compter que je m'y étais pris trop tard ; je m'éveillai donc grognon et abattu. En fin de compte, mon humeur n'avait pas grand-chose à voir avec ma joue. Je préparai mes bagages, ramenai la Mustang à l'agence et montai à bord de l'avion. Grognon.

Une hôtesse aux cheveux couleur de sable, d'une trentaine d'années, m'accueillit avec un clappement de langue apitoyé.

— Dure semaine ?

Je bougonnai.

— Ça ne sert à rien de bouder, vous savez, dit-elle, les poings sur les hanches.

Je m'assis à côté d'un obèse aux cheveux ras et aux verres de lunettes tellement épais que ses yeux ressemblaient à des soucoupes. Il me sourit, mais je ne lui rendis pas son sourire. Grognon.

Je croisai les bras, fronçai les sourcils autant que je pus et repensai à Teri, Charles et Winona tandis que nous crevions le plafond nuageux pour émerger sous un soleil éblouissant qui étendait ses rayons de l'État de Washington au golfe de Californie. J'étais venu à Seattle sur les traces d'un père disparu. J'avais découvert en cours de route que Clark Haines s'appelait en vérité Clark Hewitt, qu'il était toxicomane, qu'il avait bénéficié en tant qu'ex-faussaire du programme fédéral de protection des témoins, et qu'il restait activement recherché par la mafia russe et la police fédérale. Ce n'étaient pas des découvertes agréables, surtout si l'on savait que la mafia cherchait aussi les enfants de Clark. Que faire ?

Hewitt pouvait être déjà mort et ne jamais revenir, ou n'être pas mort et n'avoir aucune envie de revenir. Je pourrais à la rigueur faire placer ses enfants en foyer sans révéler leur véritable identité, mais cette solution risquait d'augmenter leur vulnérabilité. Si je les confiais aux autorités en donnant leur vrai nom et laissais Jasper et Scully s'occuper du reste, Charles, Winona et Teri se retrouveraient également dans un foyer. Dans ce cas de figure, une foule de gens sauraient où ils étaient et connaîtraient leur identité. Avec le risque de voir la nouvelle revenir un jour aux oreilles de Markov. Sacré problème à régler. Un de plus. Cette accumulation de problèmes n'arrangeait pas mon humeur.

Je levai les yeux. L'hôtesse était penchée vers moi.

— Alors, on se sent mieux ?

J'exhalai un soupir.

— J'ai l'air si mal que ça ?

— Mmm-mmm. Puis-je vous apporter une tasse de thé ?

— Oui, merci.

Elle revint peu après avec mon thé, deux comprimés d'aspirine et un sourire rassurant. Deux heures cinquante plus tard, nous descendîmes à travers une cathédrale de ciel bleu et de brume orangée vers ce pays des merveilles qu'est le sud de la Californie. Si je ne savais toujours pas que faire, j'avais l'impression de mieux supporter cette situation. L'hôtesse me salua avec un sourire à la porte de l'appareil.

— Vous avez l'air beaucoup mieux.

— Disons que j'ai décidé de faire face à mes incertitudes avec une certaine sérénité.

On finit probablement par développer une forme de sagesse, à force de vivre à dix mille mètres.

Je lui baisai la main, récupérai ma Corvette au parking et traversai la mégapole en direction de la maison des Hewitt.

Il était plus de trois heures quand j'y arrivai. Charles et Winona étaient sûrement rentrés de l'école. J'aurais préféré m'adresser à Teri seule, mais on ne fait pas toujours ce qu'on veut. *Dis-moi, petite Winona, tu sais comment on écrit « foyer d'accueil » ?*

Je me garai au bord du trottoir opposé, traversai la rue et sonnai. Je ne vis ni Joe Pike ni sa jeep, mais lui adressai tout de même un petit signe de la main. Il était sûrement dans les parages, en train d'observer. Discret.

La Saturn était dans l'allée. Je m'attendais que Charles m'ouvre violemment la porte avant de se lancer dans son petit ballet coutumier. Ce ne fut pas lui, mais un homme à lunettes à moitié chauve, aux cheveux filasse et aux bras rachitiques, plus petit que moi de cinq ou six centimètres.

— Vous n'êtes pas facile à trouver, monsieur Hewitt.

Clark Hewitt esquissa un sourire doux, vaguement troublé.

— Désolé, mais je m'appelle Haines. Je n'utilise plus l'autre nom.

Comme si le secret de sa nouvelle identité avait perdu toute valeur. Clark était un peu moins maigre que sur la photo trouvée chez Brownell et, en un sens, moins repérable. Il portait une ample chemise de coton, un pantalon en toile, et des chaussures de ville marron qui auraient eu bien besoin d'être cirées. Winona arriva en courant, lui encercla les genoux par-derrière en poussant un petit cri et leva les yeux sur moi.

— Bonjour, Elvis. Papa est rentré !

— Salut, Winona. Je vois ça.

Dis-moi, petite Winona, tu sais écrire « retrouvailles » ?

Elle agita un affreux petit gnome en mousse aux cheveux violets et au regard vicieux.

— Regardez ce que mon papa m'a rapporté !

Je hochai la tête.

— C'est un porte-clés, expliqua-t-elle.

Clark Hewitt regarda sa fille d'un air ravi et lui caressa la tête.

— Parce que tu as toujours eu la clé de mon cœur, ma chérie.

Winona gloussa. Moi, j'aurais volontiers tué son père.

— Ah, vous devez être le détective ! Entrez, s'il vous plaît.

Le détective.

La maison fleurait bon le café chaud et les cookies. À notre entrée, Teresa émergea de la cuisine avec un plateau chargé de biscuits à peine sortis du four et le posa devant son père. Charles pointa le nez à l'orée du couloir menant aux chambres, voûté, l'air sombre, les mains au fond des poches. Il n'avait pas l'air heureux et ne daigna pas nous rejoindre.

— J'ai laissé un message sur votre répondeur tout à l'heure, me dit Teri. Papa est rentré ce matin.

Clark Hewitt prit ses aises dans le fauteuil. Je restai debout.

— Vous étiez en voyage ? me demanda-t-il.

— À Seattle. On a dû se croiser.

— Ah... Seattle est une ville formidable, mais je n'y ai pas mis les pieds depuis des lustres. (Il m'indiqua les cookies.) C'est Teri qui les a préparés, monsieur Cole. Vous en voulez ?

— Au chocolat et aux raisins, précisa-t-elle.

Elle présenta le plateau à Clark, qui se pencha pour humer.

— Ah ! Mes préférés !

Il lança à sa fille un regard rayonnant, et Teri lui rendit un regard rayonnant. Winona lançait des regards rayonnants à tout le monde. Charles faisait toujours la gueule dans le couloir, mais bon, Charles était Charles. Le seul à ne pas avoir changé. Pour le reste, peut-être n'avais-je pas frappé chez les Hewitt. Peut-être que mon avion n'avait pas atterri à Los Angeles, mais dans un univers parallèle, peut-être que je me trouvais dans un Los Angeles alternatif, et que ces gens s'appelaient Brady.

Je restai immobile, sans prendre de cookie.

— Clark, il faut qu'on se parle, vous et moi.

Après avoir choisi un biscuit bien rond et pansu, Clark se carra dans son fauteuil.

— Mmmmmm...

— Clark ?

Winona s'assit sur le bras du canapé. Teri se tourna vers le couloir.

— Viens par ici, Charles, viens goûter un cookie avec papa.

Charles toussa.

— *Charles*, fit-elle en pâlissant, d'une voix aussi sèche qu'un coup de lime.

Charles toussa de plus belle, s'éloigna dans le couloir à pas lourds, claqua la porte de sa chambre. Papa était peut-être rentré mais, à l'évidence, tout n'était pas rose chez les Brady.

Clark mastiqua, avala, clappa – comme s'il n'avait rien entendu. À croire qu'il vivait dans un monde, et ses enfants dans un autre, et que ces deux mondes ne se chevauchaient que par intermittence.

— Je suis navré que les gosses vous aient ennuyé avec cette histoire, monsieur Cole ; c'est ma faute s'ils se sont inquiétés. Une offre d'emploi s'est présentée l'autre jour, et j'ai dû partir tellement vite que je n'ai même pas eu le temps de rentrer pour leur expliquer la situation.

— Tellement vite que vous avez laissé trois enfants mineurs se débrouiller absolument seuls.

Personne n'avait encore fait la moindre allusion à ma joue. Ni posé de question sur mon œil au beurre noir.

Clark lorgna le plateau en quête d'un autre cookie.

— J'ai essayé plusieurs fois de leur téléphoner, toujours au mauvais moment, hélas.

— Pendant la journée, expliqua Teri. Quand je n'étais pas là.

— Je croyais que vous restiez à la maison ?

Elle fronça les sourcils.

— Il faut bien que je fasse les courses et que j'aille chercher Charles et Winona à l'école.

Clark piocha un cookie.

— C'est sûr, j'aurais dû insister, mais j'avais tant de démarches à faire...

— On va être riches, m'annonça Winona. On va s'acheter une maison, une console Sega et une télé grande comme ça !

Clark pouffa.

— Ma foi, il faudra peut-être attendre encore un peu pour la maison, mais l'horizon est en train de s'éclaircir. C'est un fait.

Il prit Winona dans ses bras et sourit à son aînée – Teri, elle, ne le regardait pas. Elle me regardait, moi.

— Oui, notre situation va s'améliorer, et, franchement, c'est mérité. On va m'engager pour imprimer des documents, une commande d'un groupe d'investissements international, avec un contrat à durée indéterminée. Un emploi stable. Fini les boulots saisonniers. Fini les déménagements à la petite semaine. (Il chatouilla Winona, qui se tortilla en riant.) On va pouvoir construire notre maison, s'installer pour de bon et cesser de bouger tout le temps. Ce sera chouette, hein, Teri ?

Teri hocha la tête, toujours sans le regarder.

— Oui, papa. Oui, ce sera chouette de s'installer pour de bon.

Winona fit tournoyer son petit gnome.

— J'aurai ma chambre, papa ? Je veux une chambre pour moi toute seule !

Clark s'esclaffa.

— On verra ça, mon trésor.

Je regardais Teri, et Teri soutenait mon regard. Ses mâchoires étaient crispées, et ses paupières tremblèrent quand sa bouche articula derechef, mais silencieusement, les mots : « On verra ça » – comme si cette conversation avait déjà eu lieu des centaines de fois, qu'elle savait au plus profond d'elle-même que ce n'étaient que des paroles en l'air, que l'argent promis ne viendrait jamais, et qu'ils allaient continuer à déménager, déménager, déménager. Parvenant à maîtriser le tremblement de ses paupières, elle s'enquit :

— Une tasse de café ?

Au moment où je m'adressai à Clark :

— Monsieur Haines, pourrais-je vous parler un moment dehors, s'il vous plaît ?

— C'est dur d'être parent unique, soupira Clark pour toute réponse, mais ces petiots me donnent un sacré coup de main. Leur maman serait fière d'eux.

Peut-être ne m'avait-il pas entendu. Peut-être était-il si heureux et fier de ses projets mirifiques que ma phrase n'avait fait qu'effleurer la surface de sa conscience. À moins qu'il ne soit défoncé.

Je me penchai vers lui et murmurai dans un souffle :

— Markov.

Les yeux de Clark parurent enfin me voir. Il se leva.

— Bon, les enfants, M. Cole est très occupé, je vais le raccompagner à sa voiture. Allez, tout le monde dit au revoir.

Teri et Winona me saluèrent, puis Clark me suivit à l'extérieur. La chaleur montait, le soleil brillait de mille feux, la pelouse du jardin était sèche et clairsemée. Une Hispanique trapue passa devant nous sur le trottoir, en direction de Melrose, un sac à provisions dans une main, son autre main en visière au-dessus de ses yeux. Elle ne nous regarda pas.

— Clark, dis-je à mi-voix, je sais qui vous êtes et ce que vous avez fait. Je reviens de Seattle. J'ai parlé de vous à Wilson Brownell et à un flic du nom de Reed Jasper. J'ai aussi fait la connaissance d'Andreï Markov. Je n'ai pas donné votre adresse à Jasper, ni votre nouveau nom ; par contre, je suis persuadé que vous devriez le contacter.

Clark Hewitt commença à hocher la tête avant même que j'aie terminé.

— Pas question. Je ne veux rien avoir à faire avec ces gens-là.

— Markov sait qu'il y a un lien entre vous et moi, et il sait aussi que je vis à Los Angeles. Ce qui signifie que ses hommes risquent de venir par ici – et, même s'ils ne venaient pas, ils vous attendent toujours à Seattle. Jasper peut vous aider.

Clark leva une main comme si je lui parlais d'un endroit génial pour acheter un jeu de pneus à un prix imbattable mais que lui connaissait une meilleure adresse, le top du top.

— Merci, ne vous inquiétez pas. On sera bientôt partis.

— Il faut partir *tout de suite*, Clark. Si vous n'avez pas les moyens, contactez Jasper. Il vous aidera. Moi aussi.

Clark secoua la tête.

— Vous êtes défoncé ?

Il tiqua, secoua de nouveau la tête.

— Oh, non… Je ne touche pas à ça.

J'expirai lentement. Je mourais d'envie de lui crier d'arrêter de se payer ma tête, mais Winona et Teri nous observaient depuis le seuil.

— Je sais pourquoi vous avez perdu votre place chez Enright. J'ai parlé à Tre Michaels.

Clark ne me répondit pas. Il était très pâle, avec des cernes noirs sous les yeux, et semblait fatigué. Je crus qu'il allait pleurer.

— Vous allez leur dire ?

— Évidemment que non.

Un dialogue de gamins de six ans.

Ses yeux s'embuèrent ; il cligna plusieurs fois des paupières.

— S'il vous plaît, ne leur racontez pas ça.

J'avais mal à la tête, tout à coup, on aurait dit que mon cuir chevelu était trop étroit pour ma boîte crânienne, et ce sentiment d'oppression se propagea jusqu'à ma nuque.

— Qu'est-ce qu'ils savent au juste ?

Haussement d'épaules.

— Ils savent ce que vous avez fait autrefois et pourquoi vous déménagez si souvent ? insistai-je.

Haussement d'épaules.

— Ils savent forcément quelque chose, Clark. C'était il y a trois ans à peine. Et vous avez tous changé de nom.

Ses yeux étaient rivés au sol. Quel art du déni !

Charles apparut derrière la fenêtre, tira la langue et nous adressa un doigt d'honneur – à deux mains. L'insulte semblait s'adresser surtout à son père, enfin, peut-être n'était-ce qu'une question d'angle.

— Clark, je peux vous aider à trouver un bon programme de désintoxication. J'ai des relations dans les services du comté, et aussi dans deux ou trois organismes privés. Vous devez penser à vos gosses.

Clark jeta un coup d'œil sur Teri et Winona et leur sourit, comme si nous étions en train de parler de la pluie et du beau temps.

— Tout ira bien. Bientôt. Je ne les laisserai plus seuls.

Je sortis une carte de visite et inscrivis un nom et un numéro de téléphone au verso.

— Appelez ce numéro et demandez Carol Hillegas. Si vous ne vous inscrivez pas rapidement dans un programme de désintoxication, j'alerte les services sociaux. Vous pigez ?

Clark prit ma carte sans la regarder.

— Je comprends. Je ne les laisserai plus seuls.

— Clark...

— Pas de problème. Je vais appeler ce numéro et je vous promets de ne plus les laisser seuls. (Il plongea une main dans sa poche et en ressortit un gros paquet de dollars.) Je tiens à m'excuser pour le dérangement et je veux vous remercier de vous être occupé de mes enfants. Ça mérite une prime.

Je le regardai fixement.

Il se mit à feuilleter ses biffetons – une liasse de Franklin encore plus épaisse que celle de Teri.

— C'est le moins que je puisse faire, vraiment.

Teri repéra Charles à la fenêtre et lui cria quelque chose. Charles nous fit de nouveau un doigt d'honneur puis fondit en larmes. Teri quitta le seuil, reparut derrière la fenêtre, empoigna son frère au collet. Il se libéra et détala. Teri se lança à ses trousses. Elle aussi pleurait. Winona souriait et nous faisait des signes de la main, toujours sur le seuil, sans se rendre compte de rien. Son visage était inondé de lumière.

— Contentez-vous d'appeler ce putain de numéro ! lâchai-je.

Clark Hewitt était toujours en train de tripoter l'argent de ma prime quand je remontai dans ma voiture et démarrai.

12

Quatorze minutes après avoir quitté les Hewitt, je remontai Woodrow Wilson Drive, atteignis ma petite rue et aperçus Joe Pike. Sa jeep était stationnée juste devant chez moi. Pike se tenait adossé au hayon arrière, aussi immobile qu'un arbre. Je remisai ma Corvette à sa place habituelle, sous l'auvent, et retrouvai mon taciturne associé à la porte de la cuisine.

— Joli coquard, fit Pike. (Pas de bonjour, pas de salut, pas de « Comment ça va ».) C'est Clark ?

En matière d'humour, ça fait toujours du bien de savoir qu'on peut compter sur ses amis.

— Tu es ici depuis longtemps ?

— J'ai levé le camp quand tu es ressorti de la bicoque avec Haines.

Vous voyez ? Rien ne lui avait échappé.

Nous entrâmes dans la cuisine. Je déposai mon sac de voyage sur le bar, pris deux Falstaff dans le réfrigérateur, lui en tendis une, bus une rasade de l'autre.

Puis j'ouvris le robinet de l'évier pour m'asperger le visage d'eau froide. Je sifflai presque tout le reste de ma bière, inspirai, puis expirai profondément. J'avais fermé les rideaux avant de partir ; la maison était sombre et sentait le renfermé, ce qui me convenait très bien. Dans l'obscurité, il devait être plus facile d'oublier que trois enfants ayant pour père un toxicomane étaient traqués par la mafia russe. Peut-être était-ce pour cette raison que Joe Pike n'ôtait jamais ses lunettes de soleil. Tout était sans doute plus simple quand on n'en voyait pas trop.

— Où est l'embrouille ? me demanda Pike.

— Il ne s'appelle pas Haines, mais Hewitt, et il n'a pas grand-chose à voir avec le toxico de base. Il a la mafia russe au cul, il a bénéficié dans le temps du programme fédéral de protection des témoins, et il ne semble absolument pas se rendre compte que ses mômes et lui sont en danger de mort.

Pike hocha lentement la tête.

— Ça te surprend ?

On ne sait jamais si ce mec est sérieux.

J'ouvris les rideaux, puis fis un petit tour du propriétaire, histoire de vérifier si personne n'était entré en mon absence. En même temps, je racontai à Pike mes entretiens avec Wilson Brownell et Reed Jasper, et je lui répétai ce que Jasper m'avait dit de Clark. Je le mis au courant de l'histoire des frères Markov et de la genèse de mon coquard. Quand je lui décrivis Dobcek, ce gros bras de Markov, la tête de Pike pivota d'un quart de micron.

— Il a vraiment été spetsnaz ?

— C'est ce qu'il dit.

— Les gens disent n'importe quoi.

Je sentis néanmoins que Pike était intéressé.

— C'est le nouvel ordre mondial, Joe. Un accès au crime égal pour tous.

Pike s'approcha de la baie vitrée et regarda au-dehors. Il fit coulisser le panneau, livrant passage à l'air doux des montagnes.

— Tout ça ne sent pas très bon, commenta-t-il.

— Non. Pas bon du tout.

— Peu importe ce que tu as raconté aux Russes. Ils vont penser que tu peux les mener à Clark et ils vont rappliquer.

— C'est ce que j'ai expliqué à Clark. Je lui ai conseillé de quitter la ville ou de retourner voir les flics. Ils semblent prêts à l'aider.

— Il va le faire ?

— Aucune idée. Je lui ai aussi dit d'appeler Carol Hillegas. Il ne pourra rien pour ses enfants tant qu'il n'aura pas décroché, mais qui peut savoir ce qu'il décidera ?

Nous sortîmes sur la terrasse en bois et approchâmes de la balustrade afin de contempler le canyon.

— Parler à Clark, c'est un peu comme parler à son poste de télé. Il n'a pas l'air de piger que ses actes peuvent avoir des conséquences.

Pike croisa les bras.

— Il m'a aussi dit qu'il n'avait plus besoin de nos services, ajoutai-je.

Les lèvres de Pike se serrèrent. Sa façon à lui de sourire.

— Limogés ?

— Ma foi… oui.

Nouvelle moue.

— On s'est fait combien ?

— Deux cents – moins les frais d'avion et d'hôtel. Grosso modo, on a perdu trois cents dollars.

Pike vida sa bière d'un trait.

— Cela dit, ça nous fera toujours quelques milles de vol en plus sur notre carte de fidélité, ajoutai-je.

— À ton avis, ce sont les Russes ou les fédéraux qui sont venus fouiner chez toi ? s'enquit Pike.

Je réfléchis un instant, secouai la tête.

— Ni l'un ni l'autre. Si les Russes avaient su que Clark était à Los Angeles avant mon passage à Seattle, ils ne se seraient pas emmerdés avec moi là-bas. Quant aux fédéraux, ils se seraient contentés de sonner. D'ailleurs, je crois avoir été filé par un Noir au volant d'une LeBaron grise, et ça s'est passé avant que ces gosses se pointent à l'agence, j'en suis à peu près certain.

Je lui décrivis le chauffeur de la LeBaron.

— Si ça se trouve, tu as peut-être encore quelqu'un au cul.

— Possible. Tu restes dîner ?

— Non.

Pike suivit un instant des yeux une voiture qui roulait dans le canyon, puis s'en alla sans ajouter un mot. Pas d'au revoir, pas d'à plus tard. *Pffuit !*

Je vidai ma bière, écrasai la boîte, direction la poubelle. Un vrai recycleur modèle. Je défis mon sac, lançai la machine à laver et errai un moment à travers la maison, éprouvant un sentiment de vide et d'inachevé, comme si une tâche m'attendait, que je ne pouvais définir. Peut-être était-ce tout simplement de l'ennui.

Clark était rentré, ses enfants n'étaient plus livrés à eux-mêmes. Il ferait ce que bon lui semblerait. Il partirait ou il resterait, il appellerait Carol Hillegas ou non. Pareil pour Jasper : il pouvait lui demander de l'aide ou ne rien faire, et je ne pouvais pas le forcer – sauf à lui coller le canon de mon Dan Wesson au milieu du front. Mais nous vivons dans une société libre.

J'ouvris une seconde Falstaff et appelai Lucy à son cabinet.

— Allô ? Le plus formidable être humain au monde désirerait parler à Mme Chenier.

L'assistante de Lucy, Darlene, éclata de rire.

— Je vois qu'on a encore pris du galon. Jusqu'ici, vous n'étiez que le meilleur détective du monde.

— C'est la même chose, non ?

— Seulement si c'est de vous qu'il s'agit, monsieur Cole. Je suis désolée, mais Mme Chenier est partie.

Il était presque six heures du soir à Baton Rouge. Lucy était encore au boulot, à cette heure-ci – sauf quand Ben, son fils, disputait un match de foot.

— Elle est rentrée chez elle ?

— Essayez toujours.

Après avoir blagué quelques instants de plus avec Darlene, je téléphonai au domicile de Lucy.

— Bonsoir, David ! s'écria-t-elle en décrochant dès la première sonnerie.

— David ?

— Oh… C'est toi.

— On devrait peut-être raccrocher et repartir de zéro, soupirai-je.

— David Shapiro, m'expliqua Lucy en riant. Le meilleur avocat spécialisé dans les médias de La Nouvelle-Orléans. C'est lui qui me représente.

— KROK t'a fait une offre ferme ?

— Les négociations sont officiellement ouvertes.

— Lucy, c'est fantastique, dis-je, sentant un large sourire étirer ma bouche d'une oreille à l'autre.

— On n'en est qu'au stade de la proposition initiale, et David et moi préparons la contre-offensive, mais on est tout près du but, Elvis. Vraiment, vraiment tout près, et je sens que ça va marcher. (Sa voix vibrait d'énergie et d'enthousiasme.) David pense que tout sera bouclé d'ici la fin de la semaine prochaine. Ensuite, il n'y aura plus qu'à attendre la fin de l'année scolaire, et on pourra déménager.

L'année scolaire s'achevait dans six semaines à peine.

— Ce délai ne pose pas de problème à KROK ?

— Aucun. Ils m'ont même proposé de me mettre en contact avec un agent immobilier pour m'aider à trouver un logement.

À mesure que nous parlions, ma tension se résorbait, et ma maison redevint ce qu'elle devait être, un lieu protecteur, un cocon douillet ; l'intrusion étrangère était oubliée. La chatière cliqueta. La bestiole s'approcha à pas feutrés, se frotta contre moi et ronronna. Peut-être sentait-il lui aussi le changement.

Lucy me questionna ensuite sur les enfants Hewitt. Je lui détaillai mon voyage à Seattle et les informations troublantes que j'avais glanées sur leur père.

— Et tu as payé ce voyage de ta poche ?

— Tu sais, Lucy, il naît à peu près un crétin par minute sur cette planète.

Elle soupira, et j'eus l'impression de voir son sourire. Je la voyais dans le fauteuil moelleux de son salon. Je voyais Ben assis sur la moquette jonchée de numéros de *L'Incroyable Hulk*, les yeux rivés sur un énième épisode de la série *Babylon 5*. Je sentais le laurier et le sassafras du gombo d'huîtres qui mijotait pour le dîner dans cette maison qui fleurait bon la chaleur et la sécurité, à deux pas de l'université d'État de Louisiane. Précisément le genre de foyer dont Teri, Charles et Winona auraient eu besoin en ce moment. Mais peut-être que j'avais bu trop de Falstaff et que c'étaient des visions d'ivrogne.

— Tu n'es pas un crétin, idiot. Tu es l'homme que j'aime.

— Merci, Luce.

Nous bavardâmes encore une bonne heure, tout excités par ces projets, exaltés par cette nouvelle étape dans notre amour, puis raccrochâmes – non sans que Lucy ait promis de me rappeler régulièrement pour me tenir au fait de ses négociations, et que j'aie promis de lui envoyer les annonces immobilières du *Los Angeles Times*, sans oublier une flopée de bisous sonores. Par moments, je suis tellement fleur bleue que ça me gêne moi-même.

Ma canette à la main, j'émigrai sur la terrasse et écoutai le chant de la brise dans les feuillages, le murmure des voitures dans le canyon et le silence de mon logis. Le chat me rejoignit et s'assit à côté de moi.

— Lucy arrive bientôt. Tu as intérêt à t'y faire.

Il frotta sa tête contre ma jambe et ronronna.

Dans le fond, la journée n'avait pas été si mauvaise.

13

Dès que j'ouvris les yeux le lendemain matin, je décidai de prendre un jour de congé pour me détendre. Après tout, j'étais officiellement au chômage, et, quand on vient de se faire dérouiller par un haltérophile russe à Seattle, on mérite un peu de repos. Teri, Charles et Winona n'étaient plus sous ma responsabilité, Clark avait été prévenu, ce n'était plus à moi de jouer. Portrait du détective libre comme l'air. Le chômage n'a pas que des inconvénients.

Je nourris le chat, m'offris quarante minutes de katas de taekwondo sous le soleil déjà torride du matin et passai en revue les différentes possibilités qui s'offraient à moi : courir le long de la Pacific Coast Highway avec Joe Pike, monter en voiture du côté d'Antelope Valley pour y cueillir des pêches, ou passer la journée sur ma terrasse à déguster des sandwiches au gibier en lisant le dernier Dean Koontz [1]. Autant de délicieuses façons de tuer une journée. Néanmoins, à neuf heures, douché et rasé de frais, je descendis de ma

1. Auteur de romans fantastiques à succès.

montagne et poussai la porte de la bibliothèque publique de Beverly Hills afin de glaner tous les renseignements possibles sur les frères Markov – et sur ce qu'avait bien pu faire Clark pour les énerver à ce point.

Chômer, c'est plus facile à dire qu'à faire.

La bibliothèque de Beverly Hills est une des meilleures de la région. Propre, ordonnée, elle dresse son architecture espagnole en plein cœur de Beverly Hills, entre le bâtiment de la police et la mairie. Une femme fluette, aux cheveux très courts, m'apprit à utiliser le système de recherche en ligne et m'aida à me connecter au *Seattle Times*. Je téléchargeai tous les articles accessibles sur les frères Markov, et notamment sur le procès de Vassili Markov et sa condamnation. (Au moment de les imprimer, je constatai que j'en avais quatre-vingt-six pages.) Quelle idée de passer sa journée à la plage quand on a, comme moi, la chance de pouvoir consacrer ses loisirs à se documenter sur la mafia russe !

Il y avait foule ce matin-là, à la bibliothèque. Je finis par trouver une place en face de deux jeunes femmes qui me paraissaient avoir le profil type de futures étudiantes de l'UCLA. Je leur souris en m'installant, et elles me rendirent mon sourire. L'une d'elles était grande et blonde, avec des ongles bleus étincelants et des cheveux courts. L'autre, petite et basanée, aurait pu être iranienne ou afghane. Ses ongles étaient peints en noir. La blonde chuchota quelque chose à son amie quand je m'assis, et elles gloussèrent.

— On ne glousse pas, dis-je.

La blonde fronça les sourcils.

— On a rien dit.

— Pardon, j'ai dû me tromper.

TRENTE-NEUF CHEFS D'ACCUSATION CONTRE LE PARRAIN DE LA MAFIA, disait le premier titre. L'histoire correspondait grosso modo à ce que Reed Jasper m'avait raconté : Vassili Markov dirigeait une organisation d'émigrés russes depuis longtemps soupçonnée de pratiquer la contrefaçon, le marché noir, la contrebande, l'extorsion de fonds et l'assassinat, mais ce n'était qu'après qu'un « membre repenti du réseau de faux-monnayeurs de Markov » eut accepté de témoigner à charge que le Grand Jury avait réussi à obtenir sa mise en accusation. Le repenti en question n'était autre que Clark Hewitt.

La blonde et son amie gloussèrent encore... lorsque je les regardai elles feignirent d'être absorbées dans leur travail.

Les articles suivants dépeignaient Hewitt comme un imprimeur professionnel, « forcé » par Markov de fabriquer des faux dollars américains destinés à l'exportation vers l'ex-Union soviétique. Il n'y était fait aucune mention de la famille de Clark, ni des soupçons de Markov à son sujet, ni de son intention de l'éliminer. Hormis quelques détails mineurs, je ne trouvai rien de neuf ni d'utile dans les soixante-quatorze premières pages que je venais d'imprimer, et peu à peu la pensée que j'aurais mieux fait de m'attaquer au bouquin de Koontz s'insinua en moi.

Nouveaux murmures, nouveaux gloussements.

Je levai la tête. Vite.

— Cette fois, je vous tiens.

La blonde battit des cils d'un air candide.

— Qu'est-ce que vous allez faire de nous ?

Sentant le rouge me monter au front, je me replongeai dans ma revue de presse. Le badinage peut être un vilain péché. Surtout quand votre fiancée s'apprête à tout quitter pour vous rejoindre.

La blonde se pencha sur mes fichiers imprimés.

— Pourquoi est-ce que vous vous intéressez à ces criminels ?

— Mon mémoire de fin de semestre.

— Vous n'êtes pas en train d'écrire un mémoire.

— C'est exact. J'appartiens à la police des bibliothèques, et je vais vous coffrer pour badinage illicite.

— C'est vous qui avez commencé, ronchonna la brune.

Trois pages plus loin, je découvris un article qui ne parlait pas de Markov, malgré son titre : MARKOV N'A RIEN INVENTÉ. Il s'agissait d'un encadré sur l'histoire de la contrefaçon dans le nord-ouest des États-Unis, et le personnage central n'était pas davantage Clark Hewitt. Je me redressai brusquement sur ma chaise et relus le nom à haute voix.

— Wilson Brownell…

— Pardon ? fit la blonde.

Je levai une main pour la faire taire et poursuivis ma lecture.

L'encadré présentait Wilson Brownell comme le « maître faussaire de Seattle » et la figure clé d'un réseau de contrefaçon qui avait prospéré à la fin des années soixante et au début des années soixante-dix. L'article expliquait que Brownell avait débuté en montant une imprimerie dans son garage. Il était l'inventeur d'un processus de vieillissement accéléré à base de poudre de café qui lui avait permis de produire des faux billets qui, hormis la qualité du papier, étaient presque impossibles à distinguer des vrais. On estimait à près de dix millions de dollars les sommes qu'il avait mises en circulation jusqu'au jour où, en essayant d'acquérir du vrai papier monnaie, Brownell était tombé sur un agent du Trésor infiltré qui s'était fait passer pour un fournisseur européen. À la fin de l'article, on apprenait que Brownell avait purgé huit ans d'une peine de vingt ans avant d'être libéré sur parole et qu'il vivait probablement dans la région de Seattle, même s'il n'avait pu être localisé avec précision.

Je m'écartai de la table et croisai les bras, le regard toujours vissé sur l'article.

— Ça va ? me demanda la blonde, préoccupée.

Je repartis vers l'ordinateur et tentai de lui soutirer d'autres articles sur Brownell, mais il n'y avait rien. Trop ancien.

Je remerciai la bibliothécaire de son aide, dis au revoir aux deux candidates à l'UCLA, regagnai mon agence en voiture et téléphonai aussitôt à la North Hollywood Division du LAPD. Une voix de femme me répondit à la troisième sonnerie.

— North Hollywood, brigade d'enquêtes, j'écoute.

— Lou Poitras, s'il vous plaît.

— De la part ?

— Du meilleur détective du monde.

Elle rit.

— Désolé, mon gars. Vous lui parlez en ce moment.

Ces flics, ils s'y croient vraiment.

— Alors, dites-lui que J. Edgar Hoover[1] veut lui parler.

Elle rit de plus belle et me pria de ne pas quitter.

Je patientai une petite minute, et Lou Poitras arriva en ligne.

— Ça ne pouvait être que toi. Personne d'autre n'aurait eu les couilles pour déballer de telles conneries.

— Salut, Louis. J'ai besoin de tuyaux sur un mec de Seattle. Wilson Brownell. Tu aurais le temps de passer un petit appel pour moi à tes collègues ?

— Non.

Il raccrocha. De vrais boute-en-train, ces flics.

Je rappelai. La même voix de femme me répondit.

— Cette fois, dites-lui que j'ai les photos de nos vacances.

— Vous êtes sûr que vous ne préférez pas me parler ? Je parie que je pourrais vous aider.

— Je préférerais, mais Poitras me doit du fric, et il croit qu'il va s'en tirer comme ça.

— Ne quittez pas.

Poitras revint en ligne une dizaine de secondes plus tard.

— Bon Dieu, soupira-t-il d'un ton las, j'ai l'impression que soit j'écoute ton boniment, soit ma ligne restera occupée jusqu'à ce soir. D'autant que Beverly est amoureuse de toi.

J'entendis ladite Beverly hurler en fond sonore.

— Merde, sergent, ne lui dites pas ça !

— C'est quoi, le nom de ton mec, déjà ?

1. Fondateur et directeur du FBI de 1924 à 1972.

J'épelai. Lou Poitras, marié, trois enfants (dont le benjamin est mon filleul), est sergent à la North Hollywood Division. Depuis que je le connais, il soulève de la fonte six matins par semaine, et sa carrure est approximativement celle d'une Lincoln Continental. Certain qu'il serait capable d'en soulever une, d'ailleurs.

— Tu sais, dit Poitras, les contribuables ne seraient sûrement pas ravis de savoir qu'ils financent tes recherches.

— Au moins, ils en auraient pour leur argent.

Poitras ne réagit pas.

— Désolé, Lou. Je rigolais. (Les flics sont souvent susceptibles.) Brownell a fait de la taule pour un crime – il a été condamné au niveau fédéral –, mais il est ressorti. J'aurais besoin de savoir s'il se tient à carreau ou si les flics le soupçonnent d'avoir remis quelque chose sur le feu.

— C'est ce que tu crois ?

— Si je le savais, je n'aurais pas besoin de faire appel à mes amis pour obtenir des informations gratos.

— Gratos ?

Un vrai marrant, ce Lou.

— Je te rappelle, ajouta-t-il.

Et il raccrocha.

Je me carrai dans mon fauteuil, posai les pieds sur la table et pensai à Wilson Brownell et à Clark Hewitt – en me demandant notamment pourquoi Clark aurait pris le risque de retourner à Seattle, où il était activement recherché par la mafia russe et par la police. Il semblait évident que Brownell et lui étaient plus que de simples amis. Brownell lui avait certainement enseigné tout ce qu'il savait sur la fabrication des faux billets de banque, et c'était sans doute la raison pour laquelle Clark s'était compromis avec les frères Markov. S'il avait osé retourner à Seattle pour voir Brownell, ce devait être parce que ce dernier savait ou possédait quelque chose dont Clark avait besoin – d'où j'étais tenté de déduire que le nouveau projet professionnel de Clark était lié à la contrefaçon. Clark était peut-être toxico, mais il n'aurait pas pris le risque de se faire attraper par les Russes uniquement pour les beaux yeux de son pote. Peut-être même Brownell envisageait-il de tremper dans la combine.

Je sortis de mon portefeuille les deux billets de cent dollars que m'avait remis Teri et les examinai l'un après l'autre. Des billets assez anciens, usés, qui paraissaient corrects. Je frottai l'encre, les portai à la lumière, scrutai la trame du papier. Ils me paraissaient toujours aussi corrects, mais je ne suis pas un expert.

Je les rangeai. Je venais de me réinstaller dans mon fauteuil quand deux hommes franchirent la porte extérieure de l'agence. Le premier, grand et noir, se caractérisait par un crâne chauve et luisant, un complet bleu marine bon marché et une mine patibulaire. Le second ressemblait à un mannequin spécialisé dans les fringues pour cadres dynamiques. Il portait un costard Brooks Brothers archiclassique, approchait de la quarantaine et semblait péter la forme. Ses cheveux étaient d'un noir de jais. Je souris au Noir, reconnaissant le type que j'avais vu passer au volant de la LeBaron grise devant chez les Hewitt. Mon sourire s'élargit lorsque je repérai un gros pansement sur le revers de sa main gauche, et, sans cesser de sourire, je glissai la main droite sous ma veste, dégainai mon Dan Wesson et le braquai sur eux.

— Vous n'aurez pas besoin de ça, fit le Blanc.

Il avait un léger accent du Sud, et, manifestement, mon flingue ne lui faisait aucun effet.

— Ça dépendra de vous. On risque de devoir passer un petit moment ensemble à attendre la police, répliquai-je.

Le Noir referma la porte et s'y adossa. Histoire de s'assurer que je ne leur fausserais pas compagnie.

Le Blanc balaya mon bureau du regard. Il étudia les figurines, la pendule Pinocchio et le portrait encadré de Lucy. Surtout le portrait de Lucy.

— Rien n'est à vendre, dis-je enfin. Vous comptez m'expliquer pourquoi vous vous êtes introduits chez moi, ou vous préférez que je me mette à tirer tout de suite ?

Le Blanc se détourna du portrait. À mon tour d'être scruté.

— Les gars, soupirai-je, je viens de me taper deux journées assez pénibles, et je suis à cran.

Il sourit, comme si cette nouvelle le ravissait, et fit les présentations :

— Mon collaborateur, M. Epps. Je m'appelle Richard Chenier. Je suis l'ex-mari de Lucy.

Mon regard alla d'Epps à Chenier. Rien à voir avec la mafia russe. Rien à voir avec les fédéraux.

— Votre revolver, dit Chenier.

Je rangeai le Dan Wesson dans son étui.

— On se serait croisés tôt ou tard, reprit-il. J'ai décidé de prendre les devants.

Il ne me tendit pas la main. Moi non plus.

— Je connais des façons plus amicales de faire un petit coucou, remarquai-je.

— Peut-être…

Apparemment, ce n'était pas une visite amicale.

— Dites-moi une chose, Richard. Vous faites suivre tous les amis de Lucy par ce monsieur ?

— Non. Seulement ceux qui réussissent à la persuader de s'installer à trois mille cinq cents kilomètres de chez nous. En emmenant mon fils.

— Voyons, Richard…

Il sourit, puis s'assit dans un des deux fauteuils face à mon bureau.

— Mon fils vous apprécie, et je voulais voir quel genre de type vous êtes. Vous pouvez comprendre ça, n'est-ce pas ?

— Je peux comprendre que vous souhaitiez me connaître. Par contre, en recrutant un type pour entrer chez moi par effraction, vous avez franchi la ligne blanche.

— Oh, je n'ai pas recruté M. Epps pour vous. Il travaille pour mon cabinet. Nous sommes spécialisés dans le commerce international. Le pétrole.

— Mmm…

J'étais sans doute censé avoir l'air impressionné.

— Il est très compétent dans son domaine et, d'après lui, vous êtes un type solide. Stable, de bonne réputation, tout ça, quoi.

— Ravi de vous plaire.

— Et petit, continua-t-il pour me démentir. Un type insignifiant qui fait des choses insignifiantes – bien en dessous de ce que je pourrais souhaiter pour ma femme et mon fils.

Je soutins son regard quelques secondes avant de chercher celui de Pinocchio. Puis, avec un soupir, je me levai.

— Parfait, Richard. On a fait connaissance. C'était sympa. Je suis désolé de devoir vous le dire de cette façon, mais le moment est venu de vous en aller.

Il ne bougea pas. Epps non plus.

— Petit, mais néanmoins capable de raisonnement, reprit-il. C'est pourquoi j'ai décidé de vous expliquer certaines choses, afin que vous soyez à même de comprendre.

— Je veux bien vous redemander gentiment de partir, Richard, mais, croyez-moi, je ne suis obligé ni de demander ni d'être gentil. (Epps déplaça imperceptiblement le poids de son corps vers l'avant, en s'écartant de la porte.) Quant à vous, Epps, vous aurez sans doute du mal à y croire quand ça vous tombera dessus.

Sûr que cette phrase lui colla les boules.

Richard leva les mains en souriant.

— Je ne suis pas ici pour vous menacer. Écoutez, j'adore Lucy et j'adore mon fils. Ce que vous ignorez, c'est qu'elle m'aime encore. Il nous reste juste quelques petits problèmes à régler, et elle s'en rendra compte très bientôt.

— Au revoir, Richard.

Je commençais à en avoir marre de la politesse, de ces manières d'hommes modernes gérant leurs problèmes sentimentaux comme leurs affaires, avec rationalité. L'envie me démangeait de cogner ce blaireau jusqu'à ce que mort s'ensuive.

Il ne bougeait toujours pas.

— Je veux seulement que vous réfléchissiez aux intérêts de Lucy. Je sais qu'on lui a proposé ce poste à L.A., mais rester à Baton Rouge serait bien mieux pour elle – et pour Ben. J'espère que vous tenez compte de ce genre de paramètres. Si vous l'aimiez, vous lui diriez de rester en Louisiane.

Il y croyait vraiment. Je me tournai vers Epps, mais celui-ci n'avait manifestement pas d'opinion sur la question. Je secouai la tête.

— Selon vous, je devrais dire à Lucy de rester à Baton Rouge ?

Richard sourit comme un professeur ravi de voir un élève particulièrement lent comprendre enfin ce qu'il s'est tué à expliquer.

— Exactement.

Son attitude expliquait peut-être pourquoi leur couple avait capoté.

— Richard, j'ai l'impression que quelque chose vous échappe. Cette décision ne vous appartient pas, ni à moi. C'est celle de Lucy.

Il fronça les sourcils, comme si je l'avais déçu.

— Je l'aime, ajoutai-je, et je souhaite qu'elle vienne s'installer ici, mais je n'ai le pouvoir ni de la faire venir ni de la faire rester en Louisiane, et vous non plus. C'est sa vie. À elle de choisir. Vous pigez ?

Le froncement de sourcils de Richard Chenier s'accentua.

— On trouve toujours le moyen d'obtenir ce qu'on veut, dit-il. C'est grâce à ce principe que je gagne ma vie.

Je soutins son regard, tentant d'imaginer leur couple, peine perdue.

Richard Chenier jeta un regard sur Epps, puis se leva. Epps ouvrit la porte.

— Vous ne croyez tout de même pas que j'ai l'intention de les laisser partir sans réagir – si ?

— Je ne pense pas que vous ayez le choix.

— Vous serez surpris.

Il sourit, et son sourire me déplut. Tout en lui me déplaisait.

Richard Chenier quitta mon bureau sans un regard en arrière. Epps me fixa, sourit largement et se dirigea à son tour vers la sortie.

— Epps ?

Il fit volte-face, souriant toujours.

— Sacré matou, hein ?

Epps perdit son sourire, franchit le seuil et referma. Brutalement.

Je restai de longues secondes à contempler la porte.

— Ravi de faire votre connaissance, Richard, fis-je en secouant la tête.

14

Je regardai s'éloigner la voiture de Richard Chenier et de son comparse et me dirigeai vers mon bureau, fixant avec insistance mon téléphone Mickey en envisageant d'appeler Lucy. Mais pour lui raconter quoi ? *Ton ex est passé me voir, il dit qu'il t'aime encore ?* Pas question. *Richard a engagé un mec pour s'introduire chez moi ?* Ça ressemblait trop à du cafardage.

La pendule Pinocchio attira mon attention.

— Étonnant, n'est-ce pas ?

Les yeux du fils de Gepetto roulèrent d'un côté puis de l'autre, mais il ne répondit pas. Il ne répond jamais.

Je me forçai à me reconcentrer sur Markov. Ressortant de ma poche les deux billets de cent dollars de Teri Hewitt, je les examinai de nouveau – dans mon esprit, le visage de Richard se superposait à celui de Benjamin Franklin.

— Bon sang, Cole, reprends-toi. Tu es sur la bonne voie en ce qui concerne Clark. Concentre-toi sur ta piste.

Quel genre de mec faut-il être pour demander à quelqu'un de s'introduire chez le petit ami de son ex ?

Tu vas te calmer, oui ou non ?

Je savais par Lucy que Richard Chenier était avocat au cabinet Benton, Meyers & Dane ; je savais également qu'il avait passé sa licence de droit à la LSU [1], où Lucy avait elle aussi fait ses études, et c'était à peu près tout ce que je connaissais de lui, n'ayant jamais été passionné par ce sujet. Mais, à présent, il s'était introduit chez moi frauduleusement avant de débarquer à mon agence, avec une attitude belliqueuse. Ça, encore, ç'aurait pu passer. Là où ça coinçait – mais alors totalement –, c'était son désir d'empêcher Lucy de quitter Baton Rouge. Quoi qu'il fasse par la suite, et quelles que soient ses intentions réelles, ses déclarations me restaient en travers de la gorge.

Puisque je n'arrivais pas à cesser de penser à l'ex-mari de Lucy, je décidai que la meilleure chose à faire était encore de me pencher sur son cas. J'avais rencontré Lucy alors que j'enquêtais sur une affaire, en Louisiane, l'année précédente. Pendant mon séjour, je m'y étais fait quelques amis au sein de la police, en particulier à Baton Rouge. Je leur téléphonai, résumai ce que je savais de Richard et d'Epps et les priai de me communiquer rapidement le résultat de leurs vérifications. Dès que possible.

Ensuite, j'appelai Joe Pike.

— Clark est allé à Seattle pour revoir un certain Wilson Brownell. Brownell est un maître faussaire. C'est lui qui a appris l'art de la contrefaçon à

1. Université d'État de la Louisiane.

Clark, et à mon avis Clark est retourné le voir parce qu'il a décidé de reprendre du service, lui résumai-je.

— Tu crois qu'il tire de la fausse monnaie ?

— J'ai en main deux billets de cent qui m'intriguent, et cela pourrait expliquer que Clark ne veuille surtout pas renouer le contact avec Jasper. S'il mijote quelque chose, Jasper pourrait s'en rendre compte, et Clark ne veut pas faire capoter sa combine.

Pike resta muet pendant un bon moment. Il devait réfléchir.

— Je connais quelqu'un à l'antenne locale du Trésor, finit-il par dire. Marsha Fields. Dans le centre-ville. Je vais l'appeler ce soir, histoire de lui demander si tu pourrais passer la voir avec tes biffetons, demain dans la journée.

— Ça me va.

— Qu'est-ce qu'il y a ?

Comme s'il avait perçu quelque chose dans ma voix.

— Le mec qui est entré chez moi s'appelle Epps. C'est lui que j'ai repéré l'autre jour au volant d'une LeBaron. Il travaille pour l'ex de Lucy. Ils viennent de quitter l'agence.

Nouveau silence.

— Tu veux que je fasse quelque chose ?

— Je ne crois pas qu'on ait besoin de le tuer pour le moment.

— Peut-être plus tard, alors…

Pike raccrocha. Parfois, le silence est éloquent.

Je fixai Mickey un bon moment, puis téléphonai à l'amicale des anciens élèves de l'université de Louisiane. Ensuite, j'appelai le cabinet Benton, Meyers & Dane en me présentant comme un client potentiel et, six minutes plus tard, le premier de mes copains flics de Baton Rouge me rappela. Une heure vingt-sept après que Richard Chenier eut quitté mon agence, j'appris qu'il avait été ailier remplaçant de l'équipe de football de première année de l'université jusqu'au jour où une vilaine blessure au genou avait mis un terme à sa carrière universitaire. Il avait ensuite tâté de la politique dans des organisations étudiantes, obtenu son diplôme avec félicitations et tenté sans succès de se faire admettre à Rhodes. Son casier judiciaire était vierge à ce jour. Impressionnant. J'appris également qu'il était avocat associé chez Benton, Meyers & Dane, un cabinet d'affaires spécialisé dans les problèmes pétroliers internationaux, mais qu'il était actuellement en congé jusqu'à la semaine suivante. Quant à Lawrence Epps, ancien policier de l'État de Louisiane, il travaillait à présent comme enquêteur privé pour le compte de Benton, Meyers & Dane : il avait été interpellé quatre fois, dont trois pour voies de fait, avec une condamnation pour coups et blessures. Sur la personne de sa première femme. Charmant personnage.

Je me sentais mieux, ce soir-là, en revenant chez moi. J'aimais toujours aussi peu Richard Chenier, mais il me semblait avoir le profil d'un type régulier, et, avec un gros effort d'imagination, je parvins à la conclusion que, moi aussi, je pourrais perdre un peu les pédales à l'idée de voir mon fils partir à l'autre bout du pays. Lucy l'avait épousé, il ne pouvait donc pas être tout à fait mauvais. Je sais, elle l'avait aussi quitté, mais cette pensée ne me vint à l'esprit que plus tard.

À mon retour, je trouvai le chat assis à côté de son écuelle. Je lui résumai la situation en me préparant à dîner.

— Et toi, tu ferais quoi ? finis-je par lui demander.

Il cligna des paupières et, avec une gracieuse contorsion, entreprit de se pourlécher l'anus. La vie des chats est simple !

Joe Pike me rappela à neuf heures le lendemain matin pour m'annoncer que l'agent spécial Marsha Fields, des services secrets, m'attendait. Après avoir avalé des œufs à la coque et des muffins au petit déjeuner, je pris mon temps pour me doucher et m'habiller, et traversai la ville en voiture pour rejoindre l'antenne locale du département du Trésor.

Le Trésor avait ses bureaux au sixième étage du Royal Federal Building, en plein cœur de Los Angeles, entre le Parker Center de la police du comté et la maison d'arrêt fédérale. Les flics ont l'instinct grégaire.

Je me garai au sous-sol et empruntai l'ascenseur jusqu'au hall d'entrée, où je franchis un détecteur de métaux. Là, je déclinai mon identité à un mec qui avait l'air d'avoir avalé une Pontiac au petit déjeuner. Je montai ensuite dans un autre ascenseur jusqu'au sixième.

Une jeune femme me cueillit à ma sortie de la cabine : grande, athlétique, les cheveux roux et courts, elle portait un pantalon bleu marine et une veste assortie.

— Vous êtes monsieur Cole ? Je suis Marsha Fields. Joe Pike m'a demandé d'examiner quelques billets pour vous.

Elle me prit la main, la serra fermement avec un joli sourire.

— C'est exact.

Je lui adressai à mon tour un joli sourire, puis j'essayai de récupérer ma main. Elle ne la lâcha pas.

— Comment avez-vous eu ces billets ?

Elle me tenait toujours la main, et je pensai qu'elle ne la lâcherait peut-être plus, à croire qu'elle se préparait, si ces billets étaient faux ou si ma réponse lui paraissait insatisfaisante, à me passer sur-le-champ les menottes et à m'embarquer au pays des services secrets.

— Je les ai échangés contre un chèque au porteur.

Elle conserva ma main et son sourire quelques secondes de plus, puis renonça aux deux.

— Venez avec moi, on va voir ça.

Je la suivis dans les profondeurs d'un couloir impersonnel, où nous croisâmes plusieurs hommes et femmes qui évitaient le contact visuel. Sans doute pour mieux garder leurs petits secrets.

— Joe m'a dit que vous travailliez ensemble.

— C'est exact. Nous sommes copropriétaires de l'agence.

— Joe est quelqu'un de très intéressant.

— Mmm-mmm.

— Quand je l'ai rencontré, il était encore dans la police. On a sympathisé.

Je hochai la tête. Elle m'observait.

— Nous avons été proches, ajouta-t-elle.

— Joe m'a dit le plus grand bien de vous, dis-je en la regardant.

Son visage s'éclaira, et la méfiance disparut de son regard.

— Je suppose qu'il est marié.

Apparemment, il y avait de l'amour dans l'air. Ou du désir.

— Pas encore. Mais on peut toujours espérer.

Elle rougit légèrement, et nous pénétrâmes dans un petit laboratoire qui me fit vaguement penser à un cabinet de médecin et dans lequel flottait une odeur de solvant. Une paillasse de formica noir courait le long d'un des murs, surmontée de trois plateaux rétro-éclairés et d'une étagère supportant divers petits flacons. De part et d'autre d'un évier en inox encastré dans le comptoir, je remarquai un microscope binoculaire et une grosse loupe montée sur pied flexible. La lutte contre le crime dans toute sa splendeur scientifique moderne.

Quelqu'un avait découpé et épinglé au mur, au-dessus de la paillasse, des photos du Président, du vice-Président et du porte-parole de la Maison-Blanche, rebaptisés au feutre « Manny », « Moe » et « Curley ». Quelqu'un d'autre, toujours au feutre, avait maquillé le Président en clown et écrit sous la photo : *Seriez-vous prêt à vous prendre une bastos pour protéger ce clown ?*

Ces agents secrets sont vraiment tordants, non ?

— Puis-je voir les billets ? me demanda Marsha Fields.

Je lui remis les deux Franklin. Elle en laissa un de côté et se pencha sur l'autre, étudiant les deux faces, le pliant, le frottant, puis scrutant de nouveau le côté Franklin. Le plaçant sur l'un des plateaux rétro-éclairés, elle approcha la loupe et inspecta méthodiquement chaque face. Elle conclut son examen par un claquement de langue.

— Du bidon tout ce qu'il y a de plus authentique, annonça-t-elle.

— Ils sont faux ?

Cet enfoiré de Clark !

— Cent pour cent. Mais c'est du bon boulot.

— Comment le savez-vous ?

Elle remit le billet sous la loupe et désigna quelque chose de la pointe de son stylo.

— Observez les arabesques du pourtour. Vous voyez les traits verticaux derrière le portrait de Franklin et les rayons du sceau du département du Trésor ? Ils devraient tous être parfaitement nets et ininterrompus.

Je regardai aux endroits indiqués et constatai qu'en effet les lignes étaient brisées et quelquefois irrégulières. Les parallèles se rejoignaient par endroits, tandis qu'à d'autres elles étaient soit absentes, soit éloignées.

— Oui. Je vois.

— Les vrais billets sont imprimés sur des planches gravées, ce qui fait que les lignes sont parfaitement nettes et ininterrompues. Le faussaire, lui, prend un vrai billet en photo et fabrique une planche à partir de cette image… donc il perd forcément un peu de résolution à chaque étape du processus, et les lignes finissent par se brouiller. Vous me suivez ?

Son regard semblait plein d'expectative, et je hochai la tête.

— Bien sûr.

Quand vous arrivez à prendre un petit air futé, les gens ont généralement tendance à croire que vous l'êtes.

— L'autre élément clé, c'est le papier. Les vrais billets sont tous imprimés sur un mélange de fibres de coton fabriqué par la papeterie Crane, à Dalton, dans le Massachusetts. Vous voyez ces petits filaments bleus et rouges ?

Elle m'indiqua quelques-unes de ces minuscules fibres bleues et rouges que tout le monde connaît.

— Bien sûr. Mais je croyais que les faux billets n'en avaient pas.

Elle hocha la tête, apparemment satisfaite non seulement de ma réponse, mais aussi de mon faux billet.

— Ils n'en ont pas. Et celui-ci n'en a pas non plus.

— Je les vois, pourtant.

— Vous *croyez* les voir.

Elle prit un des flacons de l'étagère et versa une goutte de liquide sur le billet, mais rien ne se produisit. Elle fronça les sourcils, choisit un autre flacon, fit tomber un peu de son contenu sur un autre filament rouge. Le filament disparut, et son sourire revint.

— Les filaments bleus et rouges des vrais billets sont des fibres de rayonne que Crane mélange à la pâte de coton et de lin au moment de la fabrication du papier. (Elle déchira un coin du billet, observa la trame.) Nous avons ici une assez bonne fibre de lin, sans doute fabriquée dans une papeterie européenne, mais les filaments ont été imprimés à la surface du papier. Il y a donc eu deux processus distincts. (Son sourire s'élargit. Elle rayonnait presque.) Ce n'est pas du travail d'amateur. L'auteur de ce billet s'est donné beaucoup de mal, et il faut reconnaître qu'il a travaillé comme un chef.

— Ce sont des billets récents ?

Si Clark avait repris du service, ces billets pouvaient être son œuvre.

— Non. Je leur donnerais huit ou dix ans au moins. (Elle retira le billet du plateau, mais ne me le rendit pas.) J'ai bien peur que vous n'ayez été refait de deux cents dollars.

— C'est la vie.

Elle croisa les bras en souriant.

— Et maintenant ? Vous allez m'expliquer d'où vous tenez ces billets ?

— Je vous l'ai déjà dit.

Elle sourit encore.

— Bien sûr !

— Vous les gardez ?

— C'est le règlement. Si vous y tenez, vous pouvez toujours déposer une demande de remboursement dans un de nos bureaux ou dans n'importe quelle banque.

— Merci.

— Et dites à Joe de me rappeler un de ces jours.

Je franchis le portique de sécurité en sens inverse, récupérai ma voiture, direction l'agence. Clark et ses gosses vivaient grâce à leurs faux billets. Voilà pourquoi ils réglaient tout en espèces. En déposant leur fric sur un compte courant ou autre, ils auraient couru le risque d'être découverts. Les quelques centaines de dollars dont ils disposaient à la banque étaient peut-être leur seul argent propre, mais Teri ne le savait probablement pas – pas plus qu'elle ne savait que son père était un faussaire.

Bien sûr, cela ne signifiait pas automatiquement que Clark avait repris sa frauduleuse activité ni qu'il avait l'intention de la reprendre. Ces billets étaient vraisemblablement ceux qu'il avait piqués à Markov.

Je pris Temple, puis bifurquai en direction de l'autoroute de Hollywood. Le trafic automobile du centre-ville, ajouté aux travaux du métro, gênait la circulation. J'avais parcouru quelques rues au pas et je venais de franchir un feu au moment où il passait au rouge, quand soudain quatre mille klaxons se mirent à beugler à l'unisson derrière moi. Un coup d'œil dans mon rétroviseur me suffit à comprendre la raison de ce tollé général : une Camaro beige métallisée neuve venait de passer sur la file de gauche pour franchir le carrefour aux forceps. Au volant, un grand blond aux cheveux ras ; quant au siège passager, il devait ployer sous le poids d'un homme taillé comme l'Incroyable Hulk.

Alexeï Dobcek et Dimitri Sautine.

Pour la première fois depuis que Richard Chenier avait déboulé dans mon bureau, je n'eus aucun mal à cesser de penser à lui. Les Russes avaient débarqué.

15

L'heure du déjeuner venait de sonner dans le centre de Los Angeles, et quatre-vingt mille personnes au moins se pressaient sur les trottoirs tout autour de nous, envahissant les passages cloutés en dépit de la signalisation. À New York, ce genre d'attitude peut vous coûter la vie, mais à Los Angeles, où les piétons ont le droit de vivre, les véhicules restent souvent bloqués aux carrefours comme des détritus chassés par la pluie sur les grilles d'égout. Dobcek n'était pas habitué à ce phénomène : à Seattle, les piétons respectent les feux.

Il ne chercha pas à combler la distance qui nous séparait ; il s'efforça simplement de ne pas me perdre de vue. Sans doute m'avait-il pris en filature à l'agence. Sans doute espérait-il que je le conduirais jusqu'à Clark.

Je gardai ma place dans le flot de véhicules, sans chercher à le semer, bifurquai au nord sous la voie express pour prendre la direction de Sunset Boulevard et stoppai devant une galerie commerciale.

Monsieur Père-Tranquille. Monsieur Vaque-à-Sa-Routine. Dobcek et Sautine s'immobilisèrent le long du trottoir devant une petite épicerie mexicaine à environ une rue de distance et firent de leur mieux pour passer inaperçus. Pas facile, quand on pèse cent cinquante kilos.

J'appelai Joe Pike d'une cabine publique située devant un magasin de fleurs.

— Dobcek et Sautine sont à cinquante mètres de moi, dans une Camaro beige. Ils ne me lâchent pas.

— Descends-les.

Pour Pike, la vie est simple. Comme pour le chat.

— À vrai dire, j'envisageais plutôt de les retarder. Ils ont dû me suivre depuis l'agence et ils doivent compter sur moi pour les mener à Clark.

Pike fit entendre un grognement.

— Ou alors, ils ont tellement pris leur pied en te passant à tabac qu'ils ont envie de remettre ça.

— Soit. Il y a aussi cette possibilité.

Je lui expliquai où j'étais et ce que j'attendais de lui.

— Tâche de rester en vie jusqu'à mon arrivée, dit-il.

Toujours le petit mot d'encouragement qui vous redonne le moral.

Je feignis de bavarder cinq minutes de plus, entrai chez le fleuriste pour gagner encore du temps, puis remontai dans ma Corvette et repartis tranquillement vers le nord sur Sunset, en m'assurant que Dobcek et Sautine ne loupaient aucun feu vert dans mon sillage.

Ayant atteint Elysian Park Avenue, je pris la direction du Dodger Stadium et serpentai un moment à travers des rangées de petites maisons résidentielles plantées à flanc de colline, jusqu'à ce que j'atteigne Chavez Ravine. La circulation était redevenue fluide, et je m'attendais presque que Dobcek renonce à sa filature, mais il ne lâcha pas prise.

Chavez Ravine est une ample cuvette à fond plat, cernée de collines trapues qui isolent le stade de la ville. Le Dodger Stadium trône en plein centre de cette cuvette, entouré par une immense aire de stationnement de bitume noir, tel un vaisseau extraterrestre en attente sur son aire de lancement. Il ne manquait plus qu'un gros robot rutilant pour qu'on s'imagine que Michael Rennie [1] était de retour sur Terre.

Une heure avant le match, par une douce soirée printanière, cinquante mille personnes en voiture auraient été en train de converger vers ce parking. À midi, en ce jour où les Dodgers ne jouaient pas, le site était totalement désert. L'endroit idéal pour une conversation, ou un meurtre.

La route redescendait en louvoyant vers le fond du ravin, bordée de petits panneaux indicateurs qui vous orientaient soit vers le stade, soit vers Elysian Park, soit vers un certain nombre d'autres endroits dignes d'intérêt. Je passai en revue des rangs de palmiers et me dirigeai vers les guichets du stade, en accélérant suffisamment pour distancer les Russes. Dobcek tenait sûrement à garder le contact, mais pas au point de se laisser repérer. Au

1. Référence au *Jour où la Terre s'arrêta*, un film de Robert Wise (1952), dans lequel Michael Rennie joue le rôle d'un extraterrestre accompagné d'un robot à bord d'une mystérieuse soucoupe volante qui se pose aux États-Unis.

pire, il se figurerait qu'il pouvait toujours retourner à l'agence et attendre mon retour. Moi, j'étais sûr qu'il allait continuer de me suivre, parce que, dans son esprit, j'étais peut-être en train de rouler vers la planque où j'avais installé Clark et ses enfants. Je remontai à vive allure un bout de colline jusqu'à la bifurcation menant aux caisses mais, au lieu de m'y engager, je quittai la chaussée juste avant le portail d'accès et dissimulai ma voiture derrière un paravent de buissons et de chênes rabougris. Il n'avait pas plu depuis des semaines, et la terre était aussi dure que l'asphalte.

Quarante secondes plus tard, la Camaro franchit le portail d'accès aux caisses. Au moment où ses feux de stop s'allumaient, je revins sur la chaussée en marche arrière et m'immobilisai devant le portail pour bloquer la sortie. La jeep de Pike était stationnée en travers de la route, quelques mètres devant les Russes. Pike, appuyé au capot, pointait sur eux un fusil à pompe Beretta à chargement automatique. Je mis pied à terre, marchai jusqu'à la Camaro et souris.

— Ah, le base-ball ! lançai-je. Le sport favori des Américains.

Dobcek avait encore les mains sur le volant. Il fit la moue.

— Bien joué.

— Bienvenue à L.A., les gars. Et maintenant, descendez. En gardant les mains bien visibles.

Dobcek descendit le premier. Quand Dimitri Sautine sortit de la Camaro, elle oscilla.

— Vos armes, ordonnai-je.

Pike contourna la jeep, tenant toujours les Russes en joue. Dobcek saisit du bout des doigts le Glock niché sous son aisselle gauche et me le tendit. Je le jetai sur la banquette avant de ma Corvette et me tournai vers Dimitri Sautine.

— Vous, maintenant.

— Non, fit Sautine en secouant la tête.

— Dimitri…, soupira Dobcek.

— Qu'ils viennent le chercher s'ils l'osent, répondit Sautine.

Il laissa retomber ses bras et sourit à Pike. Pike lui rendait dix centimètres et cinquante kilos.

— Ça va faire mal, avertit mon adjoint.

— Ha.

Sautine souriait toujours quand Pike le toucha à la tempe d'un terrible coup de pied fouetté en pivot. Sautine fit un pas de côté et parut surpris, mais ne tomba pas. Le pied de Pike l'atteignit de nouveau de plein fouet, et cette fois Sautine chancela. Ses yeux s'embuèrent, sa lèvre inférieure trembla, des sanglots montèrent de sa gorge.

— Ton flingue, gronda Pike.

Dimitri Sautine tendit son Sig. Je le pris et le jetai à côté du Glock.

Dobcek s'évertuait à sourire – un atroce sourire de prédateur. Ses yeux luisaient au soleil, braqués sur Joe.

Je palpai les deux Russes l'un après l'autre, récupérai leurs portefeuilles et ordonnai à ces oiseaux rares de s'éloigner de l'auto. Ils obéirent. Je fouillai la Camaro et trouvai le contrat de location. Ils s'étaient posés à l'aéroport de Los Angeles le matin même. Retirant les clés du contact, je découvris deux sacs de voyage dans la malle arrière. Je les fouillai : des vêtements et des affaires de toilette, rien d'autre. J'embarquai les bagages dans ma Corvette. Dimitri Sautine s'essuya le nez.

— Mais… et nos vêtements ?

— Les criminels ont une vie de chien, c'est bien connu !

Rien dans les portefeuilles ne me fournit la moindre information nouvelle. Je les jetai à côté des armes.

— Markov sera impressionné quand vous lui raconterez votre mésaventure, ironisai-je.

— Si vous croyez qu'on va lui dire, rétorqua Sautine.

— Ferme-la, imbécile, grommela Dobcek, qui fixait toujours Pike.

— C'est comme je vous l'ai expliqué à Seattle, déclarai-je. Je ne connais pas Clark Hewitt, et je ne sais pas où il se trouve. Vous perdez votre temps, les gars.

— *Da*, fit Dobcek.

— Si vous avez un minimum de jugeote, vous allez repartir vite fait à Seattle. Emmerdez-moi encore une seule fois, et je vous tue.

Monsieur La Menace.

Le sourire de Dobcek réapparut.

— Il ne le fera peut-être pas, intervint Pike. Moi, si.

Le sourire s'effaça.

— Vous voyez cette petite guitoune au pied de la colline ? demandai-je.

Ils la voyaient.

— Allez-y.

Sautine s'ébranla en direction des caisses, mais pas Dobcek. Il fixait toujours Pike.

— Vous avez gagné cette manche, mais je pense qu'on se reverra…

La bouche de Pike se contracta, comme pour dire : « À ta guise, mon petit père, je te prends quand tu veux, mais, où qu'on se retrouve, c'est moi qui gagnerai. »

Dobcek eut un bref mouvement de la tête et rejoignit Sautine.

Nous les suivîmes un moment des yeux, après quoi Pike se tourna vers moi et conclut :

— Tu mens bien. Dommage qu'ils ne t'aient pas cru.

— Ouais, mais ça nous laissera au moins le temps d'avertir Clark. Je lui avais annoncé qu'ils allaient rappliquer. Les voilà. Il va falloir qu'il prenne des dispositions. Ça ne lui plaira sans doute pas, mais c'est comme ça.

Pike repartit vers sa jeep et revint quelques secondes plus tard, muni d'un couteau de chasse à lame inoxydable de vingt centimètres. Il fit le tour de la Camaro et creva les quatre pneus. Histoire de nous octroyer un petit rab de temps.

— Au fait…, commençai-je.

Il me regarda.

— Les deux biffetons étaient faux.

Pike hocha la tête.

— Ta copine Marsha Fields les a gardés.

Nouveau hochement de tête.

— Ce qui veut dire qu'on en est à cinq cents dollars de perte sèche.

Pike regagna sa jeep.

— Les criminels ont vraiment une vie de chien, lâcha-t-il.

Je remontai dans ma voiture. Il était temps d'aller prévenir Clark Hewitt.

16

Vingt minutes plus tard, je quittai Melrose et arrivai en vue de la Saturn. Je me garai juste derrière, marchai jusqu'à la porte de la maison Hewitt et sonnai trois fois. J'étais en train de me dire qu'ils faisaient peut-être semblant de ne pas y être quand Teri m'ouvrit – non sans avoir d'abord regardé qui était leur visiteur.

— Oh ! Bonjour.

— Ça me fait plaisir de vous revoir.

Masque impassible.

— J'ai besoin de parler à votre père.

— Il n'est pas là.

Je tournai la tête vers la Saturn.

— Il est sorti faire des courses sur Melrose.

Je fis un pas de plus vers le seuil.

— Ce n'est pas grave. Je vais l'attendre.

Elle ne bougea pas. N'ouvrit pas la porte.

— Il risque d'en avoir pour un moment.

— Aucun problème. Quand on gagne autant d'argent que moi, on ne compte pas son temps.

On entendit un craquement dans la maison, comme s'il y avait là-dedans un taureau en liberté.

Charles déboula en trombe. Ses traits se décomposèrent aussitôt qu'il m'aperçut.

— Putain, c'est lui !

Lui.

— Vous allez m'ouvrir, ou vous comptez me faire poireauter dehors ?

Charles donna une bourrade dans le dos de Teri et murmura, assez fort pour que j'entende :

— Va t'faire !

— Charles, dis-je, nom d'un chien !

Teri s'effaça pour me laisser entrer.

— Putain !

Charles se replia dans un fracas de tonnerre vers les profondeurs de la maison et claqua la porte de sa chambre.

J'entrai dans le salon, modifiai l'inclinaison des stores et m'assis sur le canapé de manière à pouvoir surveiller la rue. Les Russes n'étaient pas là, et je ne m'attendais pas qu'ils arrivent tout de suite – mais on ne sait jamais. S'ils nous retrouvaient, on pourrait peut-être s'arranger en leur fourguant Charles.

— Où est Winona ?

— Dans sa chambre.

Le téléviseur était muet, et Winona n'était pas venue me dire bonjour. Aucune odeur de biscuits chauds ne s'échappait de la cuisine. Je dévisageai Teri, et Teri me dévisagea. L'atmosphère du salon était étouffante, lourde d'expectative.

— Quel silence…

Teri me donnait l'impression d'avoir rapetissé. Elle semblait fatiguée. Ses orbites étaient deux grottes sombres.

— Quel genre de courses ? demandai-je.

— Des vêtements.

Je restai assis, l'oreille aux aguets. Le malaise de Teri était un phénomène physique apparemment capable d'amplifier les sons. Mes doigts pianotèrent un moment sur le bras du canapé, avec un bruit qui résonna comme un roulement de tambour. Quand je soupirai, ce fut comme si une violente rafale s'était soudain engouffrée dans un canyon du désert.

— Il est reparti ? C'est ça ?

Le regard de Teri demeura vrillé au sol.

— Depuis combien de temps ?

Elle ne me répondit pas, et j'imaginai Dobcek et Sautine en train de quadriller la ville, toujours plus proches, jusqu'au jour où ils finiraient par arriver. Eux, ou d'autres. Plus compétents.

— Il est parti quand, Teri ?

— Hier matin.

D'une voix si fluette que je l'entendis à peine.

— Il n'a pas pris la Saturn ?

— Il est allé à pied jusqu'au coin de Melrose. Quelqu'un devait passer le prendre.

— Il vous a dit qui ?

Elle secoua la tête.

— Est-ce qu'il a dit quand il rentrait ? Où il allait ?

J'avais envie de bouger la tête, d'entendre craquer les os de ma nuque, de sentir le soulagement qui accompagnerait ce mouvement.

Elle secoua de nouveau la tête. Bien sûr que non.

— Il n'a pas appelé ?

— Non.

Je respirai profondément. Les Russes avaient débarqué, et Clark s'était de nouveau volatilisé. Encore. Peut-être serait-il rentré pour le dîner, mais peut-être pas. Peut-être Dobcek et Sautine n'étaient-ils pas les seuls Russes à être descendus à Los Angeles, et peut-être leurs amis détenaient-ils déjà Clark en ce moment, mais ce n'était vraisemblablement pas le cas. Clark était peut-être allé voir les fédéraux, pour leur demander de réintégrer le programme, mais je n'aurais pas trop parié là-dessus. Quel que soit le cas de figure, il n'était pas question pour moi de laisser ces gosses tout seuls une deuxième fois.

— Vous avez de l'aspirine ?

Quand elle me l'eut apporté, je m'excusai, passai dans la cuisine, bus un verre d'eau du robinet et revins au salon. Teri n'avait pas bougé, et la maison paraissait encore plus silencieuse. Combien de fois cette situation s'était-elle présentée ? Sans doute plus souvent que je ne l'imaginais.

— Teri, repris-je, il faut qu'on parle, vous et moi.

— Il sera bientôt revenu, répondit-elle, d'un ton qui se voulait confiant. Il revient toujours.

— J'espère que vous avez raison.

Je m'assis tout près d'elle et parlai à mi-voix. Je tenais à ce qu'elle sache avant Charles et Winona.

— J'ai des choses pénibles à vous apprendre. J'ignore ce que vous savez ou ce que vous avez deviné, mais je ne vois aucune autre solution que de vous expliquer.

— Sur Seattle.

Ce n'était pas une question. Elle savait ce qui l'attendait. Elle en avait peur.

— Exact. Sur Seattle.

Teri se rappelait la nuit où toute la famille avait quitté la ville. Elle se rappelait les hommes qui les avaient emmenés dans une camionnette beige en plein orage, et aussi le coup de tonnerre qui n'en était pas un. Elle se rappelait les bâtiments fédéraux aux murs uniformément gris, les avions, et elle savait qu'ils avaient emménagé à Salt Lake City et changé de nom parce que des méchants voulaient du mal à son père. Pourquoi ? Mystère. Je le lui appris. J'aurais préféré ne pas avoir à le faire, mais il fallait que Teri soit au courant.

— Votre père a imprimé de la fausse monnaie pour le compte d'un certain Vassili Markov. Ensuite, ce Markov a voulu faire tuer votre père, qui est devenu témoin à charge pour pouvoir bénéficier d'un programme de protection. Vous savez ce que c'est ?

— Je ne suis pas idiote, répondit-elle, les lèvres pincées.

— Votre père a appris son métier à Seattle, grâce à un certain Wilson Brownell. Les hommes de Markov surveillent ce Brownell, et ils ont senti que quelque chose se préparait. Ils surveillent Brownell, et aussi la tombe de votre maman. C'est là qu'ils m'ont vu.

Les lèvres se détendirent.

— Vous êtes allé sur la tombe de maman ?

— Les hommes qui veulent du mal à votre père sont ici, à Los Angeles. Ils m'ont déjà localisé. Ils se doutent que je sais où vous vivez, et ils vont rester jusqu'à ce qu'ils aient mis la main sur votre père. Vous comprenez ?

— Oui.

Toujours impassible.

— Ces hommes sont dangereux, et je n'ai pas l'intention de vous laisser seuls. Ça n'est plus possible.

Son regard se déplaçait sans cesse de gauche à droite, sans vraiment me voir. Elle respirait tout doucement. De toute évidence, elle réfléchissait. Un craquement s'éleva dans le couloir. Charles, sans doute. En train d'écouter aux portes.

— Et mon père ?

— Je crois qu'il va recommencer à fabriquer de la fausse monnaie, mais je n'en ai pas la preuve. Par contre, je suis sûr qu'il est allé voir Brownell.

Je ne pus me résigner à lui parler de la drogue.

Ses yeux se réduisirent à deux fentes, ses lèvres bougèrent, mais je ne pus saisir ce qu'elle disait. Elle battit plusieurs fois des paupières, et je pensai qu'elle s'efforçait peut-être de refouler ses larmes.

— Je sais que c'est dur, soufflai-je d'un ton doux.

Teri resta prostrée, les coudes sur les genoux, les bras croisés, les lèvres serrées. Un nœud humain. Elle murmura quelque chose que je n'entendis pas.

— Je n'ai pas bien compris, Teri.

Elle répéta :

— Quel raté !

Que répondre ?

— Il gâche toujours tout. Il nous a gâché la vie à tous. (Ses battements de cils s'accélérèrent, son regard se voila.) Pourtant, je tente d'arrondir les angles. J'essaie de toutes mes forces, mais rien n'y fait.

Des larmes roulèrent sur ses joues, jusqu'aux commissures de ses lèvres. Je posai une main sur son épaule, et moi aussi je fus obligé de cligner des yeux.

— Teri…

Nouveau craquement dans le couloir. Une porte se ferma.

— S'il vous plaît, me dit-elle, ne les laissez pas lui faire du mal.

Et dire que, peut-être, les Russes le tenaient déjà. Si ça se trouvait, Clark était mort.

— La seule façon pour moi de vous aider, c'est de le retrouver avant eux, vous comprenez ?

Elle s'essuya les joues d'un revers de manche, prit une profonde inspiration. Elle n'avait pas totalement craqué et cherchait déjà à se ressaisir. Sans doute le fruit d'une longue pratique.

— Mais il n'est pas question que je vous laisse ici, ajoutai-je. Soit j'appelle les fédéraux pour qu'ils vous prennent en charge, soit je vous emmène. C'est l'un ou l'autre, mais vous ne pouvez pas rester.

Elle s'essuya de nouveau. Il n'y avait plus de larmes. À croire qu'il n'y en avait jamais eu.

— Vous voulez nous emmener où ?

— Chez moi, dans un premier temps, mais après il faudra vous trouver une meilleure cachette. Je suis très facile à localiser, et les Russes risquent d'aller frapper à ma porte.

— Et papa ?

— Je me mettrai à sa recherche dès que vous serez en lieu sûr.

— Il va revenir ici.

— Alors, je l'attendrai ici. Mais, d'abord, je dois assurer votre sécurité.

Minuscule, tassée, elle resta un moment assise au bord du canapé, rajusta ses lunettes et se leva.

— D'accord. Je vais prévenir Charles et Winona.

Le retour de la maman de quinze ans. Du soutien de famille.

Nous longeâmes le couloir menant aux chambres. Toutes les portes étaient closes. Je frappai à chacune d'elles.

— Charles. Winona. Venez par ici.

La porte de la fillette s'ouvrit sans bruit, et elle se coula dans le couloir. La voix de Charles monta, amortie, derrière l'autre.

— Va t'faire !

Aucun doute, il avait écouté notre conversation.

— Charles, lança Teri, on s'en va pour quelques jours. Il faut que tu fasses tes bagages.

— Va t'faire !

Je souris à Winona.

— Salut, mignonne.

Monsieur Ami-Ami. Monsieur N'Aie-Pas-Peur-Du-Monsieur-Qui-Va-T'Emmener.

— Salut.

Elle me rendit mon sourire, mais le sien était plein d'incertitude. C'était la première fois que je voyais Winona autrement que radieuse. Cela dit, si mon père avait passé son temps à disparaître sans crier gare, j'aurais moi aussi éprouvé de l'incertitude. Le petit gnome de son porte-clés oscillait à sa ceinture. Elle n'avait pas son papa mais, au moins, elle avait son gnome. Dans une certaine mesure, son papa et le gnome ne faisaient peut-être qu'un.

— Teri, suggérai-je, si tu aidais Winona à faire ses bagages ? Je vais parler à Charles.

— J'pars pas ! couina le garçon derrière la porte.

— Viens, Winona, fit Teri à sa petite sœur. Tu vas m'aider à faire mes bagages, et je t'aiderai à faire les tiens.

Elles se replièrent dans leur chambre pendant que je frappais à la porte de Charles.

— Allez, petit gars.

— Va t'faire ! toussa Charles.

Je frappai encore, puis ouvris la porte ; il se précipita immédiatement dessus et se mit à pousser de toutes ses forces en criant :

— Va t'faire ! Dégage ! Va t'faire !

Rouge comme une tomate, il pleurait à chaudes larmes, et j'eus tout à coup l'impression d'être une merde.

Je forçai le passage, Charles toujours arc-bouté de l'autre côté de la porte, criant et poussant, sanglotant, la gorge noyée de mucus, la poitrine soulevée.

— Barre-toi ! Con-nard !

Jusqu'à ce que la porte soit ouverte.

Il se jeta alors sur moi, me rentra dedans la tête la première, en cognant, crachant et hurlant : « Casse-toi ! » Je l'attirai contre ma poitrine et l'immobilisai, et au bout d'un certain temps ses hurlements cédèrent la place à des sanglots hachés. La chambre était nue, tout juste meublée d'un lit à cadre de bois tout simple et d'un coffre, sans aucun des posters ou des jouets qu'on se serait attendu à trouver chez un garçon de douze ans. Charles ne devait pas penser rester assez longtemps ici pour se soucier de ces détails-là.

— Ça va aller, petit.

— J'espère qu'il reviendra jamais !

Je le tenais toujours contre moi.

— Qu'il crève !

Je le serrai un peu plus fort.

— Charles ? fit Teri, debout sur le seuil.

— Ça va aller, Teri, la rassurai-je.

Charles et moi restâmes plantés là un très long moment. Quand ses sanglots eurent diminué, je voulus le lâcher, mais Charles s'accrocha à moi, les bras noués autour de ma cage thoracique, le visage enfoui au creux de mon torse. Je sentais ses larmes détremper ma chemise.

— Ça va aller, petit gars.

Je le répétai cinq ou six fois. Peut-être plus.

Je laissai Charles se pendre à moi quelques minutes encore et le priai de faire ses bagages pour deux ou trois jours. Je lui expliquai que nous passerions d'abord chez moi et que, dès qu'ils seraient en sécurité, je retrouverais son père. Charles tourna les talons sans me regarder, s'essuya le nez d'un revers de main et prépara ses affaires.

— Qu'il aille se faire f…

Il n'était pas dit que je ne me chargerais pas moi-même de tuer Clark si les Russes manquaient leur coup.

17

Pendant que les enfants préparaient leurs affaires, je téléphonai à Joe.

— Clark s'est envolé, annonçai-je. Et de deux.

Pike se tut quelques secondes, puis :

— Et tu vas emmener les gosses ?

— Exact. D'abord chez moi – mais je ne peux pas les y laisser longtemps : Sautine et Dobcek risquent de se pointer n'importe quand.

— Ouais…

— Tu pourrais me trouver une planque ?

Pike connaissait du monde, et il m'avait déjà plus d'une fois tiré d'affaire, dénichant une villa inoccupée à Bel Air, une roulotte dans le désert aux abords de la base aérienne d'Edwards. Il restait très mystérieux là-dessus. Peut-être était-il propriétaire de tous ces lieux et ne s'était-il pas donné la peine de m'en avertir.

— Laisse-moi juste le temps de passer quelques coups de fil, répondit-il. Je te retrouve chez toi plus tard.

Quand je raccrochai, Teri, Winona et Charles étaient prêts à lever le camp. Soit ils n'avaient pas grand-chose à emporter, soit ils avaient une longue pratique des départs en catastrophe.

Nous verrouillâmes la maison. Je rangeai leurs bagages à l'arrière de la Corvette et démarrai vers les hauteurs de Laurel Canyon, les trois enfants entassés sur mon siège passager. Teri avait proposé de me suivre au volant de la Saturn, mais j'avais refusé. Moins par crainte d'un accident que par crainte qu'elle ne décide en chemin de prendre la poudre d'escampette.

— Vous m'écrasez, gémit Charles.

— Tu vas pas en mourir, répondit Teri.

Je roulais lentement – personne n'avait mis sa ceinture. Elvis Cole en parent irresponsable, jetant de-ci, de-là des coups d'œil dans son rétroviseur pour repérer une éventuelle meute de tueurs russes.

Teri et Charles restèrent murés dans leur silence, mais au bout d'un certain temps Winona déclara d'un air ravi qu'elle adorait rouler en cabriolet. La capote était baissée, le vent nous soufflait dans les cheveux, elle avait l'impression d'être à la fête foraine. Charles s'abstint de lui jeter un regard noir et de râler ; Teri semblait perdue dans ses pensées. Apparemment, chacun avait sa méthode pour faire face à la situation.

Bientôt, nous quittâmes la ville pour monter en serpentant à travers les arbres et, peu après, je me garai sous l'auvent.

— C'est chez vous ? demanda Winona.

— Oui.

— On dirait un tipi.

— On appelle ça une maison en A. Parce qu'elle a la même forme que la lettre, qu'elle est tout en hauteur, et que son toit est très pentu.

Charles s'extirpa du véhicule, scruta la ligne d'arbres et le flanc sauvage des collines.

— Y a des ours ?

— Non, pas d'ours. Juste quelques coyotes et des crotales.

Il observa le sol, fit une grimace.

— C'est quoi, c't'odeur ?

— C'est Charles qui pue le fromage, pouffa Winona.

— Ne sois pas mal élevée, intervint Teri.

— Les eucalyptus, répondis-je en montrant les arbres. Le soleil fendille leur écorce, et leur sève sent un peu le dentifrice.

Ils me suivirent à travers la cuisine, puis dans le séjour. Je leur conseillai de déposer leurs sacs en bas de l'escalier, ouvris les rideaux et la baie vitrée pour laisser entrer la brise, écoutai mon répondeur. Lucy avait laissé un message demandant que je la rappelle.

— C'était la voix de Mlle Chenier ? s'enquit Teri.

— Ouaip.

— Vous ne la rappelez pas ?

— Dès qu'on sera installés. Vous pouvez sortir sur la terrasse si ça vous chante, mais que personne ne s'amuse à enjamber la balustrade. Vous pouvez aussi descendre dans le jardin, mais attention aux serpents.

Bienvenue à la colo Cole ! Charles et Winona s'approchèrent de la baie pour contempler le jardin et la terrasse, mais personne ne se risqua dehors. Les serpents.

— Il y a des boissons gazeuses, du lait et de l'eau au frigo. Vous n'avez qu'à vous servir. Quand vous serez installés, je vous ferai à dîner.

— Ce ne sera pas la peine, fit Teri, toujours dans le séjour, les bras croisés.

— Bien sûr que si. Mais vous pouvez m'aider si vous voulez. Une cuisse de dinde, ça vous va ?

Les trois enfants se consultèrent du regard en haussant les épaules, et Teri finit par répondre :

— Ce sera bien. Merci.

Charles lorgna le sommet de l'escalier.

— C'est quoi, là-haut ?

— Ma chambre. Venez. Je vous fais visiter.

Je leur montrai la salle de bains du rez-de-chaussée, puis je les fis monter. Charles et Winona arpentèrent l'étage supérieur, tandis que Teri se pencha sur la rampe et embrassa le rez-de-chaussée du regard. De l'endroit où elle se tenait, on voyait le salon, le coin-salle à manger et le canyon au-delà de la vitre. Elle considéra le grand triangle de verre qui faisait office de mur du fond, puis le plafond en pointe. Elle détailla mon lit, le placard et de nouveau le salon.

— Vous vivez seul ici ?

— Oui. Avec mon chat.

Sa main traîna sur la rampe. Elle balaya encore une fois les lieux du regard.

— C'est chouette.

— Merci.

Je trouvais ma maison plutôt quelconque, mais je m'aperçus soudain qu'elle symbolisait sans doute pour les Hewitt un monde inconnu. Eux avaient grandi dans une succession de logements meublés à caractère transitoire, chez des étrangers et parmi des objets étrangers, en attendant que leur père décrète qu'il était temps de repartir – des univers aussi éphémères qu'un journal quotidien.

Après un tour à la salle de bains de l'étage, nous redescendîmes tous ensemble. Au rez-de-chaussée, Joe Pike était en train de nous attendre sans bruit dans l'entrée. Immobile.

Charles poussa un cri.

— P'tain, m'a foutu les boules !

— Oui, fit Pike.

Charles s'échappa sur la terrasse et se mit à scruter le panorama. À croire que Joe lui faisait plus peur que les serpents.

— Je m'occupe du dîner dans cinq minutes, annonçai-je, mais d'abord il faut qu'on parle. Charles, reviens par ici.

Charles rentra en traînant les pieds. Je sentis le regard des trois enfants converger sur moi. Celui de Charles se portait parfois brièvement sur Pike.

— Je compte me mettre dès demain à la recherche de votre père, et j'ai besoin d'indices. Est-ce qu'il a dit quoi que ce soit à l'un d'entre vous avant de s'en aller ?

Les trois Hewitt se regardèrent et hochèrent la tête.

— Pas grand-chose qui puisse vous aider, me répondit Teri.

— Rien qui puisse indiquer où il est parti ?

— Il a dit qu'on allait bientôt déménager, déclara Winona. Il a dit qu'on aurait une télé vraiment très grande !

Génial.

— Il a passé des coups de téléphone, renchérit Teri.

— Quelqu'un a entendu ce qu'il disait ?

Tous secouèrent de nouveau la tête, mais les dénégations de Charles ne me parurent pas particulièrement convaincantes.

— Charles ?

— J'ai rien fait !

— Non. Mais tu as peut-être entendu quelque chose.

Charles grimaça, haussa les épaules.

— Il a parlé d'aller voir quelqu'un.

— Tu as entendu un nom ?

— Ray.

— Il a prononcé le nom « Ray » ?

Haussement d'épaules énervé.

— Ce ne serait pas « Tre » ? intervint Pike.

Charles se gratta la joue mais, cette fois, s'abstint de hausser les épaules.

— Ouais, c'est p't-êt' ça.

Pike, silencieux, sortit sur la terrasse.

Je leur montrai mon stock de cassettes vidéo et leur proposai d'en choisir une. Winona opta pour *Independence Day*. Je les laissai devant le film, mis une cuisse de dinde à décongeler au micro-ondes, et je m'apprêtais à rejoindre Pike sur la terrasse quand Lucy téléphona.

— J'allais justement t'appeler, dis-je. Le contrat est signé ?

Il y eut un interminable silence au bout de la ligne.

— Je serais étonnée qu'il y ait encore un contrat à signer.

Je restai figé au milieu de la cuisine, le combiné contre l'oreille. Winona et Charles regardaient bouche bée d'immenses vaisseaux ellipsoïdaux pénétrer dans l'atmosphère, mais Teri m'observait à la dérobée.

— Comment ça, tu n'es pas sûre ?

Sur la terrasse, Pike tourna la tête dans ma direction, se demandant sans doute ce qui se passait.

— J'avais tellement envie de t'en parler, Elvis.

Sa voix me parut vide, presque caverneuse.

Ma main se crispa sur l'appareil.

— Lucy ?

— Quand David les a rappelés, ils lui ont expliqué qu'ils étaient en train de revoir les termes du contrat. Ils ont durci leur position sur chaque point de la négociation et ils envisagent de reconsidérer le montant de mon salaire. (Il y avait de la souffrance dans sa voix.) C'est à n'y rien comprendre.

— Peut-être une simple tactique de négociation.

— David n'y croit pas trop. Il a préparé ce genre de contrat des centaines de fois, et selon lui tout se déroule comme s'ils ne tenaient plus à m'embaucher.

Je m'accoudai au bar, soucieux.

— Tu devrais peut-être contacter directement Tracy Mannos.

— Je l'ai fait. Elle ne m'a pas rappelée.

Je revis Richard à l'agence, m'assurant qu'il ne laisserait pas Lucy s'en aller. Je réfléchis une fraction de seconde et me décidai à lui en parler.

— Richard est venu me trouver, Lucy.

Silence au bout du fil.

— Il a chargé un certain Epps de nous filer pendant ton séjour ici.

Je lui racontai qu'Epps s'était introduit clandestinement chez moi et que Richard et lui étaient venus à mon agence. *Vous ne croyez tout de même pas que je vais la laisser partir sans rien faire, si ?*

Elle s'éclaircit la gorge.

— Mon ex-mari ? Richard ? Le père de Ben ? (Elle s'éclaircit de nouveau la gorge.) Il est venu te trouver ?

— Hier.

— Et tu ne m'as pas prévenue. (Ce n'était pas une question. Un constat, plutôt, ou l'expression d'un désir de comprendre ce qui se passait dans sa vie.) Et tu n'as pas estimé que ça méritait un coup de fil.

Je soupirai.

— Apparemment, je me suis planté, hein ?

Nouveau silence. Pike et Teri m'observaient. Puis Pike se détourna.

On ne gagne pas à tous les coups.

— J'ai pensé à t'appeler, mais je trouvais ça… petit. Je me suis dit que c'était entre Richard et moi. Je ne voulais pas te mêler à ça.

— Un truc de mecs, quoi.

Comment écrit-on « couillon », déjà ?

— Richard est à cran parce que Ben et toi allez déménager. D'accord, il a franchi la ligne blanche avec ce type, Epps, mais de là à penser qu'il pourrait avoir joué un rôle dans le changement d'attitude de KROK…

— On ne sait jamais, Elvis. C'est tout à fait le genre de chose qu'il pourrait essayer de faire.

J'entendais distinctement sa respiration. Je ne l'avais jamais interrogée sur son mariage ni sur les raisons de son divorce, et je n'avais aucune envie de m'engager sur ce terrain.

— Je crois que je vais devoir revenir, soupira-t-elle.

— Parles-en d'abord à Tracy. Ne déboule pas avant de savoir contre quoi tu te bats… si tu te trompes de cible, ce ne sera pas bon pour ton poste.

Elle se tut pendant de longues secondes.

— Elvis, je te demande pardon.

— Tu n'as pas à me demander pardon.

— Pour Richard.

Elle raccrocha sans ajouter un mot. Debout dans ma cuisine, tenant toujours l'appareil contre mon oreille et écoutant la tonalité, je me décidai enfin à raccrocher et rejoignis Pike sur la terrasse. La fin de la journée approchait, et le ciel, à l'est, se voilait d'une brume couleur d'os. Quelque part, quelque chose brûlait.

— Qu'est-ce qu'il y a ? demanda Pike.

Je le lui expliquai.

Il m'écouta sans commentaire, puis :

— On devrait peut-être le refroidir.

Toujours la suggestion appropriée.

— Pas sûr, mais peut-être. Qu'est-ce qu'un type venu de Louisiane pourrait avoir à faire avec une chaîne de télévision d'ici ?

Pike croisa les bras, s'adossa à la balustrade. Sa tête s'inclina imperceptiblement, presque comme si elle ne faisait pas partie de son corps. Je vis l'écran de télévision se refléter dans ses lunettes.

— D'abord les Russes, et maintenant, ça. Te voilà avec beaucoup de problèmes à gérer en même temps.

— J'ai un gros cerveau.

Il opina.

— Tâche de rester concentré, conseilla-t-il. Si tu as la mauvaise pensée au mauvais moment, tu risques de t'en prendre plein la gueule.

— Merci.

— Ou moi. Ou ces gosses.

Ce type est d'une implacable lucidité.

— Au fait, dis-je, tu m'as dégoté une planque ?

— À Studio City. Un duplex, trois chambres, meublé, avec téléphone. Disponible pour le temps que tu voudras.

Il me donna l'adresse.

— Parfait, fis-je. Je me disais que je ferais peut-être mieux de passer la nuit chez Clark. Si les Russes ne l'ont pas coincé, il se peut qu'il rentre au nid. Ou qu'il y soit déjà.

— Bien sûr.

La bouche de Pike se contracta.

— Les miracles existent, me défendis-je.

Sur ce, Pike m'annonça qu'il allait acheter des provisions pour le duplex et qu'il repasserait plus tard. Je me repliai dans la cuisine pour préparer le dîner. J'avais une demi-laitue, un reste de haricots verts et deux tomates qui feraient l'affaire pour une salade, ainsi qu'une demi-douzaine de pommes de terre nouvelles que je pouvais mettre à rôtir avec la dinde. J'étais en train de recenser mes ingrédients quand Teri s'avança dans la cuisine.

— Je peux vous aider ?

— Bien sûr.

J'expliquai le programme, lui montrai la planche à découper et les couteaux et lui confiai un oignon doux et deux carottes à couper en dés.

— C'est pour quoi, les carottes ?

— Pour accompagner la dinde.

Elle me dévisagea.

— On mettra aussi des raisins secs, un peu de sauce soja et peut-être quelques pois chiches. Vous allez voir ce régal !

— Winona n'aime pas les pois chiches.

— D'accord. Exit les pois chiches.

Elle commença par l'oignon, et je m'attaquai aux pommes de terre. Teri, maniant le couteau avec soin et dextérité, coupa l'oignon en lamelles uniformes pendant que Charles et Winona assistaient, fascinés, à la destruction de la planète. À deux reprises, je jetai un petit coup d'œil sur l'adolescente, et à deux reprises je la surpris en train de m'épier. Chaque fois, je lui souris, et chaque fois, elle détourna la tête. Juste après la seconde fois, elle me demanda :

— Comment ça se fait que Lucy soit votre fiancée si elle vit en Louisiane ?

— On ne l'a pas fait exprès. Disons que c'est arrivé comme ça.

Sans doute avait-elle écouté notre conversation.

— Vous sortez avec d'autres filles ?

— Non. Je l'ai fait pendant un temps, mais je pensais tout le temps à Lucy, et j'ai arrêté.

— Et elle ? Elle sort avec d'autres hommes ?

— Non.

— Comment le savez-vous ?

Je fronçai les sourcils en la regardant.

— On lui a offert un poste ici, à Los Angeles, et elle va peut-être déménager – enfin, si elle arrive à trouver un accord sur les termes du contrat.

Si l'offre de KROK tenait toujours.

— Et si elle n'y arrive pas ? insista Teri, en prenant une carotte.

Je m'aperçus que je tranchais mes patates avec une vigueur excessive.

— On fera avec.

Cette gamine était encore pire que Joe Pike.

Quand Teri en eut fini avec les carottes, je sortis un plat à rôtir. Nous y plaçâmes la cuisse de dinde et l'entourâmes de pommes de terre. Teri disposa les carottes, et nous y ajoutâmes les raisins, la sauce soja et deux œufs battus, ainsi qu'un bocal de pommes de terre nouvelles déjà épluchées. Je saupoudrai le tout de paprika, mis le plat au four à deux cents degrés et réglai la minuterie sur une heure.

— Je m'excuse pour ce qui s'est passé chez nous, me dit Teri.

— Comment ça ?

Elle parut embarrassée.

— Quand j'ai pleuré.

Je revis ses yeux noyés. Je revis ses larmes. Puis je revis la façon dont elle avait ravalé tout ça et claqué la porte au nez de ses émotions comme un agent du SWAT chevronné.

— Vous n'avez pas à vous excuser.

— Je n'ai pas le droit de perdre le contrôle de moi-même.

— Vous avez quinze ans. Vous avez le droit de pleurer.

Elle se perdit dans la contemplation du carrelage.

— Ils n'ont que moi. Si je craque, qui s'occupera de Winona et de Charles ?

— Et vous ? Qui avez-vous ?

Elle pinça les lèvres.

— Personne, répondit-elle dans un souffle.

Je secouai la tête.

— Ce n'est pas vrai. Vous m'avez, moi.

Elle me regarda en fronçant les sourcils, la tête penchée.

— Oh… bien sûr.

Elle sortit de la cuisine à grands pas et monta l'escalier.

— Ben quoi ? lâchai-je, resté seul.

Je m'attardai dans la cuisine, ouvris une Falstaff, et fixai le four. Mon séjour était envahi d'explosions extraterrestres, et Winona riait aux éclats. La cuisine paraissait plus sûre.

Charles arriva peu après dans le coin-salle à manger, en se tortillant comme si quelque chose le turlupinait horriblement.

— Qu'est-ce qu'il y a ? demandai-je.

— Rien.

Je bus une gorgée de bière, consultai ma montre en me demandant quand Pike allait revenir. Le baby-sitting était vraiment un boulot pénible.

Charles apparut dans l'encadrement de la porte.

— Je le pensais pas pour de vrai, marmonna-t-il.

— Quoi donc ?

Les mains tout au fond des poches, le visage en feu.

— Je veux pas qu'il crève. Papa.

Je soupirai.

— Je sais, Charles. Pas de problème.

Charles se replia dans le séjour. Je restai dans la cuisine.

Joe Pike revint quarante minutes plus tard et, juste après, la minuterie sonna. Seuls Joe et Winona dînèrent. Les autres n'avaient pas faim.

Dès que la table eut été débarrassée, je repris ma voiture pour aller attendre Clark Hewitt chez lui.

18

La Saturn n'avait pas bougé. Tout était éteint chez les Hewitt, l'une des deux seules maisons de la rue plongées dans l'ombre.

Je passai au ralenti, me garai à bonne distance, revins à pied. L'air était doux. Le murmure de la circulation sur Melrose se mêlait aux rires des enfants en train de jouer et aux voix des adultes qui se promenaient.

J'attendis que deux jeunes femmes menant un chien en laisse m'aient dépassé, remontai à toutes jambes l'allée et ouvris la porte d'entrée grâce à la clé de Teri. Je pris soin de n'allumer aucune lumière. Je n'avais pas la moindre envie de mettre la puce à l'oreille soit de Clark, soit d'une pleine voiture de gangsters russes. Je retirai mon blouson et mon holster, posai le Dan Wesson à portée de main et m'étendis sur le canapé. Au bout d'un moment, je m'endormis, mais je fus plusieurs fois réveillé en sursaut par les bruits de cette maison inconnue ; chaque fois, je me levai pour vérifier qu'il ne s'agissait ni de Clark ni des Russes. Petit à petit, les ténèbres se dissipèrent pour céder la place à l'aube. Clark Hewitt n'était pas revenu au bercail.

À six heures quatorze du matin, je jugeai qu'il faisait assez clair pour entreprendre une petite fouille. Je me livrai à une perquisition plus minutieuse que celle que j'avais entreprise avec Teri – défaisant le lit de Clark, tâtant les coutures du matelas et la doublure du sommier, retirant chacun des tiroirs de la commode et de la penderie pour m'assurer qu'aucun objet n'était fixé à l'arrière ou sous le fond. Je n'avais aucune idée précise de ce que je cherchais, je ne m'attendais d'ailleurs pas particulièrement à trouver quelque chose, mais on ne sait jamais. Dès neuf heures – heure d'ouverture des bureaux de la compagnie du téléphone –, j'avais l'intention de vérifier les coups de fil passés par Clark pendant son bref retour à la maison. En attendant, j'avais le choix entre fouiner et fainéanter sur le canapé en regardant Regis et Kathie Lee [1]. Au moins, fouiner me donnerait l'impression de faire mon boulot de détective.

Donc, j'inspectai la penderie de Clark, fis les poches de ses vestes et pantalons et examinai l'intérieur de chacune de ses chaussures. Il n'avait pas beaucoup d'effets personnels, et ce fut vite fait. Je visitai la salle de bains, puis de nouveau la cuisine, et enfin le salon et les chambres des enfants. À six heures trente, ma perquisition était finie, et je n'avais strictement rien trouvé.

De retour dans la cuisine, je repérai une boîte de café soluble, m'en fis une tasse avec un peu d'eau chaude prise au robinet. Ma seule découverte.

1. Présentateurs d'une émission télévisée matinale de type *Télématin.*

J'étais en train de siroter cette lavasse tout en me disant que je ferais bien de téléphoner moi-même à Tracy Mannos quand mon regard s'arrêta par hasard sur une trappe ouvrant dans le plafond du couloir. Je ne l'avais pas remarquée jusque-là, en partie parce que le cordon qui aurait dû pendre de l'anneau manquait, et aussi parce que la plupart des maisons du sud de la Californie, à cause de la chaleur, sont dépourvues de grenier. Au mieux, elles disposent de combles à peine assez hauts pour qu'un adulte puisse y ramper. Je m'approchai et levai les yeux sur la trappe. Elle avait été repeinte des centaines de fois mais semblait fonctionner, et les traces de doigts visibles autour des bords indiquaient qu'on s'en était servi récemment. En fin de compte, j'allais peut-être pouvoir dénicher autre chose que du café instantané.

Je montai sur une chaise de la salle à manger pour abaisser le battant, approchai l'escabeau, et gravis quelques degrés de manière à pouvoir passer la tête dans l'ouverture. Il n'était que huit heures douze, mais il faisait déjà quarante degrés là-dedans.

Je redescendis, dénichai une lampe électrique dans la cuisine, ôtai ma chemise, remontai sur l'escabeau. À environ trois mètres de l'ouverture, tassée contre une poutre, je repérai une forme sombre. Je me hissai dans le réduit à la force des bras et me mis à ramper entre deux poutres d'avant-guerre, jusqu'à un de ces sacs de toile qu'on trouve dans les surplus militaires. Aussi propre et exempt de poussière que si on venait de le déposer là. En l'entrouvrant, je constatai qu'il contenait des liasses de billets de cent dollars attachés.

— Haha, fis-je.

À force de traîner tout seul dans une maison vide, on finit par raconter à peu près n'importe quoi.

Je balançai le sac de toile à travers la trappe, redescendis, l'ouvris par terre dans le salon et comptai un peu plus de vingt-trois mille dollars en vieux billets de cent – les frères jumeaux des deux Franklin que m'avait confisqués Marsha Fields. Des billets Markov. Un pactole sur lequel les Hewitt vivotaient depuis trois ans – des coupures suffisamment crédibles pour être écoulées tant qu'on ne les agitait pas sous le nez d'un banquier ou d'un agent du Trésor.

— Haha, fis-je de nouveau.

À côté des liasses figuraient une demi-douzaine de catalogues d'imprimeurs, tous adressés à Wilson Brownell, de Seattle, État de Washington. Plus de doute, Clark avait repris du service, vraisemblablement avec l'aide de Brownell. Peut-être étaient-ils associés.

Il était neuf heures deux quand je remis l'argent dans le sac, et le sac dans sa cachette. Je gardai pour moi les catalogues. J'avais une idée assez nette de l'identité d'une des personnes à qui Clark avait pu téléphoner et, après avoir rangé le sac de toile, si j'appelai mon amie de la compagnie téléphonique pour lui demander de vérifier les appels passés de la ligne Hewitt pour les trois derniers jours, ce fut surtout par acquit de conscience. La réponse ne tarda pas. Mon amie m'apprit qu'il y en avait eu trois, répartis sur deux numéros, dont un de vingt-six minutes vers Seattle. Les deux autres appels concernaient l'agglomération de Los Angeles et avaient pour destinataire un certain Tre Michaels. Charles avait l'ouïe fine.

Il me suffisait d'attendre dans cette maison, et j'étais à peu près sûr de remettre la main sur Clark. Son argent, ses enfants étaient ici – du moins le croyait-il –, mais, au vu de ses antécédents, je risquais de devoir l'attendre plusieurs jours. Puisque Clark avait téléphoné à Tre Michaels, sans doute chercherait-il à le voir, ce qui voulait dire, soit qu'il était déjà passé à Culver City, soit qu'il s'apprêtait à y passer. Un toxico peut ne plus jamais rentrer chez lui, mais il retournera toujours chez son dealer. Tre Michaels savait peut-être quelque chose. Et s'ils étaient en train de se shooter tous les deux à l'héroïne, en ce moment ?

Je me débarbouillai, fermai la maison à double tour et partis vers le sud, cap sur Culver City et le magasin Bestco. Je m'enquis de Tre auprès d'un vendeur pakistanais prénommé Rachid, mais qui m'expliqua que c'était le jour de repos de Tre. Génial. Je pris Overland pour me rendre à son domicile. Je sentais bien que mes chances étaient minces, mais à l'instant où j'atteignais le coin de sa rue Tre Michaels me croisa au volant d'une Acura bleu nuit. Un coup de bol est toujours bon à prendre, quelle que soit la situation.

Je fis rapidement demi-tour en espérant que ma veine se confirme et que Tre me conduise tout droit à Clark. Ce ne fut pas le cas. L'Acura franchit le portail du parc de Culver City et s'immobilisa à côté d'une camionnette Dodge rouillée, non loin de laquelle deux jeunes aux cheveux longs et oxygénés effectuaient des sauts en planche à roulettes. Torse nu, musculeux, bronzés. Ils s'interrompirent et firent coulisser la portière latérale de leur camionnette en voyant Tre descendre de l'Acura. Michaels ouvrit le coffre, et tout ce joli monde se mit à transvaser des platines laser Sony flambant neuves de la voiture à la camionnette. Dans leur emballage d'origine, et certainement piquées chez Bestco. Tre referma son coffre, et les trois lascars grimpèrent ensemble dans la camionnette. Elle ne démarra pas, ne bougea pas. Toutes les vitres étaient masquées par des rideaux. La shootomobile dans toute sa splendeur.

Je me garai à l'autre bout du parking, m'approchai de la camionnette sur la pointe des pieds et tendis l'oreille. Rien. Un peu plus loin, dans le parc, deux femmes trottinaient derrière leurs gosses en tricycle, deux types avaient tombé la chemise pour se dorer au soleil, une demi-douzaine de Latinos jouaient au foot, et ici, sur ce parking, Tre Michaels s'envoyait de la blanche dans les veines. Scène de la vie ordinaire dans une grande ville.

Je sortis mon Dan Wesson, attendis que femmes et tricycles se soient éloignés et ouvris brusquement la portière coulissante de la camionnette en braillant :

— Police !

Tre Michaels et les deux jeunes, assis en tailleur sur le plancher de métal nu, entre les platines laser, étaient en train de se partager de l'argent et des petits paquets de poudre blanche ; ils restèrent tous trois pétrifiés, fascinés par le Dan Wesson, les yeux exorbités et brillants. Leur pactole se réduisait à une petite liasse de billets de cent usagés, dont je me demandai aussitôt s'ils venaient de Clark.

— Merde…, lâcha un des jeunes.

— Vous…, fit Michaels.

Je baissai le canon de mon flingue.

— Bien joué, agent Michaels. Sans vous, on n'y serait jamais arrivé.

Les deux jeunes se tournèrent simultanément vers Tre.

Tre Michaels ouvrit la bouche, la referma, regarda les jeunes l'un après l'autre.

— Je suis pas flic.

— Enfoiré, dit le plus grand, plissant les yeux.

— Hé, les mecs ! C'est de la connerie pure !

Je tirai Michaels hors de la camionnette.

— J'ai l'impression qu'on va pouvoir négocier quelque chose avec eux, hein ?

Je le secouai un peu, refermai violemment la portière et l'entraînai à l'écart de la camionnette. Le moteur gronda, les pneus se mirent à fumer.

— Putain, z'êtes cinglé ou quoi ? s'écria Michaels. Vous vous rendez compte de ce que vous venez de faire ?

— Ce ne sont que des gosses. Vous n'avez pas peur de deux gosses, Tre ?

Ses yeux étaient écarquillés et fiévreux, son visage couvert d'un voile de sueur.

— Z'êtes complètement ouf…

Je l'escortai jusqu'à ma voiture.

— Dites-moi une chose, vous croyez que Bestco porterait plainte si on s'apercevait que vous piquez du matériel pour vous fournir en came ?

Michaels se mordit la lèvre mais ne répondit rien, fixant la camionnette qui s'éloignait – un peu comme s'il s'agissait du dernier métro pour le paradis et qu'il venait de le louper d'un cheveu. À bonne distance, le chauffeur nous adressa un doigt d'honneur en hurlant une insulte que je ne compris pas. Charles dans cinq ans.

— Clark Haines, dis-je.

Michaels fixait toujours la camionnette. Je lui secouai le bras.

— Réveillez-vous, Tre.

Il me jeta un regard vague.

— Y avait toute ma poudre, là-dedans. Ils ont mon fric. Ils ont mes platines. Qu'est-ce que je vais faire, maintenant ?

Je le secouai de nouveau. Plus fort.

— C'est Bestco ou moi, Tre.

Michaels s'humecta les lèvres, le regard toujours attiré par la camionnette.

— Putain, j'vous ai déjà répondu, non ? J'sais pas où est Clark, j'vous dis.

Encore une secousse.

— Il vous a appelé, Tre. Deux fois.

Il se décida finalement à ne pas détourner la tête. Ses yeux étaient brouillés – comme tous les toxicos.

— Ouais, bon... Il est repassé hier soir. Il m'a acheté deux doses.

Encore une secousse.

— Un petit effort, Tre. Il a quelque chose sur le feu ; deux misérables doses de poudre ne lui suffiraient pas.

— Il en a pris huit grammes, d'accord ? Tout ce que j'avais.

Son visage se tordit – comme s'il regrettait quelque chose.

— Je lui ai fait un prix d'enfer.

Huit grammes, ça faisait beaucoup d'héroïne. Assez pour partir en voyage. Peut-être Clark s'apprêtait-il à retourner à Seattle.

— Il a dit pourquoi il avait besoin de tout ça ?

— Il a dit qu'il partait pour quelques jours.

— Il a dit où ?

J'avais ma petite idée en tête. Seattle. Wilson Brownell, le retour.

— Long Beach.

Je le dévisageai.

— Il vous a dit qu'il allait à Long Beach ?

Nouvelle contorsion du visage.

— Ben, il m'a pas dit qu'il allait à Long Beach, mais il m'a demandé si j'avais un contact là-bas, alors, qu'est-ce que vous en déduisez ?

Long Beach.

— Vous lui avez donné un nom ?

— Putain, grommela Michaels en plissant le front, j'connais personne, à Long Beach. (Il se mit à trembler.) Vous m'avez grillé. (Il agita les mains.) Qu'est-ce que je fais, maintenant ? Vous allez me le dire ? Je fais quoi, là ?

Quand je remontai dans ma voiture, il pleurait.

Je regagnai l'agence. L'envie me démangeait toujours d'appeler Tracy Mannos, mais d'abord il fallait que je téléphone à Brownell pour l'interroger sur Long Beach. Je pouvais aussi téléphoner à Teri. Peut-être ce nom déclencherait-il un souvenir.

À onze heures quatorze, je laissai ma voiture au sous-sol et montai à pied les quatre étages qui me séparaient de mon bureau. Je le trouvai infesté de flics.

Reed Jasper était tranquillement assis dans mon fauteuil, pendant que trois autres mecs, que je ne connaissais ni d'Ève ni d'Adam, farfouillaient dans mes dossiers. Le sol était jonché de papiers, tout semblait sens dessus dessous. À mon arrivée Jasper sourit.

— Tiens, tiens, voilà celui qu'on attendait.

Mon regard alla de Jasper aux autres, puis revint sur Jasper. Trois gaillards solidement bâtis, en costume sombre froissé, aux traits quelconques. Des fédéraux.

— Qu'est-ce que vous foutez ici, Jasper ?

— On cherche une piste susceptible de nous mener à Clark Hewitt, mon cher. (Il sortit de sa poche intérieure une feuille de papier pliée en deux qu'il laissa tomber sur mon bureau.) Ceci est un mandat fédéral nous autorisant à perquisitionner et à saisir, dûment signé et présenté à l'intéressé.

Il se carra dans mon fauteuil, croisa les bras.

Les trois autres me lorgnaient avec insistance. Une vague de froid m'envahit.

— Pourquoi ?

— Wilson Brownell a été retrouvé mort hier après-midi. Après avoir été torturé. Clark Hewitt pourrait bien être impliqué dans l'affaire.

19

— Si j'avais voulu réorganiser mes dossiers, dis-je, je n'aurais pas fait appel aux services du gouvernement.

— Permettez-moi de vous présenter les agents Warren et Pigozzi, de l'antenne locale de la police fédérale, fit Jasper. Et voici l'agent spécial Stansfield, du FBI.

Warren était noir. Pigozzi arborait une belle tignasse rouge vif, et le menton de Stansfield était sérieusement grêlé.

— On est ici parce qu'on vous soupçonne de détenir des informations sur Clark Hewitt. Sous ce nom ou sous un autre.

Je m'affalai sur le canapé et dévisageai Jasper en fronçant les sourcils.

— On en a déjà discuté à Seattle, non ?

— À votre place, intervint Warren, je contacterais sans tarder un avocat.

— Pourquoi ?

— Parce que tout ce que vous allez dire à partir de maintenant pourra être utilisé contre vous.

J'écartai les bras.

— Je n'ai rien à cacher. (Monsieur Confiant.) À part que je suis énervé de constater que vous avez foutu le boxon chez moi, évidemment.

Sans grande conviction, Warren se replongea dans l'examen de mes dossiers. Jasper secoua la tête.

— Je n'arrive pas à vous suivre, Cole. Je sais que vous nous cachez quelque chose, mais je ne pige pas pourquoi.

Je m'abstins de répondre.

— Des amis à vous viennent d'arriver en ville, ajouta-t-il. Les hommes de Markov. S'ils ne sont pas encore venus vous trouver, ils vont le faire très bientôt.

— J'espère qu'ils foutront moins de bordel que vous.

L'agent rouquin se détourna de mon meuble de classement et laissa six ou sept dossiers glisser de ses mains. Le sol se retrouva encore un peu plus tapissé de notes, de factures et de rapports.

— C'est vraiment malin, commentai-je.

— Bon sang, Leo, grommela Jasper en se tournant vers son collègue.

— Bravo, Leo, ajoutai-je. Vous vous entraînez souvent devant votre glace ?

Leo esquissa un sourire plein de chicots.

— On verra si vous faites toujours le mariolle quand vous demanderez le renouvellement de votre licence.

— Excusez-moi, les gars, je retiens mon souffle.

Leo laissa tomber quelques dossiers supplémentaires.

À la manière dont Jasper contourna le bureau, on aurait pu croire qu'il était chez lui.

— Écoutez, Cole, tout ce que j'attends de vous, c'est un peu de coopération.

— Vous avez une curieuse manière de le montrer.

— Clark Hewitt est dans la merde jusqu'au cou, et ses enfants aussi. Vous avez eu affaire aux Markov. Vous savez de quoi je parle.

J'adoptai un profil indifférent.

— Un de mes coéquipiers s'est fait descendre pour sauver la peau de Clark Hewitt. Vous ne croyez tout de même pas qu'on va le laisser se faire tuer maintenant, si ?

Je feignis ne pas avoir la moindre idée de ce qu'il voulait dire, mais je savais qu'il avait raison. Je savais aussi que, si Clark avait relancé la planche à billets, ces types l'arrêteraient sans l'ombre d'une hésitation, et que ce serait tout bénéfice pour Markov. Si Clark se faisait coffrer, les Russes sauraient exactement où le loger.

Jasper me fit signe de le suivre sur le balcon.

— Venez dehors, Cole. Ce sera plus facile de discuter pendant que les autres travaillent.

Je le suivis sans enthousiasme. Le ciel s'était laissé envahir petit à petit par une épaisse brume blanchâtre qui masquait totalement Channel Islands. On distinguait à peine l'océan. J'inspirai une bouffée d'air marin et contemplai rêveusement la brume.

— Vous avez aussi fouillé ma maison ?

— Avant de venir ici.

— Vous avez trouvé quelque chose ?

Jasper sourit.

— Vous savez bien que non – d'ailleurs, on ne trouvera rien ici non plus, mais il faut bien qu'on agisse dans les règles.

— Formidable, Jasper. Je me sens déjà mieux.

Jasper croisa les bras et s'adossa à la balustrade. Il portait une paire de petites lunettes noires et rondes de fonctionnaire et un costume gris terne – idéal pour Seattle, beaucoup trop chaud pour ici. Un costume qui proclamait haut et fort : « Je suis un agent fédéral. »

— Ça ne me plaît pas trop de devoir en arriver là, mais comme je crois que vous faites de la rétention d'informations…

— Qui ? Moi ?

— Je me suis permis de poser quelques questions à votre sujet, et tous mes interlocuteurs m'ont répondu que, en général, quand vous cherchiez quelqu'un, vous le retrouviez. Ce que je pige pas, c'est pourquoi vous refusez de jouer franc-jeu avec nous.

— Peut-être que vos interlocuteurs se trompent.

— Possible, acquiesça-t-il.

— Ou peut-être que je n'apprécie tout bonnement pas d'être brusqué. Peut-être que ça m'a vexé.

— On m'a aussi dit que vous vous vexiez facilement, répondit Jasper en riant. (Puis, une fois que son rire fut retombé :) Écoutez, Cole, je sais que Clark Hewitt est récemment retourné à Seattle. J'ai un témoin oculaire direct qui m'a dit qu'un homme correspondant à son signalement a été vu avec Wilson Brownell, maître faussaire et ancien associé de Clark. Et je parierais que vous le savez aussi.

— J'ai rencontré Brownell à l'occasion de mon passage à Seattle. Il ne savait rien.

— J'espère pour Clark qu'il vous a dit la vérité.

Jasper considéra un moment ses collègues qui s'affairaient toujours à l'intérieur. L'agent noir tomba en arrêt devant ma pendule Pinocchio et donna un coup de coude au rouquin, qui se mit à son tour à la regarder fixement.

— Brownell a été torturé au fer à repasser, reprit-il. J'ai des photos. Vous voulez les voir ?

Je secouai la tête.

— Voici un pari que je suis à peu près sûr de gagner, Cole : les Markov savent maintenant tout ce que savait Brownell. Si Brownell connaissait le nom sous lequel vit aujourd'hui Hewitt, s'il avait son adresse ou son numéro de téléphone, les Markov l'ont aussi, à l'heure où je vous parle. Vous voyez ce que je veux dire ?

— Bien reçu, Jasper.

J'inspirai longuement en laissant mon regard filer au sud, vers Catalina. J'eus beau tenter de percer la brume, je ne pus que deviner les contours de l'île.

— J'ignore où se trouve Clark.

Le flic au menton grêlé s'approcha de la porte-fenêtre.

— Jasper…

Jasper rentra. Les quatre agents s'agglutinèrent autour de mon bureau pour chuchoter. Le rouquin était debout, une main sur l'épaule du grêlé. Je devais déjà affronter à la fois la mafia russe et le gouvernement des États-Unis, et voilà que, pour couronner le tout, il se pouvait que Brownell, au moment de sa mort, ait su très précisément où était Clark et ce qu'il y faisait. Peut-être que Dobcek et Sautine étaient déjà à ses trousses, qu'ils le tenaient déjà. Si c'était le cas, il n'y avait rien que Jasper ou moi puissions faire, et mieux valait ne plus y penser. Les enfants constituaient notre priorité, et ils étaient en lieu sûr. Restait l'hypothèse que Clark soit toujours dans la nature. Si je mettais la main dessus, j'avais encore une petite chance de le sauver – et peut-être même le confierais-je à Jasper. Encore fallait-il qu'il soit toujours en vie.

Le Noir serra la main de Jasper et quitta l'agence. Le rouquin montra Pinocchio au grêlé, et le grêlé poussa un soupir. Jasper me rejoignit sur le balcon.

— Alors ? La fête est finie ? demandai-je.

— Vous n'êtes pas tiré d'affaire, me répondit Jasper. On vous donne juste un bon de sortie pour la journée. (Il me tendit une carte de visite.) Je suis au *Marriott*, dans le centre. J'ai inscrit mon numéro de chambre ici. Si vous vous décidez à faire le bon choix, passez-moi un coup de fil.

— Bien sûr.

Le bon choix.

Jasper fixa un moment la brume, dubitatif.

— Comment faites-vous pour respirer cette merde ?

— Ça nous rend costauds, Jasper. Les Angelinos ont les meilleurs poumons des States.

Il acquiesça, sans doute plus pour lui-même que pour moi.

— Ouais, c'est ça. (Il fit deux pas vers la porte-fenêtre.) Je connais Clark Hewitt depuis le jour où il s'est pointé en nous suppliant de lui sauver la peau, et je peux vous garantir qu'il n'est pas ce qu'il paraît être.

Je le regardai fixement.

— Il est tout sauf le débile dont il a l'air. (Jasper sourit, mais il n'y avait aucune trace de joie dans ce sourire.) Peu importe ce que vous croyez savoir à son sujet, je vous assure que les choses ne sont pas toujours ce qu'elles paraissent être. Clark non plus.

Sur ce, Reed Jasper me montra ses paumes ouvertes – comme s'il venait de me confier la pierre de Rosette et qu'il ne tenait plus qu'à moi d'en faire bon usage. Il retraversa mon bureau, disparut derrière le seuil. Le rouquin et le grêlé sortirent derrière lui – évidemment, sans se donner la peine de refermer.

J'attendis sur le balcon qu'ils aient quitté l'immeuble. Je les vis monter à bord de deux voitures banalisées bleu nuit qui eurent tôt fait de se fondre dans le trafic. Je rentrai, fermai la porte de l'agence et entrepris de ramasser ma paperasse. Cela me prit près d'une heure, mais guère plus, parce que en vérité mes dossiers ne contenaient pas grand-chose. À première vue, rien ne manquait, à part une statuette en céramique de Jiminy Cricket qui s'était brisée en tombant. Je la jetai sans hésiter à la poubelle.

Lorsque tous les papiers eurent rejoint leurs dossiers et que tous les dossiers eurent retrouvé leurs places dans l'armoire, j'ouvris une Budweiser, m'assis dans mon fauteuil, les pieds sur la table.

— Clark, déclarai-je, tu as intérêt à en valoir la chandelle.

Le téléphone sonna à cet instant, et je l'arrachai aussitôt à sa base. Monsieur Prêt-à-Tout. Monsieur Ça-Bulle-Ferme, seul dans son bureau à téter sa bibine, l'image même du détective dépressif menacé par le gouvernement des États-Unis de perdre sa licence et son gagne-pain.

— Agence Cole, dis-je. Enquêtes professionnelles à prix sacrifiés pour cause de fermeture définitive imminente.

— Vous avez bu ? me demanda Tracy Mannos.

— Pas encore.

— Eh bien, retenez-vous. Vous pouvez passer me voir ?

Je cherchai le regard de Pinocchio en fronçant les sourcils.

— Quoi ? Maintenant ? (Je pensai à Pike, aux enfants Hewitt, à la planque. À la piste de Long Beach.) Vous avez appris quelque chose sur le contrat de Lucy ?

— Je préférerais vous en parler de vive voix, à mon bureau.

Ah bon.

— Pourquoi là-bas ?

— Cessez de jouer au débile et venez, rétorqua-t-elle, irritée.

Elle raccrocha brutalement.

Je fermai l'agence à double tour, repris ma voiture et me dirigeai à allure modérée vers le siège de KROK, où m'attendait Tracy Mannos. Personne ne me fila.

Du moins, je ne repérai personne.

20

KROK TV *(Une info personnalisée, c'est notre engagement !)* avait son siège et ses studios dans un immeuble massif de briques et d'acier sur Western Avenue, dans la partie est de Hollywood. Après m'être garé sur le petit parking gardé qui jouxtait le bâtiment, je trouvai Tracy Mannos dans le hall d'entrée. Je fus surpris qu'elle m'attende. Elle me parut nerveuse.

— Salut, Tracy. Mon petit doigt me dit que vous avez découvert quelque chose.

— Venez dans mon bureau.

Tracy Mannos était une grande femme pleine d'allure d'une cinquantaine d'années. Ses cheveux gris étaient coupés court, et l'austérité de son maintien trahissait le cadre dirigeant. Bref, la directrice de chaîne jusqu'au bout des ongles. Lucy et moi avions fait sa connaissance pendant que j'enquêtais sur l'affaire Theodore Martin, et Tracy avait été suffisamment impressionnée par l'attitude et les compétences juridiques de Lucy pour suggérer à ses patrons de lui proposer un poste de chroniqueuse judiciaire.

Elle me fit franchir une lourde porte de sécurité et m'entraîna dans les profondeurs d'un corridor aseptisé, quasiment désert en cette fin de journée.

— Stuart Greenberg est le responsable de notre service administratif. Quand je l'ai interrogé sur les négociations en cours avec Lucy, il m'a répondu qu'il ne se passait rien d'inhabituel et que je ne devais pas m'inquiéter.

— Vous avez demandé à ce M. Greenberg s'il connaissait un certain M. Chenier ?

Nous pénétrâmes dans une vaste pièce laquée de blanc, meublée de fauteuils confortables et d'un bureau en désordre. Plusieurs photos d'un homme et de trois enfants étaient accrochées aux murs.

Tracy s'installa dans son fauteuil et sourit.

— À la télévision, on marche toujours sur des œufs, Elvis. Les gens prennent la mouche pour un rien. Plus d'un dos, ici, porte des traces de coups de poignard.

— Vous êtes en train de m'expliquer que vous n'avez pas pu lui poser ouvertement la question.

— Il faut toujours faire attention si on ne veut pas se faire mordre.

Je hochai la tête.

— J'ai tout de même réussi à obtenir quelque chose, lors de mon passage dans le bureau de Stu, ajouta-t-elle.

— Ah.

Elle mourait d'envie de me faire partager sa découverte. Cela se voyait dans son regard. Une sorte de pétillement avide.

— Figurez-vous que Stuart a commencé sa carrière à Houston, chez Benton, Meyers & Dane.

Le cabinet de Richard.

— Comme par hasard.

Les réseaux de ce bon vieux Richard pointaient leur museau.

— Mais ça ne prouve rien, reprit Tracy. Et, en tant que directeur administratif, Greenberg est seul juge en ce qui concerne le fonctionnement de son service. (Le pétillement se transforma en éclat d'acier.) Sauf si, naturellement, le problème venait à déborder du strict cadre des pratiques administratives acceptables.

— Par exemple, si on s'apercevait qu'un ex-mari s'amuse à manœuvrer pour restreindre les possibilités de carrière de son ex-épouse ?

— Exact. Dans ce cas, le problème déborderait du cadre – ce serait même le type de problème auquel l'ensemble de la chaîne pourrait être sensible. Si tel était le cas, Lucy serait fondée à porter plainte.

— À condition d'avoir une preuve.

— Oui. Mais les preuves, dans ce genre d'affaires, sont rares et difficiles, voire impossibles à trouver.

— Hmm.

Tracy Mannos se pencha vers moi, malicieuse.

— Du coup, quelque chose qui ressemblerait à une preuve pourrait suffire. Après tout, puisqu'il s'agit d'un problème de magouilles, la chaîne pourrait se montrer sensible à une simple présomption de délit. Et, lors de mon passage dans le bureau de Stu, j'ai eu l'impression très nette qu'il devait être possible d'y dénicher un petit quelque chose.

— De quel genre ?

Elle écarta les mains.

— C'est vous le détective.

Elle n'ajouta rien, mais je sentis qu'elle cherchait à me suggérer une piste. Elle avait une idée tout à fait claire de la nature de l'indice qui pourrait nous permettre de faire pression sur Greenberg – et même de l'endroit où je pourrais le découvrir.

— Vous avez eu cette impression dans son bureau ?

— Plutôt en le quittant. Quand j'ai dit au revoir à sa secrétaire.

Tiens donc.

— M. Greenberg est-il rentré chez lui à l'heure qu'il est ?

Elle sourit – dans le style : « Il lui a fallu du temps, mais il y est arrivé. Ouf ! »

— Je ne peux pas vous le garantir, Elvis. En général, il s'en va de bonne heure, mais il se peut qu'il soit encore là.

— Je crois que je vais aller lui dire un mot.

Elle se carra dans son fauteuil et acquiesça.

— Faites. Je suis sûre que cette visite vous permettra d'obtenir des éclaircissements.

Après que Tracy m'eut expliqué où se trouvait le bureau de Stuart Greenberg, je m'enfonçai dans le dédale de couloirs déserts du service administratif. Si les étages inférieurs de la chaîne fourmillaient d'activité à travers la préparation des émissions du soir, le service administratif était désert, à l'exception du personnel de nettoyage. Personne ne jugea bon de me demander qui j'étais, ni ce que je faisais là.

Stuart Greenberg disposait d'un superbe bureau d'angle aux murs bardés de diplômes et de photos de famille. Ses plantes vertes semblaient nettement plus en forme que les miennes, mais je n'eus pas l'occasion de m'en approcher. J'avais écouté

Tracy avec attention et, entre les lignes, j'avais compris que l'indice à découvrir se situait non pas dans le bureau de Greenberg, mais dans celui de sa secrétaire – et que si quelqu'un devait mettre la main dessus, c'était moi. Tracy ne pouvait pas se permettre d'aller plus loin. À moi d'assumer le risque.

Le registre des appels téléphoniques de Greenberg – intérieur et extérieur – était posé juste à côté du téléphone. Je saluai d'un coup de menton un homme de ménage, m'assis derrière le bureau, feuilletai à rebours les pages du registre et mis trente secondes à découvrir exactement ce que Tracy avait sous-entendu. Trois jours plus tôt, Richard Chenier avait téléphoné par deux fois à Stuart Greenberg. Rien n'indiquait le contenu de leurs conversations mais, comme Tracy me l'avait également suggéré, ce n'était pas indispensable. Une présomption suffirait. Je me dirigeai vers le photocopieur, fis un double de la page mentionnant les appels de Richard, remis le registre à sa place et rentrai chez moi.

À mon arrivée, le chat était assis sous l'auvent du garage, une oreille dressée, l'autre basse, la tête légèrement penchée sur le côté. Il avait l'air chagrin, pas franchement dans son assiette et ne bougea pas d'un millimètre en voyant s'approcher la calandre de ma Corvette. Je fus contraint de me garer dans la rue.

— Putain de semaine, hein ?

Il m'ignora. Snobé par mon chat.

J'entrai par la cuisine et fis le tour de la maison pour constater les dégâts après le passage des fédéraux. Quatre tiroirs avaient été vidés, les autres laissés ouverts et trois boîtes vides de Falstaff gisaient sur la table de la salle à manger. Leurs recherches semblaient s'être essentiellement concentrées sur la cuisine et ma chambre ; par chance, le chaos n'était pas aussi complet qu'à l'agence. Peut-être Jasper avait-il demandé à ses collègues d'y aller mollo. Ou peut-être étaient-ils tous trop occupés à siffler ma bière.

Je servis au chat une écuelle de pâtée fraîche et appelai Joe à la planque. Le téléphone sonna deux fois, Charles décrocha.

— On en a rien à battre !

Et il raccrocha.

J'inspirai un grand coup, en me frottant les yeux. Refis le numéro. Cette fois, Joe répondit à la première sonnerie.

— Les gosses peuvent entendre ? demandai-je.

— Non.

Je le mis au courant de la double perquisition des fédéraux, puis de la mort de Wilson Brownell.

— Ces Russes sont sérieux, observa Pike.

— Très sérieux. (Je lui parlai de l'argent et des catalogues cachés dans le grenier de Clark.) On va devoir partir du principe qu'ils savent maintenant tout ce que savait Brownell : l'adresse de Clark et son nouveau nom. Je crois qu'on ne risquera pas grand-chose tant qu'on restera à l'écart de sa maison.

— Tu es où ?

Je le lui dis.

— Et si Clark rentre chez lui ?

J'y avais déjà réfléchi et je n'aimais pas beaucoup le fruit de mes réflexions, mais il n'y avait guère le choix. Nous pouvions bien sûr l'attendre sur place, toutefois une recherche active me paraissait plus indiquée. En passant chez lui de temps en temps. J'expliquai à Joe que j'avais d'autres coups de fil à passer et que je risquais de ne pas pouvoir le rejoindre à la planque avant le lendemain matin.

— Ma maison a été visitée d'abord par le mec de Richard et ensuite par les fédéraux. Si ça se trouve, Dobcek et Sautine seront les suivants, et je vais pouvoir les descendre.

— On s'amuse comme on peut.

Après avoir raccroché, j'appelai Lucy chez elle. Elle répondit comme si elle était tapie près du téléphone et attendait mon appel.

— C'est moi, dis-je.

— Laisse-moi juste le temps de changer de poste.

Ben était sans doute dans les parages.

Quand elle revint en ligne, je lui relatai ma conversation avec Tracy Mannos et ce que j'avais découvert sur le registre des appels de Stuart Greenberg.

— J'arrive, lâcha-t-elle dès que j'eus fini.

— Tu devrais en toucher d'abord un mot à Tracy. Elle sait ce qui se passe, et je crois qu'elle sait aussi comment résoudre le problème, mais pour l'instant les preuves sont plutôt minces.

Il n'y avait pas l'ombre d'une preuve, mais je ne tenais pas à paraître défaitiste.

Elle resta un moment silencieuse.

— Je ne vais pas attendre les bras croisés. Richard n'a aucun droit d'user de son influence pour me pourrir la vie. Suppose que je ne me défende pas et que Tracy échoue. Ce sera encore pire pour moi.

Je ne répondis pas.

— Je suis folle de rage, ajouta-t-elle, mais je suis aussi avocate. Et maintenant que je sais ce qui se passe, je suis sûre de pouvoir gagner. On a affaire à deux cow-boys à la manque qui essaient d'intimider une petite dame.

Grosso modo ce que m'avait dit Tracy.

— Sauf qu'ils se sont trompés de petite dame. (Il y eut un silence. Elle devait être en train de réfléchir.) Qu'importe ce que t'a raconté Richard, cela n'a rien à voir avec Ben. Richard a été un père minable dès le premier jour et il continue. C'est moi qu'il cherche à atteindre – une question de pouvoir. C'est même pour cette raison que j'ai quitté ce connard. (Aucun doute, elle était bel et bien folle de rage.) Ce mec est arrogant et imbu de lui-même, et s'il s'imagine pouvoir me coincer avec ses magouilles, je te garantis que je vais lui faire un deuxième trou du cul et lui foutre la tête dedans !

Ouah !

— Luce ?

— Quoi ?

Elle avait presque crié.

— S'il te plaît, évite de nous faire une attaque.

Silence absolu. Puis elle éclata de rire.

— Oh ! là là !... Je crois que je suis vraiment énervée.

— Je suis content que ce ne soit pas contre moi !

— Non, Elvis. Jamais. (Elle s'esclaffa de plus belle, et ce fut bon de l'entendre rire. De la sentir forte.) Il faut absolument que je me déplace pour régler cette histoire en personne, même si ça ne fait qu'aggraver mon cas. Même si ça me coûte mon poste. Tu peux le comprendre, n'est-ce pas ?

— Bien sûr.

Je lui donnai le numéro de téléphone du duplex où étaient cachés les enfants Hewitt et lui demandai de prévenir Joe dès qu'elle connaîtrait son horaire de vol.

— Mon vieux Richard, grommelai-je après avoir raccroché, attends-toi à être passé à la moulinette.

Il me fallut un peu plus d'une heure pour tout ranger dans la maison. Si j'avais été d'humeur plus conciliante, j'aurais peut-être pu apprécier la minutie de leur travail.

Après tout, les contribuables devraient se réjouir de payer des fonctionnaires aussi consciencieux.

21

Le lendemain matin, je contournai Laurel Canyon par l'arrière pour redescendre à Studio City en faisant un détour de plus de vingt bornes afin de déjouer toute filature éventuelle. Si mon coup de volant ne suffisait pas à semer les Russes et les fédéraux, je pourrais toujours les écœurer en les plongeant dans les bouchons de l'heure de pointe.

Le duplex fourni par Pike était situé dans la partie arrière d'un bâtiment tout en longueur qui donnait sur un jardin, à deux pas de Coldwater Canyon et du parc de Studio City. C'était une construction résidentielle classique, sur deux niveaux, toute en bois noueux et en vieilles briques, dans le style ranch, comme il en a tant poussé à la fin des années cinquante. Des rangées de pins montaient la garde de part et d'autre de l'allée piétonnière, et il y avait dans le fond de la propriété un parking réservé aux résidents. Le type même de l'endroit tranquille, dont les habitants n'iraient certainement jamais s'imaginer que leurs nouveaux voisins étaient traqués par des assassins de Seattle.

Je me garai le long du trottoir, calai sous mon bras les catalogues trouvés dans le sac de toile de Clark, traversai le jardin et longeai le bâtiment jusqu'à la bonne porte. Il était neuf heures dix quand j'appuyai sur le bouton de sonnette. La voix de Charles, étouffée, s'éleva aussitôt de l'autre côté de la porte, à croire qu'il m'attendait.

— Foutez le camp !

— Charles…

Belle façon d'entamer la matinée.

La porte s'ouvrit. Pike apparut, grand, impassible. Je lui décochai un large sourire.

— Alors, Joe, on dirait que tu as passé une sacrée soirée !

J'aperçus Charles. Il fila se réfugier dans la cuisine.

— C'était une vanne, m'expliqua-t-il.

La tête de Pike pivota imperceptiblement dans sa direction. Charles détala de la cuisine au salon. Sacrée soirée, en effet.

L'entrée donnait non seulement sur la cuisine, mais aussi sur la salle à manger et, au-delà, sur le salon, d'où partait un escalier menant à l'étage. L'appartement était grand, spacieux et entièrement meublé, comme si le propriétaire ne s'était absenté que pour un bref voyage. Plusieurs plantes vertes, vigoureuses, luxuriantes, sans la moindre trace de jaune, décoraient la pièce. Peut-être devrais-je lui demander quelques conseils à son retour. J'adressai un petit signe de tête approbateur à Pike.

— C'est chouette… Mieux que la roulotte.

Pike haussa les épaules. Apparemment, il s'en fichait.

Teri et Winona étaient assises à la table de la salle à manger, Charles avait repris position devant la télévision, qui passait une séance de gym matinale. Une jolie fille en pleins abdos-fessiers.

— Ça y est, vous avez retrouvé papa ? me lança Winona.

Tout le monde était lavé, habillé et prêt à entamer une nouvelle journée d'attente. Moi, dans le rôle du détective censé ramener papa.

— Pas encore, ma puce. Mais je brûle.

L'espoir fait vivre.

— Vous voulez un petit déjeuner ? proposa Teri. Joe et moi, on a fait des crêpes au fromage blanc.

— Non merci. J'ai déjeuné avant de partir.

Elle parut déçue.

— Il y a du café chaud.

Je la laissai me remplir une tasse, goûtai le café, acquiesçai.

— C'est bon.

Teri sourit de toutes ses dents.

— Allons parler en haut, me proposa Joe.

Je le suivis avec ma tasse dans une chambre reconvertie en bureau, équipée d'une table, d'un téléphone et d'un télécopieur. Je n'y repérai aucun indice de l'identité du propriétaire des lieux. Peut-être était-ce Pike. Si ça se trouvait, Pike possédait la moitié de Los Angeles.

— Qu'as-tu découvert ? me demanda-t-il.

— Vingt plaques en faux Franklins, plus ceci.

Je déposai les catalogues sur la table. Le coin de plusieurs pages était replié. Quelques articles présentés sur les pages marquées avaient été cochés au feutre – notamment deux modèles de plaques offset proposés par une firme finlandaise, un scanner numérique haut de gamme vendu par correspondance par une société new-yorkaise, un Power Mac à quatre mille dollars également vendu par correspondance par une boîte de Los Angeles – assorti d'une plate-forme de logiciels graphiques qui coûtaient presque aussi cher que l'ordinateur –, un bidule baptisé « régulateur », disponible dans une imprimerie de Londres, un massicot à haut débit proposé par la même imprimerie et, pour finir, soixante litres d'encre offset indigo n° 7 et orange canyon n° 9 A, et aussi, en moindre quantité, du vert forêt n° 2, du rouge classique n° 42, du noir, du bleu poudré n° 12, et du jaune AB 1, le tout commandé chez trois fabricants, deux en Europe et un dans le Maryland.

— Pas de doute, fit Pike. Il a repris du service.

— Oui, mais… les billets de cent dollars sont vert et noir. Pourquoi avoir commandé de l'indigo et de l'orange ?

Pike tira un Franklin de son portefeuille. Son argent de poche.

— Il faut peut-être mélanger plusieurs couleurs pour obtenir les différents tons de noir. À moins que ce ne soit pour reproduire les filaments de sécurité.

— Si on montrait tout ça à ta copine Marsha Fields, elle pourrait nous répondre.

Pike rangea son billet.

— Les nouveaux billets de cent sont trop difficiles à imiter. Si Clark a décidé de tirer des cent, il s'attaquera aux anciennes séries.

— Si ?

Pike se remit à feuilleter un des catalogues.

— Il y a là pour près de quarante mille dollars de matos. Je me demande où il a trouvé l'argent pour se le payer.

Je me posais la même question. Clark n'envoyait sûrement pas ses faux billets par la poste, et il était trop futé pour payer avec.

— Si ce matos a été commandé, dis-je, il a bien fallu le livrer quelque part. Ça nous donne une chance de retrouver Clark.

La plupart des entreprises proposaient un numéro vert pour les commandes par téléphone, et je commençai ma recherche par le grossiste de Los Angeles spécialisé dans l'informatique. Une jeune femme à l'accent hispanique me répondit :

— Bonjour et bienvenue chez CyberWorld ! Vous désirez commander ?

Pimpante, joyeuse, empressée.

— Je vous ai passé une commande il y a deux jours, dis-je, et ma bécane n'est toujours pas arrivée.

— Ha-ha, on va essayer de remettre la main sur cette petite coquine ! (Désireuse de transformer ma réclamation en expérience positive.) Votre nom, s'il vous plaît.

— Clark Haines.

J'attendis quelques secondes avant d'ajouter :

— Oh, comme c'est ma secrétaire qui a passé la commande, il se peut qu'elle ait donné le nom de l'entreprise : Clark Hewitt.

Un peu bancal, mais que voulez-vous ?

— Tiens, tiens, fit la jeune femme, je n'ai de commande à aucun de ces deux noms. Vous êtes sûr qu'elle l'a fait ?

Je m'excusai, la remerciai et raccrochai.

J'appelai trois autres boîtes, et aucune d'elles n'avait traité ni n'était en train de traiter la moindre commande au nom de Haines ou de Hewitt.

— Bon sang, grommelai-je en reposant le téléphone.

— Si ça se trouve, dit Pike, il n'a pas encore commandé.

— Possible.

J'imaginai Clark décrochant son téléphone pour renouer le contact avec Wilson Brownell, malgré le risque de se retrouver de nouveau confronté aux Russes de Seattle. J'appelai le distributeur de matériel électronique de New York, cette fois en me présentant sous le nom de Wilson Brownell. L'opérateur revint en ligne presque aussitôt :

— Ça y est, monsieur Brownell, je l'ai.

Je fis un signe du pouce à Pike.

— Hmm, fit l'opérateur, votre scanner ne part que demain. Ce n'est pas ce que vous aviez demandé ?

— Je le voulais pour aujourd'hui.

— Je suis absolument navré, monsieur. Celui ou celle qui a pris votre commande a dû commettre une erreur.

— Bon, tant qu'on y est, j'aimerais que vous vérifiiez l'adresse de destination. Il ne manquerait plus que vous vous trompiez aussi d'adresse.

— Certainement, monsieur. Le bordereau d'expédition mentionne comme destinataire le *Pacific Rim Weekly Journal*, et la commande est à retirer à l'aéroport. Elle arrivera sur le vol n° 5 d'United Airlines, un New York-Los Angeles sans escale.

Je pris note.

— C'est donc prévu pour demain ?

— Oui, monsieur. C'est écrit noir sur blanc, je l'ai sous les yeux.

Je raccrochai, appelai les Renseignements et demandai le numéro de téléphone du *Pacific Rim Weekly Journal*.

— Je suis désolée, monsieur, répondit l'opératrice. Nous n'avons aucun abonné à ce nom.

— Essayez dans la Vallée.

— Désolé, monsieur. Toujours rien.

L'image de Tre Michaels me traversa l'esprit.

— Essayez Long Beach.

— Ah, nous y voilà.

Elle me donna l'adresse et le numéro de téléphone.

— Essaie ! ne pus-je m'empêcher de lâcher.

— Pardon ?

— Rien, mademoiselle. Merci.

Je composai le numéro. Une femme avec un accent asiatique à couper au couteau répondit.

— *Journal*, j'écoute.

— Pourrais-je parler à Clark, s'il vous plaît ?

Elle raccrocha sans ajouter un mot, et je dévisageai Pike.

— Je crois qu'on tient quelque chose.

Pike resta avec les enfants pendant que je me coltinais le long trajet vers le sud en direction de Long Beach – je pris d'abord l'autoroute de Hollywood jusqu'à la Harbor Freeway, filai ensuite plein sud pendant près d'une heure jusqu'à rattraper l'autoroute de San Diego, que j'empruntai vers l'est jusqu'à la 710, après quoi je longeai la Los Angeles River jusqu'à l'océan. Le centre de Long Beach se compose d'un noyau de gratte-ciel réhabilités au milieu d'un paysage de vieux édifices sur deux niveaux, de maisons début de siècle et de boulevards bordés de palmiers qui confèrent à l'ensemble un aspect de station balnéaire. Un endroit idéal pour se balader avec Teri, Charles et Winona, prendre un cornet de glace et flâner sous le soleil sur la jetée de Belmont en observant le va-et-vient des bateaux entre l'île de Catalina et la côte – sauf que cela perd carrément une bonne partie de son charme quand on pense que son père est peut-être en train de se faire torturer avec un fer à repasser. On verra ça plus tard.

Je longeai le rivage sur Ocean Boulevard, tournai au nord sur Redondo Avenue et vis peu à peu le paysage urbain délaisser son allure de petite station balnéaire pour se transformer en quartier résidentiel pour classes moyennes, puis en quartier populaire de centre-ville. Dans le même temps, les physionomies changèrent, et les enseignes passèrent de l'anglais à l'espagnol, puis de l'espagnol aux langues orientales. Le *Pacific Rim Weekly Journal* avait son siège tout près de Redondo, dans un immeuble de trois étages coincé entre un minuscule restaurant vietnamien et une laverie automatique grouillante d'Asiatiques hautes comme trois pommes, vraisemblablement vietnamiennes ou cambodgiennes.

Je passai deux fois au ralenti devant l'immeuble, me garai à faible distance, revins à pied, passai devant le *Journal* et entrai dans le restaurant mitoyen. Je repérai deux personnes dans les locaux du *Journal* – mais pas Clark Hewitt, hélas !

Il était presque onze heures du matin, et le restaurant était désert, à l'exception d'une vieille Vietnamienne en train d'envelopper fourchettes et cuillers dans des serviettes de toile blanches. En pleine préparation du coup de feu de midi. Je lui adressai un sourire.

— Vous faites des plats à emporter ?

Elle me tendit un menu à couverture verte.

— C'est tôt.

— Trop tôt pour commander ?

Elle secoua la tête.

— Oh, non. Nous servir.

Je commandai des calamars frits au miel avec du riz et lui fis part de mon intention d'attendre dehors, sur le trottoir. Elle me répondit que ça lui allait très bien.

Je ressortis avec mon menu vert à la main, en faisant celui qui n'avait rien d'autre en tête que son déjeuner, et jetai une série de coups d'œil furtifs en direction du *Journal*. Une Asiatique d'une soixantaine d'années, assise derrière un bureau de bois, parlait au téléphone. Derrière elle, les murs étaient recouverts de panneaux de liège tapissés d'un million de petits papiers et photos qui devaient annoncer des événements communautaires. Deux chaises branlantes faisaient face au bureau, et un autre bureau était installé en vis-à-vis, occupé celui-là par un Asiatique de vingt et quelques années. Il portait un sweat-shirt au logo de l'université Cal Tech, un pantalon de treillis zébré et des chaussures de bateau sans chaussettes. Penché en arrière, les pieds sur la table, il lisait un livre de poche. Dans le dos de la femme, une demi-cloison divisait la pièce, masquant le fond de la salle. Clark y était peut-être. Il ne me restait plus qu'à dégainer mon flingue, contourner la cloison au pas de charge et crier : « Je t'ai eu, Clark ! » Histoire de l'impressionner, au cas où.

Le jeune gars me surprit en train d'épier. Je lui souris et pris un exemplaire du *Journal* sur le présentoir installé à l'extérieur de la devanture – le quidam qui tue le temps en attendant son déjeuner. Le tabloïd, en langue vietnamienne, était composé d'articles que j'étais bien incapable de lire et de photos de Vietnamiens appartenant sans doute à la communauté locale. L'impression me parut de mauvaise qualité, avec des couleurs incertaines et baveuses. Clark avait-il été embauché par ces gens pour donner à leur feuille de chou un aspect plus présentable ?

— Vous lisez le vietnamien ?

Le jeune homme se tenait sur le seuil. À l'intérieur, toujours au téléphone, la femme m'observait.

Je secouai la tête et reposai le journal sur le présentoir.

— Non. J'attends juste mon repas. Simple curiosité.

Il sourit de toutes ses dents.

— C'est gratuit. Servez-vous. Pour doubler le fond d'une cage à oiseaux, vous ne trouverez pas mieux.

Amical.

Je m'écartai du restaurant et m'engageai dans le passage qui le bordait pour trouver l'entrée de service. Ce qui est merveilleux quand on est si proche de l'eau, c'est que la température est tellement agréable que l'on est rarement obligé de brancher la climatisation. Il devait faire dans les vingt-deux ou vingt-trois degrés, et la porte arrière du *Journal* était ouverte, pour faire courant d'air. Je jetai un coup d'œil à l'intérieur. Furtif.

Nulle trace de Clark.

Je tendis l'oreille et entrai. Une imprimante laser ronronnait sur une tablette, à côté d'une porte menant aux toilettes. Sur les rayonnages métalliques de type industriel, des rames de papier et des fournitures de bureau. Plus une vieille machine à café. Mais rien, ici, ne semblait indiquer l'atelier d'un faussaire, et je ne repérai pas un seul des articles cochés par Clark sur ses catalogues.

Je ressortis, contournai de nouveau le bâtiment et fis mon entrée dans les bureaux du *Journal*. Le jeune type s'était replongé dans son bouquin, et la femme leva les yeux de son traitement de texte. Le gars me sourit, la femme non.

— Je m'appelle Elvis Cole et je cherche Clark Hewitt. (Je posai une carte de visite sur le bureau du jeune homme.) Sa vie est en danger. J'essaie de les aider, lui et ses enfants.

Parfois, il n'y a rien de mieux que jouer cartes sur table.

Le sourire du garçon se décomposa, et la femme dit quelque chose en vietnamien. Il lui répondit dans la même langue.

— Pardon ? fis-je.

Le jeune homme me fixa une poignée de secondes et prit un air désolé.

— Je ne sais pas de quoi vous parlez.

On voyait bien que si. On voyait bien qu'il savait exactement de quoi je parlais et qu'il n'appréciait pas que je lui pose cette question, ni que je sache qu'il connaissait Clark.

Je regardai du côté de la femme, qui se détourna. Vite.

— Je suis garé au bout du bloc. Une Corvette décapotable 1966. Jaune. J'attendrai dedans.

Je retournai au restaurant, payai mon repas, rejoignis ma voiture, remis la capote pour me protéger du soleil et m'installai. Les calamars frits au riz étaient excellents, mais je ne me sentais guère d'appétit.

Au bout de vingt minutes, le jeune au sweat-shirt sortit dans la rue, me repéra et retourna à l'intérieur. Seize minutes plus tard, une berline Mercedes série 500 noire fit deux fois le tour du bloc, avant de stopper un peu plus loin. À son bord, deux Asiatiques dans les soixante ans. Huit minutes s'écoulèrent, puis une Ferrari Spyder rouge vif déboucha du coin opposé, ralentit peu à peu et finit par s'arrêter complètement à quelques mètres de la Corvette. La Ferrari était conduite par un très jeune Asiatique, et un homme plus âgé occupait la place du tireur. Comme les types de la Mercedes, tous deux étaient sapés d'un chouette costume italien. Je relevai aussi le numéro de plaque de la Ferrari. Ses deux occupants me fixèrent pendant deux ou trois minutes en échangeant quelques mots, puis le plus jeune baissa sa vitre et roula tout doucement jusqu'à moi au ralenti.

— Clark Hewitt, dis-je.

Le jeune homme secoua la tête.

— Jamais entendu parler.

Un anglais impeccable, sans trace d'accent. Né ici.

— Ça m'étonnerait.

Mon interlocuteur montrait une certaine nervosité, mais le vieux restait calme.

— Ma mère travaille au journal, reprit le jeune. Vous lui faites peur. Je vais devoir vous demander de partir.

Apparemment, ce canard était une affaire de famille, mais il était peu probable qu'il ait suffi à payer la Ferrari.

— Vous êtes propriétaires du journal ?

— Vous devriez partir.

Je me carrai dans mon siège.

— Pas avant d'avoir vu Clark Hewitt.

Le vieux marmonna quelque chose, et le jeune acquiesça.

— On n'a jamais entendu parler de ce type.

— Très bien.

Je croisai les bras et fermai les yeux.

Le vieux marmonna autre chose.

— Vous êtes de la police ? me demanda le jeune.

— Clark sait qui je suis. Et j'ai remis ma carte à votre mère.

Le vieux se pencha au-dessus du jeune.

— Si vous ne partez pas, on va appeler la police.

— Allez-y. On pourra leur parler de Clark et de ses rapports avec votre journal.

La mâchoire du jeune se crispa. Il glissa quelque chose au vieux.

— Vous ne partez pas ?

— Non.

— Vous avez tort, lâcha le jeune avec un coup de menton rageur.

Il passa la première et démarra comme une fusée en faisant hurler ses pneus. Dans un nuage de fumée. Il avait dû voir une scène de ce genre au cinéma.

La Mercedes s'éloigna également.

J'attendis. J'avais découvert le *Pacific Rim Weekly Journal* et j'avais découvert des gens qui connaissaient manifestement Clark Hewitt. Je progressais, et je n'étais pas peu fier de moi. Elvis Cole, le détective content de lui.

Quatre-vingt-dix secondes après que la Ferrari fut repartie en trombe, trois hommes à pied émergèrent du passage et avancèrent dans ma direction. Ceux-là n'avaient pas de costume italien et ne semblaient pas plus impressionnés par ma présence que si j'avais été un moutard faisant l'école buissonnière. Ils avaient un aspect dur, méfiant, concentré. Le visage lisse, dénué d'expression. Tous trois portaient un manteau long. Ils marchaient les mains dans les poches et, à l'approche de ma voiture, celui du milieu écarta un des pans de son manteau pour me laisser entrevoir un fusil à pompe Benelli noir et trapu.

— Vous savez ce que vous allez faire ? me lança-t-il en s'arrêtant.

— Partir ?

Il opina.

— Dites à Clark que je reviendrai.

Si l'honnêteté constitue parfois la meilleure politique, l'art du repli n'est pas la moindre qualité d'un combattant.

22

Je regagnai la jetée de Belmont, me garai devant une guérite où un type vendait des tickets pour une virée d'observation des baleines en mer et téléphonai à Lou Poitras d'une cabine publique.

— Tu vas trop loin, grommela-t-il.

— C'est marrant, ta femme me dit la même chose.

Poitras soupira.

— Vas-y, accouche : tu veux quoi ?

L'humour. Une pointe d'humour, et ils sont tous à genoux.

Je lui dictai les deux numéros de plaque et attendis que son ordinateur ait craché le nom du titulaire des cartes grises. Cela prit moins de vingt secondes.

— La Mercedes appartient à un M. Nguyen Dak, de Seal Beach.

Seal Beach, un des coins les plus huppés du littoral sud.

— Et la Ferrari ?

— À un certain Walter Tran. De Newport Beach.

Encore un quartier friqué.

— Ces mecs ont une histoire ?

En clair, je lui demandais s'ils avaient déjà eu affaire à la police.

— Deux ou trois excès de vitesse pour la Ferrari, c'est tout. Tu vas me dire de quoi il s'agit ?

— Niet, camarade.

Je raccrochai, m'achetai un thé glacé chez un marchand de saucisses ambulant et contemplai un moment la baie. L'eau était bleu clair, et Catalina dressait ses reliefs acérés à une quarantaine de kilomètres au large. Une jeune femme vêtue d'un short ultracourt et d'un soutien-gorge de bikini bleu métallisé me dépassa en patins à roulettes sur la piste cyclable. Mes yeux suivirent son mouvement sans la voir. Le détective en mode méditatif. Je n'avais jamais entendu parler ni de Nguyen Dak ni de Walter Tran, mais cela ne signifiait rien. Le crime multiculturel fleurissait au même rythme que la diversité ethnique dans le sud de l'État. Jusqu'à ce matin, je n'avais jamais entendu parler non plus du *Pacific Rim Weekly Journal*, mais je connaissais au moins une personne pour qui ce n'était vraisemblablement pas le cas.

Je revins à la cabine téléphonique et composai le numéro d'Eddie Ditko, un journaliste de ma connaissance. Eddie a beau être vieux, acariâtre et rongé d'amertume, c'est toujours un plaisir de l'avoir au bout du fil.

— Bon Dieu, j'ai de ces gaz… Quand tu arrives à mon âge, crois-moi, même l'eau te fait péter.

Vous voyez le style ?

— Le *Pacific Rim Weekly Journal*, dis-je, ça t'évoque quelque chose ?

Il fut saisi d'une brusque quinte de toux.

— Eddie ?

Il toussait de plus en plus violemment.

— Bon Dieu, je crois que je suis en train de crever…

— Je raccroche. J'appelle le 911.

Sa toux était en train de dégénérer.

— Que le 911 aille se faire foutre. Ils vont sûrement te faire poireauter avec une bande musicale. (Il émit une sorte de hoquet, parut maîtriser sa toux.) Putain, je viens de cracher un de ces trucs, on dirait un caillot !

— Tu n'étais pas obligé de me le décrire.

— Ouais, bon, tu survivras, ma poule. Vieillir, c'est l'enfer.

— Alors ? Le *Pacific Rim Weekly Journal* ?

Eddie a souvent besoin d'un petit coup d'aiguillon.

— Ouais, ouais. Économise ta salive et laisse-moi regarder ce qu'on a en stock.

Il était sans doute déjà en train de sonder la base de données informatique de l'*Examiner*.

— Pendant que tu y es, dis-je, vois aussi ce que tu as sur Nguyen Dak et sur Walter Tran.

— Bon Dieu, ce que tu es emmerdant… (Une furieuse expectoration, suivie d'un bruit de crachat.) OK, on y va. C'est la vitrine politique d'un groupe de nationalistes vietnamiens qui veulent reprendre leur pays. Ils figurent sur la liste des organisations à surveiller de la cellule antiterroriste du LAPD.

— Des terroristes politiques ?

— Tu sais que les Cubains de Floride rêvent de déboulonner Castro, non ? Eh bien, c'est le même topo. Le *Pacific Rim Weekly Journal* collecte des fonds et fait du lobbying politique pour décourager la normalisation de nos relations avec les Rouges.

Les Rouges.

— Ils prônent aussi le renversement du pouvoir communiste vietnamien, ce qui, d'après nos statuts, fait d'eux des terroristes et oblige le LAPD à dilapider de l'argent public pour les tenir à l'œil.

— Comment ça, « dilapider » ?

Encore une quinte de toux. Suivie d'un raclement de gorge, et d'un glaviot.

— Putain, t'aurais vu celui-là, on dirait qu'il a des pattes.

— Pourquoi « dilapider », Eddie ?

— On a sorti un reportage sur ces types pour notre édition d'Orange County il y a deux ans. Dak, Tran et certains de leurs potes financent le canard, mais ce n'est pas grâce à lui qu'ils gagnent leur croûte. Tous deux sont des millionnaires partis de rien. Dak faisait la plonge dans un rade jusqu'au jour où il a réussi à économiser quelques dollars pour ouvrir son propre resto de nouilles. Son affaire a accouché d'un tas d'autres restos de nouilles, et assez vite il s'est lancé dans la construction de galeries marchandes. Quant à Tran, il a eu l'heureuse idée d'acheter une shampouineuse à moquette pour se faire un peu d'argent de poche après le travail, et le voilà maintenant à la tête de six cents employés.

Je revis Tran au volant de sa Ferrari.

— Il est tout jeune.

— Tu dois parler de son fils, Walter Junior. Walter Senior doit frôler la soixantaine. Ces gars-là ont débarqué sans rien, et ils profitent aujourd'hui du rêve américain.

— Sauf qu'ils sont répertoriés comme terroristes.

— Ouais, bon, ils ne sont pas venus pour cueillir des oranges. Ils ont fui le Vietnam pour échapper aux communistes et ils meurent d'envie de les faire décaniller et de rentrer chez eux.

— Merci, Eddie.

Je reposai le combiné et observai un moment le ballet des patineurs en méditant sur ces drôles de millionnaires partis de rien et dépourvus d'antécédents criminels qui ne souhaitaient qu'une chose, rentrer chez eux. De braves citoyens, propriétaires d'une petite feuille de chou qui comptait parmi ses employés un faussaire professionnel. Il se pouvait que, ne parvenant plus à tirer suffisamment de fonds des galeries marchandes, du nettoyage de moquette et des comités d'action politique, ils aient décidé, au nom de leur cause, d'étendre leurs activités au monde du crime. Après tout, le crime est l'industrie américaine qui bénéficie à l'heure actuelle du plus fort taux de croissance.

Je téléphonai de nouveau – cette fois à Joe Pike.

— Tu as des nouvelles de Lucy ?

— Oui.

Elle lui avait donné les coordonnées de son vol, et il me fit passer le message. Lucy devait arriver sur un avion de Delta Airlines en provenance de La Nouvelle-Orléans dans un peu moins de deux heures et elle comptait sur moi pour aller la chercher à l'aéroport. Elle s'était organisée pour séjourner chez Tracy ; au cas où je ne pourrais pas être sur place à l'heure dite, je devais prévenir Tracy.

— Et les gosses, ça va ?

Pike raccrocha. Il avait sans doute passé un peu trop de temps en compagnie de Charles.

Je rejoignis l'autoroute et mis le cap au nord, scrutant périodiquement mon rétroviseur en quête de Russes, d'agents fédéraux ou de truands vietnamiens équipés de fusils à pompe Benelli. En les réunissant tous, j'aurais pu organiser une sacrée fiesta.

Le trafic était dense, ça n'avançait guère, mais je me surpris à sourire plus souvent qu'à mon tour. Dans le fond, je me sentais plutôt heureux. Je me rapprochais de Clark et, surtout, je n'étais plus qu'à quelques minutes de voir Lucy. En presque trois jours, je n'avais pris aucune balle, ni aucun coup. Le bonheur est ce qu'on en fait.

Je flottais toujours dans la félicité quand Lucy émergea de la zone de débarquement, m'aperçut et ouvrit les bras. Elle était vêtue d'un ensemble anthracite et portait un petit sac de voyage en bandoulière. Elle ne souriait pas, mais c'était sans importance. Je souriais largement assez pour deux.

Nous nous enlaçâmes. Je sentis la tension des muscles de son dos et de ses épaules, et aussi leur force. Je lui chuchotai à l'oreille :

— C'est bon de te retrouver. Même si c'est pour une raison foireuse.

Ses cheveux sentaient la pêche.

Elle me serra encore plus fort. Un type obèse et chauve fit la grimace parce que nous lui bloquions le passage.

— Tu veux que je t'emmène chez Tracy ?

— Je veux d'abord passer un peu de temps avec toi. Il y a quelque chose dont je dois te parler.

Son visage était calme, vide de toute émotion, et je me dis que ce devait être son expression professionnelle ; celle qu'elle affichait au tribunal ; celle qu'elle avait dû montrer pour réussir à intégrer la fac avec sa bourse de tennis.

— D'accord. Tu as des bagages à récupérer ?

— Seulement ça.

Elle m'autorisa à prendre son sac de voyage et ne parla pas beaucoup tandis que nous rejoignions ma voiture. Concentrée. Tendue. Prête à en découdre. À moins que ce ne soit de la peur.

Quand nous eûmes atteint l'autoroute, elle prit ma main, la posa sur sa cuisse et la pressa fort entre les siennes. Comme si elle redoutait de la voir s'échapper.

— Ben est au courant de ce qui se passe ? demandai-je.

Ses yeux suivaient sans vraiment les voir les innombrables feux arrière qui serpentaient devant nous.

— Non. Je l'ai toujours laissé à l'écart de nos disputes. Il me semble que ça vaut mieux.

J'acquiesçai.

— Je ne veux pas qu'il se retrouve au milieu de tout ce linge sale.

— Bien sûr.

Elle regarda de mon côté.

— Toi non plus.

Tandis que je me tournais vers elle, une femme qui conduisait une Jaguar noire se rabattit juste devant nous, m'obligeant à freiner.

— Luce, il n'y a pas de « milieu » pour moi dans cette affaire. Je t'aime et je suis avec toi. Je t'aiderai au maximum.

Un minuscule sourire ourla ses lèvres. Si infime qu'il était presque impossible à voir. Que je faillis ne pas le voir.

— Je sais, souffla-t-elle, mais je vais devoir régler le problème toute seule.

Je restai silencieux.

— Il est très important pour moi que tu comprennes que ce n'est pas de l'égoïsme. Et que Ben n'a rien à voir là-dedans.

— D'accord.

— Lorsque nous avons divorcé, j'ai accordé à Richard son droit de visite, sans restriction. Il n'en a jamais profité. Quand Ben allait chez lui le week-end ou pendant les vacances, Richard n'était jamais là. Soit il engageait une baby-sitter, soit il déposait Ben chez sa grand-mère. Ce qui se passe actuellement ne concerne pas Ben, mais moi, et le besoin qu'a Richard de me contrôler. Alors, s'il te plaît, ne me prends pas pour une cinglée qui essaierait de priver un homme de son fils. (Elle me regarda, et quelque chose qui ressemblait à une profonde souffrance transparut derrière son masque.) Je ne suis pas une salope, Elvis.

— Je sais bien.

À la façon dont elle venait de parler, on aurait pu croire qu'elle avait ruminé ça pendant tout le trajet. Ce qui était probablement le cas.

— Et tu n'as aucun compte à me rendre pour ce qui est de ton mariage, ajoutai-je.

Elle baissa les yeux vers nos mains entrelacées sur sa cuisse.

— Je sais que tu veux m'aider à régler ce problème. Tu l'as déjà fait, et je t'en suis reconnaissante, mais ton aide doit s'arrêter là. (Elle me triturait les doigts. Regardant son visage, je m'aperçus qu'elle retenait ses larmes.) Je ne veux plus que ma vie soit une histoire de triangles. Ce ne serait pas juste pour toi, et ce ne serait pas juste pour moi. Richard est mon erreur, et je dois l'assumer. Seule.

Que répondre ?

— Ce problème ne concerne que Richard et moi – personne d'autre, reprit-elle. J'ai besoin qu'il soit résolu de cette façon. Tu me comprends ?

— Non.

Elle fronça les sourcils.

— C'est une question de pouvoir, et il faut absolument que Richard saisisse qu'il ne peut ni me contrôler ni m'intimider. (Son froncement de sourcils s'accentua.) J'ai besoin de me prouver que je peux lui faire face toute seule.

Je la fixai. Lucy me paraissait être la femme la plus incontrôlable que j'aie jamais rencontrée, mais peut-être n'avait-elle pas toujours été ainsi. Peut-être avait-elle besoin de se le remémorer.

— Je pourrais le descendre. Ça réglerait le problème.

Elle sourit – un sourire plein de chaleur.

— Je sais. Mais j'aurais été sauvée par toi, je ne me serais pas sauvée moi-même. Crois-moi, Elvis, c'est à moi de m'en occuper.

— Soit.

— J'ai besoin de savoir que j'en suis capable.

— Tu ne veux pas non plus que je t'accompagne à KROK ?

Elle me pressa la main.

— Non, il ne faut pas.

J'encaissai. En m'efforçant de ne pas paraître vexé.

— Richard et moi, on sera seuls sur le ring, et quand je lui aurai botté le cul et que j'aurai expédié son vieux copain dans les cordes, crois-moi, il y réfléchira à deux fois avant de réessayer un coup tordu de ce genre.

Je la dévisageai en me disant que, décidément, Lucy était la plus belle femme que j'aie jamais vue.

— Et après ? Je pourrai le descendre ?

Elle sourit encore, me tapota la main.

— On verra.

Ouf. Une raison de tenir.

— Quand est-ce que tu vois les gens de KROK ?

— Tracy a organisé un rendez-vous pour demain après-midi.

Demain, le scanner arrivait à l'aéroport. Pike et moi allions l'attendre, puis le suivre en espérant qu'il nous conduirait à Clark.

— Je serai occupé.

Elle me pressa de nouveau la main.

— Bien sûr, mon ange. C'est dans l'ordre des choses. (Nouvelle pression sur ma main.) Et moi, j'ai de l'amour à te donner.

— Bon.

Nous achevâmes la montée de Sepulveda Pass, atteignîmes la Vallée et poursuivîmes silencieusement notre route vers le duplex.

23

Une délicieuse odeur de romarin et de poulet mijoté flottait dans le duplex. Joe et Teri s'affairaient dans la cuisine, tandis que Winona et Charles étaient assis dans le salon, téléviseur éteint. Pike avait manifestement fixé les limites.

— Ça sent superbon ! m'exclamai-je.

Winona vint vers nous en sautillant.

— Teri et Joe ont fait du poulet. Bonjour, Lucy.

— Salut, mon chou.

Resté dans le salon, Charles grommela un bonjour en épiant Lucy du coin de l'œil. Teri, face à la forêt de casseroles qui encombraient la plaque chauffante, garda le silence.

Lucy entra dans la cuisine et la prit dans ses bras.

— Comment vas-tu, petit ange ?

— Bien.

Raide, sèche, concentrée sur ses casseroles.

— Ça sent délicieusement bon, reprit Lucy. C'est quoi ? Un poulet au romarin ?

— Mmm.

Lucy revint vers moi et me prit par la main. Teri fronça les sourcils et, soudain, me décocha un sourire éblouissant, comme si Lucy n'existait pas.

— Je vous en ai gardé un peu, Elvis. (Son sourire se teinta de tristesse quand elle regarda Lucy.) Mais je ne pense pas qu'il y en ait assez pour deux.

Je la dévisageai.

— Aucun problème, dit Lucy. Je vais téléphoner à Tracy et lui expliquer comment venir jusqu'ici.

— Je t'accompagne, si tu veux.

Lucy sourit largement, et je sentis qu'elle faisait de son mieux pour garder à son sourire des proportions raisonnables.

— Non. Elle a prévu de parler stratégie autour d'un bon dîner. On sort entre filles.

Je dévisageai Teri un instant et conduisis Lucy au téléphone du salon. Elle s'assit sur le bras du canapé pour passer son coup de fil.

Dans la cuisine, Teri me fixait, rayonnante.

— Il n'y en aura pas pour longtemps pour réchauffer le poulet. Vous voulez manger quand ?

— Plus tard.

Qu'est-ce qui lui prenait ?

Elle retourna à ses casseroles.

— Je le mets en route, me lança-t-elle. Comme ça, vous pourrez manger quand vous voudrez.

La fée du logis, heureuse comme une abeille à la ruche.

— Je vous apporte une bière ?

— Non.

— Vous avez retrouvé papa ? demanda Winona.

— Pas encore.

Charles, qui regardait attentivement Lucy assise sur le bras du canapé, changea de position et se tordit le cou. Au bout d'un moment, je compris son manège. Ce petit saligaud essayait de mater sous sa jupe.

— Charles !

Il décampa.

— J'ai rien fait !

Encore une joyeuse soirée en perspective à la colo Cole.

Lucy parla avec Tracy avant de me la passer pour que je lui indique le chemin. Elles discutèrent deux ou trois minutes de plus, puis Lucy raccrocha.

— Tracy pense être là dans une demi-heure environ.

Pike me montra le haut de l'escalier.

— Il faudrait qu'on parle.

— Pourquoi là-haut ? s'indigna Charles. Pourquoi pas ici, devant nous ?

— Elvis sait ce qu'il fait, rétorqua Teri. Laisse-le tranquille.

Elle se détourna de son fourneau et décocha à Lucy un regard dénué de chaleur.

— Je vous préviendrai à la seconde où votre amie sera là.

Je dévisageai Lucy, Teri, et de nouveau Lucy. L'œil pétillant, elle m'entraîna vers l'escalier.

À l'étage, quand nous eûmes refermé la porte de la chambre-bureau, je me tournai vers elle :

— Qu'est-ce qu'il y a ?

Le sourire de Lucy s'élargit.

— Tu n'as pas compris ?

— Compris quoi ?

Monsieur Débile.

Lucy se tourna vers Pike, dont les coins de la bouche frémirent.

— Qu'est-ce qu'il y a ? répétai-je.

— Elle en pince pour toi, abruti.

Mon regard s'arrêta sur Pike.

— Tu trouves ça drôle ?

Nouveau frémissement. Tout le monde semblait trouver la chose amusante – sauf moi.

— Réfléchis un peu, fit Lucy. Elle s'est toujours occupée des autres. C'est la première fois qu'une figure masculine s'intéresse à elle.

— Génial.

— Sans compter que tu es mignon comme tout. On ne peut pas le lui reprocher, si ?

Lucy m'expédia un petit coup de coude, et je lus dans ses yeux qu'elle trouvait la situation comique. Ce n'était pas mon cas.

— Parle-moi du journal, intervint Pike.

Nous nous assîmes tous trois par terre dans le bureau, la main de Lucy dans la mienne, et je les mis au courant de ce qui s'était passé. Je leur parlai du journal gratuit, de la Ferrari, des trois gaillards patibulaires armés de fusils à pompe, et de ce que m'avais appris Eddie Ditko sur Dak et Tran. La présence de Lucy me mettait à l'aise. En irait-il de même quand elle vivrait près de moi à temps complet ?

— Je ne trouve pas qu'ils ressemblent à des terroristes, déclara Lucy lorsque j'eus terminé.

Je haussai les épaules.

— Ils ne ressemblent pas non plus à des criminels, mais ils ont engagé un faussaire, et trois d'entre eux m'ont menacé avec un fusil.

Pike opina. À coup sûr, l'histoire des fusils à pompe lui plaisait.

— Qu'est-ce que tu comptes faire ? me demanda Lucy.

— Le scanner arrive à l'aéroport demain. Je pense aller l'attendre avec Joe, suivre la personne qui en prendra livraison et voir si elle nous mène à Clark.

Lucy fit la moue et soupira.

— Tout ça dépasse largement le cadre d'une simple affaire de parent disparu. Je crois que vous devriez laisser la police prendre le relais.

— Si je préviens la police, Clark sera arrêté.

— Peut-être qu'il le mérite.

— Je ne fais pas ça pour Clark. Je le fais pour ses enfants. Clark n'est pas le meilleur père du monde, mais s'il se retrouve en prison, les Markov pourront facilement l'éliminer. Si je le retrouve avant qu'il ne fasse une connerie, j'arriverai peut-être à lui faire peur et à l'inciter à revenir dans le droit chemin.

Lucy ne paraissait pas convaincue.

— En plus, ajoutai-je, j'ai promis à Teri de le retrouver.

Elle soupira de plus belle.

— Les autres craquent pour un médecin ou un ingénieur. Moi, je me suis entichée de Batman.

— C'est la cape, fit Pike. Les femmes en raffolent.

Quelqu'un tambourina à la porte, et Charles hurla :

— Y a une meuf qu'est là !

Si fort que la moitié des habitants de la résidence durent l'entendre.

— C'est sûrement Tracy, dit Lucy.

Nous échangeâmes un regard. Je serrai sa main un peu plus fort. J'avais l'impression que si je la lâchais, chacun de nous suivrait son chemin, et qu'ensuite je risquais de la perdre.

— Je préférerais que tu restes, remarquai-je.

— Je sais. Moi aussi.

Nous redescendîmes tous les trois.

Tracy Mannos nous attendait dans l'entrée. Elle semblait lasse, mais résolue. J'embrassai Lucy, Pike lui donna l'accolade, et elle s'en fut avec Tracy.

— Et merde…, grognai-je.

— Votre dîner est prêt, m'annonça Teri.

Toujours avec ce sourire rayonnant.

Je la regardai quelques fractions de seconde avant de me tourner vers Charles et Winona, assis sur le canapé, face à la télévision.

— J'ai peut-être une piste en ce qui concerne votre père, mais, pour la suivre, je vais avoir besoin de l'aide de Joe. Vous pourriez vous débrouiller seuls demain ?

Teri emplit une assiette de riz, de poulet et de quelque chose qui ressemblait à du coulis de tomates. Elle la déposa sur la table, où un couvert unique avait été mis avec soin.

— Bien sûr, idiot. (Idiot ? Moi ?) Quand on a fait appel à vous, on se débrouillait seuls depuis onze jours, non ?

J'opinai. Je m'assis.

— Je vous apporte une bière ?

— Je vais la chercher.

Je fis mine de me lever, mais elle me repoussa sur ma chaise. Avec force.

— Je suis déjà debout.

Elle alla chercher la bière, l'ouvrit et la déposa sur la table devant mon assiette.

— Merci.

Souriante, elle s'installa en face de moi.

— Vous n'avez pas besoin de vous asseoir devant moi.

— J'en ai envie.

Pike monta l'escalier. Sûr qu'il n'en pouvait plus.

Je dévisageai Teri. Elle soutint mon regard.

— C'est bon ?

— Très, fis-je en hochant la tête.

Elle battit des cils, soupira.

Et merde.

24

Le lendemain, Pike et moi partîmes de bonne heure pour l'aéroport, quittant le duplex au moment où le soleil enflammait le ciel à l'est. En ce début de matinée, l'air était calme et doux, et nous fîmes un chrono tout à fait correct : bien qu'alimentée par les banlieusards de Simi et d'Antelope Valley qui commençaient à converger sur le bassin de Los Angeles, la circulation restait fluide.

— Dans le fond, dis-je à Pike, on n'est pas autre chose que deux mecs qui partent au boulot.

— Hmm-hmm.

Un gros fusil à pompe Beretta à chargement automatique était couché entre nous sur le plancher. J'avais mon Dan Wesson, et Pike son Python – et peut-être aussi un missile MX, allez savoir. Ouais, deux mecs qui partaient au boulot.

Nous quittâmes l'autoroute de San Diego à hauteur de la voie express Howard Hughes et traversâmes Westchester vers le sud pour rejoindre l'aéroport. L'arrivée du scanner était prévue pour neuf heures, et, d'après le vendeur new-yorkais que j'avais eu au bout du fil, il attendrait son destinataire au bureau des retraits des petits paquets, aux arrivées. Étant donné ses faibles dimensions, il serait déposé sur le tapis roulant avec le reste des bagages de soute. Un employé d'United Airlines viendrait l'y chercher pour le porter au bureau des retraits en attendant que quelqu'un du *Journal* passe le retirer. Il se pouvait que ce soit Clark, mais plus vraisemblablement il s'agirait de quelqu'un que nous ne connaissions pas. Aussi fallait-il que nous soyons en mesure d'identifier le colis, afin de pouvoir suivre son parcours.

Nous laissâmes la jeep de Pike le long du trottoir des arrivées, aussi près que possible de la zone de réception des bagages, et pénétrâmes dans le bureau des retraits. La jolie Noire du comptoir était en train de remettre plusieurs petits paquets à un livreur de messagerie express en uniforme gris.

— Excusez-moi, l'interpellai-je dès qu'elle eut fini avec le livreur. Vous pourriez me dire sur quel tapis doivent arriver les bagages du vol nº 5 United Airlines ?

— Tapis 4. Mais ce vol n'arrive qu'à neuf heures. Vous êtes terriblement en avance.

Je souris.

— Ma femme est à bord, et elle m'a beaucoup manqué.

Ma femme.

— Si c'est pas mignon.

La population de l'aérogare augmentait et refluait au rythme des vols nationaux du début de matinée – New York, Miami ou Chicago –, puis elle s'accrut régulièrement à mesure que les vols se multipliaient. À huit heures et demie, Pike et moi nous séparâmes et prîmes position de manière à contrôler toutes les issues au cas où Clark apparaîtrait. Ce ne fut pas le cas. Un groupe de Hare Krishnas fendit la foule en agitant ses tambourins et en essayant de vendre sa prose, mais fit un crochet au moment d'atteindre Pike. Bel exemple d'instinct de survie.

À neuf heures pétantes, le panneau des arrivées annonça que le vol nº 5 venait d'atterrir. Quelques minutes plus tard, le tapis roulant se mit en branle et les premiers bagages entamèrent leur défilé. Le quatrième était une boîte en carton blanc flanquée d'une étiquette d'expédition jaune. Pike s'approcha du tapis, scruta discrètement l'étiquette et revint vers moi.

— *Pacific Rim Weekly Journal.*

Vingt minutes plus tard, la foule et les bagages avaient quasiment disparu. La jolie Noire approcha, prit la boîte en carton et l'emporta vers son bureau.

— On surveille le colis, glissai-je à Pike. Pas les gens.

Plusieurs personnes passèrent dans le bureau, mais aucune n'en ressortit avec la boîte blanche.

Nous attendîmes encore un peu.

— Tu leur as peut-être fait peur, me fit observer Pike.

Rien de tel qu'une bonne marque de soutien de la part de son coéquipier.

À dix heures seize, nous faisions toujours le poireau quand un Asiatique, peu après son entrée dans le bureau des retraits, refit son apparition, la boîte blanche sous le bras. Je me tournai vers Pike.

— Ha, ha !

Nous le suivîmes – à pied jusqu'à une camionnette blanche dépourvue de tout logo, puis en voiture jusqu'à l'autoroute de San Diego, qu'il emprunta vers le sud. Il nous fallut près d'une heure trois quarts pour atteindre Long Beach. Apparemment, le chauffeur de la camionnette n'était pas pressé. Nous non plus.

— Sûrement payé à l'heure, commenta Pike.

Cynique.

La camionnette abandonna l'autoroute à la hauteur de l'aéroport régional de Long Beach et partit vers le nord en longeant les pistes par l'ouest jusqu'à une zone commerciale ; là, elle s'immobilisa sur un parking aménagé entre deux énormes entrepôts modernes. Les bâtiments, peints en beige, n'arboraient aucune enseigne. Nous roulâmes jusqu'à l'entrepôt suivant, fîmes demi-tour et revînmes au ralenti, ce qui nous permit de voir notre homme pénétrer dans le bâtiment nord, le colis sous le bras.

— Combien tu paries que Clark est là-dedans ? fis-je.

— On débarque, répondit Pike, on les descend tous et on le sort de là par la peau du cou.

On ne sait jamais s'il plaisante.

Toute la rue était bordée d'édifices similaires, dont la plupart accueillaient des entreprises spécialisées dans les revêtements de sol, l'électroménager ou l'ameublement en rotin. Après avoir stationné le long du trottoir opposé, nous contournâmes l'entrepôt au petit trot, Pike longeant le côté nord, moi traversant le parking. Le bâtiment semblait divisé en deux parties, avec des bureaux à l'avant et trois portails d'embarquement pour camions aménagés à intervalles réguliers côté parking. Aucune fenêtre. Le lieu idéal pour la pratique tranquille d'une activité illégale. La porte d'accès pour piétons de la façade avant était massive, de type industriel, et fermée. Le chauffeur de la camionnette était entré par une porte latérale – fermée elle aussi. À se demander si les extraterrestres de Roswell n'étaient pas planqués quelque part à l'intérieur.

Je venais d'atteindre une rangée de poubelles derrière l'entrepôt quand la porte par où était entré le chauffeur se rouvrit brutalement. Ce dernier en ressortit avec trois autres hommes, riant grassement. L'un d'eux m'était inconnu, mais j'identifiai immédiatement les deux autres : ils m'avaient chassé du *Journal* en me montrant leur fusil à pompe. Pike me rejoignit à pas feutrés, et nous vîmes les quatre hommes grimper dans la camionnette et s'en aller.

— Les deux du milieu, c'est eux qui m'ont menacé, hier, devant le siège du canard.

Pike ne réagit pas. Comme s'il s'en fichait éperdument.

— Rien à signaler de l'autre côté ? demandai-je.

— Deux portes. Fermées. Aucune fenêtre.

— Je crois que Clark est là-dedans. Il se peut qu'il ne soit pas seul, mais avec les quatre qui viennent de sortir, c'est le moment ou jamais.

— Si on se contentait d'appeler la police ?

Je me tournai vers lui en fronçant les sourcils.

— C'était pour rire, ajouta-t-il. Et si Clark refuse de nous suivre ?

J'avisai la porte latérale par laquelle venaient de ressortir les quatre types. Ils ne l'avaient pas verrouillée.

— Clark nous suivra, quitte à ce que je lui mette mon flingue sur la tempe. Il nous suivra, on se réunira tous ensemble avec ses gosses et on verra ce qu'on fait. (Sans doute parlais-je plus pour moi que pour Pike.) Mais je te garantis qu'il nous suivra.

— Optimiste.

Nous dégainâmes et entrâmes par la porte latérale dans un long couloir blanc qui empestait l'eau de Javel. Peu après, le couloir se séparait en deux branches, une tout droit et l'autre à gauche. Pike me consulta du regard, et je lui fis signe d'aller tout droit.

Nous passâmes à hauteur d'une enfilade de petits bureaux déserts avant d'atteindre la porte du fond, devant laquelle nous nous arrêtâmes pour tendre l'oreille. Toujours aucun bruit, mais l'odeur de Javel était de plus en plus forte.

— Ça schlingue, grogna Pike.

— Peut-être qu'ils font dissoudre des cadavres.

Pike se tourna vers moi.

— C'est de l'acide. Pour graver les plaques lithographiques.

À croire qu'il s'y connaissait en imprimerie.

Nous ouvrîmes doucement et découvrîmes une salle immense, profonde, aménagée sur deux niveaux grâce à une mezzanine et éclairée par des rangées de tubes fluorescents qui emplissaient l'espace d'une lumière argentée. Une presse lithographique trônait en son centre, entourée par deux longues tables sur lesquelles étaient alignés des pots d'encre indigo, des bacs d'acide et diverses fournitures d'imprimerie. Des chatons virtuels se poursuivaient au ralenti sur l'écran de veille d'un

Mac dernier cri. Le scanner, toujours dans son emballage d'origine, était posé par terre juste à côté du Macintosh. Je repérai aussi un photocopieur couleur à côté de la presse, ainsi que trois séchoirs à chargement frontal adossés au mur du fond. L'odeur d'encre à base d'huile était si forte que j'eus presque l'impression de m'enfoncer dans une nappe de brouillard.

— Pas de doute, constatai-je, Clark a décidé de relancer la planche à billets.

— Oui. Mais pour imprimer quoi ?

Pike m'indiqua d'un coup de menton une série de grandes caisses en bois empilées sur plusieurs palettes près de la porte. Elles portaient des étiquettes, mais dans un alphabet qui n'était pas le nôtre.

La caisse du haut avait été ouverte, laissant voir des rames de papier emballées dans du plastique blanc. Un de ces emballages avait été déchiré. Il contenait du papier monnaie. Chaque feuille mesurait environ soixante centimètres sur quarante-cinq. Apparemment, c'était un papier à haute teneur en lin, strié de fibres orange vif. Je crus deviner un filigrane, mais je ne parvins pas à en distinguer le motif.

— Les dollars n'ont pas de fibres orangées, soufflai-je.

Pike s'approcha d'une des tables.

— Tu crois qu'il va tirer de l'argent russe ? lui demandai-je.

— Pas russe. Ni américain.

Pike leva à la lumière un négatif photographique. De loin, je crus qu'il s'agissait d'une coupure en dollars, mais de plus près cela n'avait rien à voir : une valeur nominale de 50 000, et une effigie qui ne ressemblait ni à celle de Washington, ni à celle de Franklin, ni même à celle de Lénine. Il s'agissait de Hô Chi Minh. La bouche de Pike se contracta.

— Clark se prépare à imprimer de la monnaie vietnamienne.

Je reposai le négatif.

— Cela ne change rien au fait qu'on doit lui remettre la main dessus, dis-je.

Nous reprîmes le couloir en direction de l'avant de l'entrepôt. Un peu plus loin, il s'élargissait en une sorte de hall d'où partait un second couloir sur la droite avec d'autres bureaux. En passant devant le premier d'entre eux, je remarquai un étroit lit de camp déplié contre un mur, avec un vieux sac de couchage jeté dessus.

— Ici.

Nous entrâmes.

— On dirait qu'il crèche sur place jusqu'à ce que le boulot soit terminé.

Clark était là peu de temps auparavant. Un sac de voyage était posé par terre à côté du lit de camp, ainsi qu'une table pliante bon marché avec une chaise assortie contre le mur opposé. Sur cette table, un poste de radio, quelques affaires de toilette et deux revues techniques. Au sol, des boîtes de soda vides, quelques vieux emballages de hamburger, une grande bouteille de Maalox et un tube aux trois quarts vide de dentifrice à la cerise. La pièce sentait la sueur, la crasse et autre chose de plus inquiétant. Une bougie, une boîte d'allumettes, une cuiller et un gros élastique reposaient sur la table. Du matériel de toxico.

— Putain. Cet enfoiré a dû ressortir pour s'acheter de la came.

— Elvis.

Pike, debout à côté du sac de voyage, tenait à la main une enveloppe chiffonnée. Je crus un instant qu'il venait de trouver un indice capable de nous conduire à Clark, mais non. L'enveloppe, adressée à *M. Clark Haines*, Tucson, portait l'en-tête d'un institut médical de l'Arizona. Le cachet de la poste remontait à trois mois, juste avant le départ des Hewitt pour Los Angeles.

Je sentis en l'ouvrant une vague de froid m'envahir, et cette sensation ne fit qu'empirer à mesure que mes yeux parcouraient les lignes.

La lettre, signée du Dr Barbara Stevenson, oncologue, confirmait une série de résultats d'analyses indiquant que M. Haines était porteur de tumeurs cancéreuses disséminées dans l'estomac, l'intestin grêle et le gros intestin. Le Dr Stevenson évoquait une possibilité de traitement et soulignait que M. Haines n'avait répondu à aucun des appels téléphoniques qui lui avaient été adressés à ce sujet. Le médecin déclarait comprendre que les gens puissent éprouver des difficultés à affronter ce type de nouvelle mais ajoutait que son expérience lui avait appris qu'un protocole thérapeutique correctement administré et supervisé pouvait rendre ou conserver au patient une qualité de vie acceptable, même quand il se trouvait, comme Clark, en phase terminale.

Le Dr Barbara Stevenson avait eu la bonne idée de joindre à sa lettre un petit dépliant intitulé *Vivre avec son cancer*.

Sans doute Jasper avait-il raison : Clark n'était pas ce qu'il paraissait être. Je levai les yeux sur Pike.

— Clark est foutu.

— Oui.

Ce fut alors qu'un homme au visage menaçant, muni d'un AK-47, apparut sur le seuil et lança :

— Vous aussi.

25

Le nouvel arrivant était un Asiatique d'un certain âge, au visage si dur qu'on l'aurait cru taillé dans un bloc d'ambre.

— Les mains sur la tête, ordonna-t-il en agitant son AK. Les doigts noués.

Malgré son accent à couper au couteau, nous comprîmes.

— Ce bâtiment est cerné par les services secrets des États-Unis, déclarai-je. Déposez votre arme, et nous ne serons pas obligés de vous abattre.

— Les doigts !

Il n'avait pas l'air de trouver ma blague très drôle.

Il recula d'un demi-pas vers le couloir et, instantanément, Pike se décala d'un pas sur la droite. À peine eut-il bougé que l'homme s'accroupit à moitié et nicha la crosse du AK au creux de son épaule – le coude droit levé à plus de quatre-vingt-dix degrés, le coude gauche juste sous le chargeur de l'AK, le viseur dans l'axe de son regard. La position de tir parfaite. Parfaite à force d'avoir été répétée, comme si ce mec avait grandi avec une sulfateuse entre les mains et qu'il savait exactement quoi en faire.

— Joe, fis-je.

Pike interrompit son mouvement.

Sans nous quitter des yeux, l'Asiatique cria quelque chose en direction du couloir. Au loin, une porte s'ouvrit avec fracas, et Walter Tran Junior déboula coudes au corps, excité et en nage, glissant sur le carrelage avec ses pompes de luxe. Il m'aperçut, et ses yeux s'écarquillèrent :

— Putain de merde !

Il fourragea dans son blouson et réussit à en extraire un petit pistolet argenté de calibre 380 qui lui échappa presque aussitôt des mains.

— Détendez-vous, Walter, dis-je. On n'a pas l'intention de bouger.

Il ramassa son flingue, le tritura frénétiquement pour défaire le cran de sûreté et le pointa involontairement sur le vieux, qui lui lança un ordre sec en vietnamien en faisant retomber l'arme d'une gifle.

— Tu finiras par te tuer tout seul, ajouta-t-il en anglais.

— Respirez lentement, Walter, suggérai-je.

Walter Junior me désigna d'un doigt tremblant.

— Lui, c'est celui qui est venu au journal ! L'autre, je ne l'ai jamais vu !

Pike, réduit au statut d'« autre » !

Le vieux plissa les yeux en m'observant.

— Il vient de me dire qu'il travaille pour les services secrets.

— Putain de merde ! s'écria Walter Junior.

Et il s'enfuit dans le couloir.

— C'était pour rire, expliquai-je. En fait, nous sommes détectives privés.

— Ça lui fait de l'exercice, commenta le vieux, fataliste.

La porte invisible se rouvrit brutalement, et Walter Junior fit de nouveau irruption sur le seuil en freinant des quatre fers, suivi de peu par Nguyen Dak et par deux des gorilles qui m'avaient chassé du *Journal*.

— On devrait vendre des billets, remarquai-je. À ce train-là, ce sera bientôt complet.

Cette blague-là non plus n'amusa personne.

Nguyen Dak portait un superbe costume de laine qui avait dû lui coûter trois plaques.

— On vous avait pourtant dit d'aller voir ailleurs, lâcha-t-il en me regardant.

— Clark Hewitt a trois enfants, et c'est moi qui m'en occupe en ce moment. Des truands russes de Seattle le recherchent pour lui faire la peau. Ils cherchent aussi ses enfants.

— Vous auriez dû nous écouter.

Il se fichait éperdument de mon explication.

— Nous avons été engagés par les enfants Hewitt, repris-je. Ce que vous imprimez ne nous intéresse absolument pas.

Là encore, ça lui faisait une belle jambe.

Ils ordonnèrent de nous allonger face contre terre, les mains jointes derrière la nuque, et nous fouillèrent comme s'ils cherchaient un micro ou un émetteur. Dak avait placé les deux gorilles de chaque côté de la pièce, de manière qu'ils puissent nous avoir en ligne de mire sans risquer de se descendre l'un l'autre. Le type au AK nous soulagea de nos armes et de nos portefeuilles, qu'il lança à Dak, après quoi il nous attacha les poignets dans le dos avec du fil électrique. J'entendis Dak l'appeler « Mon ». Quand nos mains furent liées, on nous assit chacun sur une chaise pliante.

— La journée avait pourtant bien commencé, soupirai-je.

Dak fit un geste, et un des gorilles m'assena un coup de poing sur la tempe. C'était reparti pour un tour – comme à Seattle.

Dak examina d'abord mon portefeuille, puis celui de Pike, avant de les remettre tous les deux à Mon, le type au AK.

— Des privés.

— Je vous l'avais dit, observai-je.

— Vous avez aussi dit que ce monsieur et vous-même faisiez partie des services secrets.

— Une mauvaise plaisanterie.

Dak me foudroya du regard.

— Nous sommes à la recherche de Clark Hewitt, ajoutai-je. Nous savons qu'il travaille pour vous et nous savons qu'il est venu ici.

Dak s'alluma une cigarette et m'examina un instant à travers le rideau de fumée. Mon marmonna quelques mots en vietnamien, mais Dak ne répondit pas.

— Nous avons un problème, lâcha-t-il enfin.

— J'avais deviné.

— Vous travaillez pour qui ?

— Les enfants de Clark Hewitt.

Encore une bouffée, encore de la fumée.

— Le FBI ?

Je haussai les épaules.

— Si c'est vrai, votre problème est encore plus sérieux que vous ne le pensez. (Je sentis qu'il s'en rendait compte et que cela ne lui faisait pas plaisir.) Si nous sommes des agents fédéraux, d'autres agents fédéraux savent forcément où nous sommes. Et s'ils savent où nous sommes et qu'on nous retrouve morts, vous serez vite de l'histoire ancienne.

Dak crispa les mâchoires, agita sa cigarette.

— Je vous avais dit de ne pas vous mêler de nos affaires, et vous ne m'avez pas écouté. Vous vous êtes introduit sur notre propriété. Vous avez vu des choses que vous n'auriez pas dû voir.

— Peu m'importe ce que vous vous préparez à imprimer et dans quel but. Si je suis ici, c'est uniquement parce que Clark Hewitt et ses enfants sont en danger.

Mon parla de nouveau en vietnamien, plus fort que la fois précédente. Dak lui répondit en criant, et les autres se mirent à regarder alternativement l'un et l'autre, comme au tennis ; peut-être étaient-ils en train de discuter du fait qu'il fallait nous tuer ici et maintenant, nous liquider à la seconde, dans ce bureau. Ils en débattaient encore quand Clark Hewitt fit son apparition, escorté de Walter Senior et d'un jeune homme. Vêtu d'une chemise de coton bas de gamme, d'un pantalon flottant et d'une paire de tennis de toile usées jusqu'à la corde, Clark avait le regard perdu de quelqu'un qui vient de se camer.

— Ô mon Dieu..., fit-il en nous voyant.

Un éclair embrasa le regard de Dak, qui jeta sa cigarette.

— Sortez-le d'ici.

Le jeune entraînait Clark dans le couloir quand je lançai :

— Les Russes sont là, Clark. J'ai mis vos enfants à l'abri, mais ils sont toujours en danger.

Clark revint dans la pièce.

— Où sont-ils ?

— Chez un ami à moi.

Dak ordonna de nouveau au jeune d'emmener Clark, mais quand le jeune lui attrapa le bras Clark se dégagea.

— Laissez-moi tranquille !

— Je ne fais que protéger ses enfants, dis-je en m'adressant à Dak. Des tueurs professionnels de Seattle sont descendus à L.A. pour lui faire la peau. Il sait que c'est vrai, ajoutai-je en me tournant vers Clark. Les Russes ont tué Wilson Brownell après l'avoir torturé. Ils en savent maintenant autant que lui.

Le visage de Clark se décomposa.

— Qu'est-ce que vous dites ? Ils ont tué Wil ?

Mon hurla de plus belle. Cette fois, il se fraya un chemin entre les gorilles et nous mit en joue avec son AK.

— Non ! glapit Clark.

Il se jeta en avant et poussa Mon en arrière. Les deux Walter et les autres Vietnamiens se mirent aussitôt à tourbillonner autour de lui comme des mouches, et Dak le gifla violemment au visage, aller-retour. Mais Clark ne baissa pas les bras. Il essaya de balancer des coups de poing à Dak – de grands gnons maladroits et dénués de puissance – et continua de se battre jusqu'au moment où il se retrouva coincé, un Walter pendu à chaque bras, pendant qu'un troisième Vietnamien l'étranglait d'une clé au cou. Pas de doute, ce Clark était quelqu'un de surprenant.

— Ça va se payer cher, murmura Pike.

Les trois hommes éloignèrent Clark de Mon, et Dak fit un geste sec dans notre direction en disant :

— Tuez-les.

— Si vous les tuez, hurla Clark, ne comptez pas sur moi pour imprimer vos fichus dôngs !

Dak se rembrunit. Il secoua Clark comme un prunier.

— Vous avez accepté ce travail et vous allez le terminer !

— Va te faire !

La réplique de Clark s'accompagna d'une giclée de salive qui s'écrasa sur la chemise de Dak.

Mon, lassé de tout ce caquetage, écarta Dak de son chemin et se rua vers nous en aboyant en vietnamien.

— Non ! cria Clark en le ceinturant par-derrière.

Dak, Mon et les deux gorilles se bousculèrent les uns les autres en se criant dessus, et je crus deviner ce dont il était question. Ces types étaient des révolutionnaires, mais aussi des hommes d'affaires ayant une famille, un patrimoine, bref, un tas de choses à perdre au cas où ils viendraient à être découverts. Ils vociféraient qu'il fallait nous tuer et, manifestement, ils en avaient très envie. Je sentis Pike se raidir à côté de moi. Sans doute se disait-il que, si les deux jeunes Vietnamiens continuaient de regarder les autres sans bouger, il tenterait sa chance et bondirait de sa chaise. Peut-être réussirait-il à en percuter un avec une force suffisante pour lui faire lâcher son arme, et peut-être même pourrait-il récupérer cette arme et causer quelques dégâts avec, malgré ses mains liées.

Putain de matinée. Descendre à Orange County et mourir.

— Clark, lançai-je, les Russes savent tout ce que savait Brownell. Ils ont votre adresse, votre numéro de téléphone, et ça leur donne un sacré avantage. Si j'ai pu vous retrouver, ils y arriveront aussi.

Clark se tordait le cou, tâchant de m'entendre par-dessus la mêlée et les cris. Un voile de sueur lui couvrait le visage. Il était livide et semblait nauséeux. Héroïne ou pas, cette saloperie qui le rongeait devait le faire sacrément souffrir.

— J'ai mis vos gosses en lieu sûr, mais il va falloir que vous agissiez. Soit en réintégrant le programme, soit en quittant la ville.

Le regard de Clark faisait la navette entre les Vietnamiens et moi, les Vietnamiens et moi, encore et encore.

— J'ai besoin de cet argent, lâcha-t-il.

L'argent qu'ils lui avaient promis pour imprimer les dôngs.

— À quoi vous servira-t-il si les Russes assassinent vos enfants ?

Les cris étaient en train d'atteindre un pic sonore inimaginable quand Dak arracha le AK des mains de Mon et s'en servit pour repousser Clark vers la porte.

— Nous avons fourni le papier ! hurla-t-il. Nous avons fourni les machines ! Passez dans l'autre salle et faites les dôngs !

Clark ne passa pas dans l'autre salle. Il réussit à s'emparer du AK et cria :

— Je n'irai nulle part ! Si vous les tuez, pas question que j'imprime vos fichus billets !

Dak soufflait si fort qu'on aurait dit des mugissements.

Un autre Vietnamien se jeta sur Clark pour lui arracher le AK, mais Dak cria un mot, un seul, et l'homme stoppa net. Tous deux soufflaient fort. Clark aussi. Ça soufflait de partout. Clark attrapa

Dak par le revers de sa veste et le secoua. Son visage était si blanc que je craignis qu'il ne tourne de l'œil.

— Mes enfants sont en danger de mort, s'écria-t-il, et ces gens essaient de les protéger ! (Il me regarda.) S'ils vous relâchent, vous ne direz rien, n'est-ce pas ?

— Non.

— Vous ne m'empêcherez pas d'imprimer les dôngs ?

— S'ils nous laissent partir, on fera tout pour vous aider.

Je commençais à me dire qu'il fallait absolument que Clark Hewitt touche l'argent promis.

Mon poussa un cri sauvage, et Dak récupéra le AK. Lui aussi se mit à crier, et au milieu de tous ce raffut je pensai que personne ne pouvait plus rien comprendre, que la situation était devenue incontrôlable. Je pensai que Dak allait ouvrir le feu sur Clark, que les rafales transperceraient Clark avant de nous faucher, Pike et moi – adieu tout le monde ! –, mais tout à coup les cris cessèrent. Dak laissa échapper un juron monosyllabique en vietnamien et se tourna vers moi avec une expression d'infinie lassitude.

— D'accord.

Il ordonna qu'on nous détache.

Et mon cœur se remit à battre.

26

Le dénommé Mon n'apprécia pas. Il trépigna, agita son AK et fit tout un cirque jusqu'au moment où Nguyen Dak lui colla une gifle. Les autres se mirent à piailler et à protester. Après les avoir réduits au silence, Dak s'adressa à Clark :

— Allez faire les dôngs. Qu'on en finisse.

— Vous en avez pour combien de temps ? m'enquis-je.

Clark fronça les sourcils.

— Une fois que les plaques seront prêtes, deux jours.

— Combien en tout ?

— Trois jours.

— Bon. Vos gosses n'auront qu'à rester ici avec vous pendant que vous travaillerez. Ça vous laissera le temps de décider de ce que vous voulez faire après.

Je tenais à emmener les enfants hors de L.A. le plus vite possible et j'espérais pouvoir inciter Clark à réintégrer le programme de protection des témoins pendant qu'il se trouverait ici, sous la protection des hommes de Dak.

— Quand vous aurez l'argent, ajoutai-je, vous pourrez partir sans avoir besoin de repasser par Los Angeles. De cette manière, les Russes n'ont aucune chance de vous coincer.

— Ça me paraît bien, approuva Clark. (Il se tourna vers Dak.) Il faut d'abord que j'aille chercher mes enfants à Los Angeles.

Dak se renfrogna.

— Pas question. D'abord les dôngs. Après, vous ferez ce que vous voudrez.

— Laissez tomber, Dak, intervins-je. Ses enfants seront en danger de mort aussi longtemps qu'ils resteront à Los Angeles. Et lui aussi.

— Vous avez accepté d'imprimer ces dôngs, lança Dak à Clark. On vous a fourni la presse et tout le matériel. C'est un gros investissement.

— Et je vais le faire. Je m'occuperai de vos billets dès mon retour.

Dak secoua de nouveau la tête.

— Pas de dôngs, pas d'argent.

Formel.

— Puisque je vous dis que je vais imprimer vos billets. Je veux simplement récupérer mes enfants avant.

Dak fit un geste en direction de Pike et moi.

— Vous restez. Eux, ils vont chercher vos enfants.

Clark fit la grimace, et tout à coup je crus retrouver quelque chose de Charles dans son expression.

— Non, lâcha-t-il. Je suis leur père. C'est moi qui vais les chercher.

— Ils sont à Studio City, fis-je. Ce n'est pas la planète Mars.

Dak secoua de nouveau la tête, les poings sur les hanches.

— Aller-retour, insistai-je, il y en a à peine pour trois heures.

— Non.

J'écartai les bras.

— Si vous avez tellement peur que Clark ne revienne pas, vous n'avez qu'à nous accompagner.

Pike me fixa avec insistance.

Dak se replia dans un coin de la pièce avec les autres Vietnamiens. Il y eut quelques moulinets de bras, mais cette fois personne ne cria ni ne nous mit en joue. À croire que l'idée que je venais de lancer commençait à faire son chemin. Dak finit par revenir vers nous.

— D'accord, dit-il. On va les chercher.

— Il ne manquait plus que ça, soupira Pike.

Dak se tourna vers lui.

— Nous avons réalisé un énorme investissement, qui perdra toute valeur si cet homme ne revient pas. Nous n'avons pas l'intention de le laisser disparaître.

Pike secoua la tête. Ses verres noirs s'orientèrent vers le sol.

— Clark, fis-je, vous vous sentez capable de tenir le coup ?

Il était hagard, en nage, et je me demandai combien de temps il allait pouvoir rester debout. Sa place aurait plutôt été à l'hôpital.

— Je vais très bien, dit-il en reculant d'un pas. Laissez-moi juste le temps de prendre mon sac.

Sa poudre était dedans.

Ils me firent gribouiller un plan du trajet jusqu'au duplex, et le convoi se mit en branle : d'abord Mon et nous trois dans la jeep de Pike, puis Dak et les deux Walter dans la Mercedes. Les autres Vietnamiens restèrent pour défendre l'entrepôt. Contre qui, mystère, mais allez savoir. Mon, qui avait l'air de très mauvais poil, fit le nécessaire pour que nous nous rendions tous compte qu'il avait un pistolet à la ceinture. Dans sa jeunesse, ce type avait dû être un drôle de numéro.

Nous roulâmes en silence pendant les vingt premières minutes du trajet. Je jetais régulièrement un coup d'œil à Clark dans mon rétroviseur, mais il se contentait de contempler le défilé du paysage sans paraître le voir.

— Clark, finis-je par demander, pourquoi n'avez-vous parlé à personne de votre cancer ?

— Comment êtes-vous au courant ? rétorqua-t-il sans affronter mon regard.

— Nous avons trouvé la lettre de votre médecin.

Il eut un soupir.

— Teri est au courant ? demandai-je.

— Comment aurais-je pu lui annoncer une chose pareille ?

— Vous vous shootez à cause de la douleur, fit Pike.

Clark tourna la tête vers lui. C'était la première fois qu'il se détournait de la vitre.

— Je n'ai pas de couverture sociale et je n'ai pas la possibilité de me payer des antalgiques. Les dealers achètent et vendent leur drogue en liquide et ils déposent rarement leur fric à la banque. Ça pose pas de problème pour utiliser de la fausse monnaie.

Je l'observai encore. Même dans le rétroviseur, je voyais la pellicule de sueur qui lui recouvrait le visage. Il semblait très malade.

— Ça vous soulage ? demandai-je.

— Moins qu'au début.

— Combien de temps ? interrogea Pike.

Clark s'abîma dans la contemplation du paysage et haussa les épaules.

— Quelques mois.

Comme si c'était la meilleure façon qu'il ait trouvée de faire face. Hausser les épaules et continuer d'avancer.

— C'est pour cette raison que vous travaillez pour les Vietnamiens ?

— Je n'ai pas d'économies. Pas d'assurance vie. Il fallait bien que je fasse quelque chose pour assurer l'avenir de mes enfants, alors, voilà. J'imprime. C'est la seule chose que je sache faire.

— Je comprends.

— Je vais leur imprimer ces dôngs, et Dak me paiera en vrais dollars, que je pourrai déposer à la banque. De quoi permettre à mes gosses de vivre jusqu'à leur sortie de l'école. Peut-être même de quoi leur payer la fac.

Il hochait la tête en parlant, presque comme s'il avait besoin de se tenir ce genre de propos pour s'exhorter à aller de l'avant – se dire que tout allait bien se passer, que ses enfants allaient s'en tirer. Cela me donnait envie de pleurer.

— Vous n'avez pas quelqu'un dans votre famille qui pourrait s'occuper d'eux ?

— Ma femme et moi étions enfants uniques. Nos parents sont morts. (Nouveau haussement d'épaules désabusé.) À part moi, ils n'ont personne. (Il se décida enfin à me regarder dans le rétroviseur.) Je tiens à ce que vous sachiez que j'apprécie beaucoup ce que vous avez fait. Vous êtes quelqu'un de bien.

Je fixai la route.

— Quand j'aurai été payé, je vous réglerai ce que je vous dois.

J'acquiesçai silencieusement en fixant la route encore plus intensément.

Ça roulait plutôt bien pour une fin d'après-midi, et nous aurions pu battre notre record si la Mercedes de Dak n'avait pas régulièrement perdu du terrain. À son huitième décrochage, je grommelai tout haut :

— Mais qu'est-ce qu'il fout, ce con ?

— Dak ne dépasse jamais la limitation de vitesse, m'expliqua Mon.

— Il était prêt à nous tuer au nom de sa fichue révolution, mais il respecte la limitation de vitesse ?

— Dak tient à être un bon Américain.

Je vis Pike faire la moue.

— Ces gens ne sont pas des criminels, déclara Clark. Ce sont des révolutionnaires.

— Bien sûr. C'est pour cela qu'ils fabriquent des faux dôngs.

— L'idée leur est venue qu'en injectant massivement de la fausse monnaie dans l'économie vietnamienne ils réussiront à déstabiliser le gouvernement communiste et à pousser le Vietnam vers la démocratie.

— Des patriotes, lâcha Pike.

Clark haussa les épaules.

— Ce pays était le leur. Ils veulent le récupérer.

Grosso modo ce que m'avait expliqué Eddie Ditko.

Je demandai à Clark s'il souhaitait passer d'abord chez lui, mais il me répondit que non. Je lui demandai s'il voulait que je lui achète quelque chose à la pharmacie, mais j'eus encore droit à un refus. Il ne souhaitait qu'une chose : récupérer ses enfants et retourner à Orange County pour imprimer ces maudits dôngs le plus vite possible. Le tout fut proféré d'une voix lasse.

— J'ai un ami médecin, Clark.

— Ça ne servirait à rien.

On aurait dit qu'il mourait d'envie de s'étendre et de dormir tout son soûl.

J'appuyai sur le champignon et fis de grands signes à Dak pour qu'il accélère. Celui-ci ne sembla pas trop apprécier, mais, dans la mesure où je ne dépassais pas trop outrageusement la limite, il fit de louables efforts pour tenir le rythme.

Les premiers bouchons de l'heure de pointe nous ralentirent à Hollywood mais, vingt minutes plus tard, nous laissions derrière nous Cahuenga Pass et entrions dans Studio City. Quand je quittai l'autoroute à la sortie de Coldwater Canyon, Clark se raidit sur la banquette arrière, émergeant vaguement de sa torpeur. Je pensai à la souffrance lancinante avec laquelle il devait composer en permanence, et à ce que cela pouvait représenter pour lui d'être obligé de se shooter à l'héroïne pour la réduire au silence. Jasper avait raison : Clark n'était pas du tout que ce qu'il paraissait être.

— On arrive bientôt ? demanda-t-il.

— Oui.

Deux minutes plus tard, je me garai le long du trottoir à un endroit où il y avait suffisamment de place derrière moi pour la voiture de Dak, et nous descendîmes tous les quatre de la jeep de Pike. Au volant de la Mercedes, Dak nous indiqua la rangée de duplex d'un geste du pouce impatient.

— Dépêchons, dit Mon.

Clark remonta l'allée à grands pas, en ravalant de temps en temps une petite grimace. Le cancer.

Nous arrivâmes à la porte du duplex. Je frappai à deux reprises avant d'entendre tourner le verrou. Tout aurait dû être en place pour un événement joyeux – le grand retour-surprise du papa prodigue –, mais rien ne se passa comme prévu.

Teri ouvrit la porte après que j'eus frappé une troisième fois. Je sentis aussitôt que quelque chose n'allait pas.

— Teri ?

Ses yeux s'arrondirent quand elle vit Clark.

— Papa !

— Salut, chérie.

— Teri, qu'est-ce qu'il y a ?

Je vis des larmes noyer ses yeux. Elle se jeta au cou de son père en balbutiant :

— Charles a disparu.

27

Mon repartit au trot vers la Mercedes pendant que tout le monde entrait dans le duplex. Clark avait passé un bras autour des épaules de Teri. Winona sauta du canapé dès qu'elle vit son père, se précipita sur lui en piaillant et le ceintura. Soit elle n'était pas inquiète de la disparition de Charles, soit la joie de revoir son père l'emportait sur tout le reste.

— Charles est parti quand ? interrogeai-je.

— Avant le déjeuner, répondit Teri en s'essuyant les yeux.

Il était plus de quinze heures.

— Vous savez où il est allé ?

— Non. Il m'a dit qu'il voulait faire un tour dans la résidence, qu'il rentrerait tout de suite, mais on l'attend toujours.

Je la gratifiai d'une petite accolade, pris un air confiant et :

— Ne vous inquiétez pas. On va le retrouver.

Sauf que Charles pouvait être à peu près n'importe où.

Mon revint, flanqué de Dak et des deux Walter. Ils avaient l'air bien énervés. Tous s'arrêtèrent sur le seuil.

— Qu'est-ce qui se passe encore ? lança Dak, excédé.

— Le fils de Clark a disparu.

Dak me fusilla du regard.

— On ne peut pas le laisser seul dans la nature, m'empressai-je d'ajouter. Il faut le retrouver.

— Vous disiez qu'il n'y en aurait pas pour longtemps, répliqua Dak, toujours à cran. Vous disiez qu'il n'y aurait qu'à passer prendre les enfants.

Teri avait cessé de renifler. Elle observait Dak et sa clique.

— Qui sont ces personnes ? me demanda-t-elle.

— Ce sont les messieurs pour qui je travaille, ma chérie, lui répondit Clark.

— Qu'est-ce que vous voudriez ? fis-je. Qu'on s'en aille sans lui ?

Dak passa à ma hauteur, s'affala sur le canapé du séjour, l'air particulièrement las. Walter Senior et Walter Junior s'assirent à côté de lui. Mon, debout devant la table basse, adressa à Dak un sourire sombre, ponctué d'un regard appuyé qui signifiait « Je vous l'avais bien dit ». Ils discutèrent à mi-voix un moment, puis Dak soupira, la mine défaite.

— Décrivez-nous ce garçon. On va vous aider à le chercher.

Teri expliqua que Charles portait un bermuda flottant et son tee-shirt Wolverine noir. Les quatre Vietnamiens s'égaillèrent à l'extérieur de la résidence après que Dak eut décrété qu'ils se retrouveraient tous ici dans trente minutes. Mission de commando révolutionnaire.

— Charles a emporté des affaires ? demandai-je.

— Non, fit Teri.

— Winona ?

Winona secoua la tête sans me regarder.

— Il n'a pas parlé d'aller au parc, au supermarché, ou dans un autre endroit de ce genre ?

Les Russes ne savaient pas où nous trouver ; ils n'avaient donc aucune raison de rôder à Studio City, aussi ne me faisais-je guère de souci de ce côté-là. Le parc de Studio City n'était qu'à une centaine de mètres, et je connaissais deux supermarchés dans un rayon équivalent. Ces supermarchés disposaient certainement d'un rayon jeux vidéo et bandes dessinées susceptible d'attirer un Charles en mal de distraction.

Teri me répondit par la négative pendant que Winona secouait de nouveau la tête.

Pike et moi partîmes chacun de notre côté. Je quadrillai le parc en voiture et fis à pied le tour du centre bâti à l'intérieur. Une demi-douzaine de jeunes mamans faisaient tapisserie autour du bac à sable, mais aucune n'avait vu de garçon correspondant au signalement de Charles. Huit ados jouaient au basket ; ils n'avaient rien remarqué non plus. J'explorai les rues voisines, m'arrêtai dans une supérette, puis dans les deux supermarchés, décrivant de nouveau Charles aux employés. Là encore, on me répondit qu'aucun enfant correspondant à ce signalement n'avait été aperçu dans le secteur.

Je revins au duplex trente-huit minutes après l'avoir quitté. Les Vietnamiens et Joe Pike étaient déjà de retour. Personne n'avait obtenu la moindre information sur Charles. En me voyant rentrer bredouille, Nguyen Dak se cacha le visage entre les mains. Encore du retard en perspective.

— Vous ne l'avez pas retrouvé ? me demanda Teri.

— Pas encore. Mais ça viendra.

J'étais en train de me dire que Charles pouvait avoir fait la connaissance d'un autre gamin de la résidence et être allé jouer chez lui. Qu'en ce moment même il était probablement en train de se déchaîner sur les manettes d'une console Sega. Je me tournai vers Clark.

— Vous n'avez qu'à repartir à Long Beach avec les filles et Dak pendant que j'attends Charles ici. Dès qu'il sera rentré, on vous rejoindra.

Dak se leva comme un ressort.

— Excellente idée.

Je le vis sourire pour la première fois depuis des heures.

— Ma foi... c'est à voir, lâcha Clark sans enthousiasme.

— À Long Beach ? s'enquit Teri. Pour faire quoi ?

Je perçus une tension dans sa voix. Elle en avait marre des déménagements successifs. Marre de tous ces endroits nouveaux.

— C'est là-bas que je travaille, ma chérie.

— Je veux rentrer à la maison, gémit Winona.

Je lui fis comprendre que c'était impossible.

— Si tu as besoin de récupérer quoi que ce soit chez vous, dis-je, on ira te le chercher, Joe et moi. En attendant, il vaut mieux que vous alliez directement à Long Beach.

Winona, mal à l'aise, se mit à tripoter le bout de son soulier.

— Je crois quand même qu'on doit d'abord passer à la maison.

Mon regard s'arrêta sur elle. Celui de Teri aussi.

— Winona ? Tu sais quelque chose ?

— Non.

Butée.

Je sentis se raidir les muscles de mes épaules et de mon cou : l'idée qui venait de m'effleurer me déplut profondément, je la trouvais effrayante.

— Winona, insistai-je. Charles t'a dit quelque chose ?

Winona fit signe que non.

— Charles t'a dit qu'il voulait rentrer chez vous ?

Winona tripota le bout de son soulier de plus belle. Un petit lambeau de caoutchouc se détacha de la semelle.

— Charles a dit qu'il me tapera si je parle.

Charles.

— Petite ?

Winona leva les yeux sur Joe Pike. Il se tenait adossé au mur, les bras croisés, le regard invisible derrière ses lunettes opaques. À l'échelle de Winona, il devait bien mesurer quatre mètres de haut.

— Je te protégerai, la rassura-t-il.

Sans enthousiasme excessif, Winona se résigna à parler :

— Charles a dit que c'était idiot d'attendre ici. Il a dit que papa allait rentrer à la maison. Il a dit que c'était mieux de l'attendre là-bas.

— Bon Dieu…, souffla Clark.

— Et il m'a forcée à lui donner ma clé, ajouta Winona.

Son petit porte-clés. Avec le gnome.

— Les enfants sont une source de souffrance permanente, lâcha Walter Senior en se tournant vers son fils et en secouant la tête.

Je jetai un bref coup d'œil sur Pike ; il ne semblait pas plus emballé que moi par la nouvelle. Les Russes connaissaient l'adresse des Hewitt.

— Vous habitez loin d'ici, dis-je en m'adressant à Clark. À votre avis, Charles serait capable de trouver son chemin ?

— Charles a un bon sens de l'orientation.

Si Charles avait bel et bien décidé de rentrer au bercail, il passerait sans doute par Laurel Canyon pour franchir les collines et atteindre le bassin de Los Angeles. S'il était parti à pied, il en aurait pour un bout de temps et risquait d'être encore en chemin à cette heure qu'il était, mais à mon avis Charles n'était pas le genre à hésiter à lever le pouce au bord d'une route. Et si quelqu'un l'avait pris en stop, il se pouvait fort bien qu'il soit déjà sur place. Comme les Russes, d'ailleurs.

Je composai le numéro de téléphone des Hewitt et laissai sonner quinze fois. Personne ne répondit.

— Il n'ose peut-être pas répondre, suggéra Teri.

— Peut-être.

Je n'y croyais pas trop – et cela me rendit espoir. À mon avis, si Charles avait été là-bas, il n'aurait pas pu s'empêcher de décrocher pour balancer une connerie.

— Bon, dis-je. Je fais un saut là-bas.

— Je viens avec vous ! s'exclamèrent à l'unisson Clark et Teri.

— Non. Restez ici et préparez vos bagages. Si je retrouve Charles, on partira à Long Beach dès notre retour.

Dak joignit les mains en une sorte de prière muette. Mon grimaça en levant les yeux au ciel.

Je laissai Pike au duplex avec les autres et suivis la route que Charles avait vraisemblablement prise, en roulant assez lentement pour scruter chaque vitrine, chaque jardin, chaque attroupement à hauteur des cabines téléphoniques et des arrêts d'autobus. J'inspectai le parking de chaque galerie marchande. J'entrai dans une supérette, dans plusieurs salles de jeux, dans une station de métro, mais Charles n'était nulle part. De fil en aiguille, je me retrouvai de l'autre côté des collines, dans le bassin, rejoignis Melrose et m'engageai dans la rue où se dressait ce que les Hewitt appelaient leur maison.

Il m'avait fallu près d'une heure cinquante pour y arriver, et je fouillai soigneusement la rue du regard en quête d'une éventuelle Camaro beige. Je ne la vis nulle part, ce qui me rassura.

Je me garai derrière la Saturn et m'approchai de la porte. J'étais en train d'insérer la clé dans la serrure lorsqu'on m'ouvrit de l'intérieur. Je pensai d'abord à Charles, mais ce n'était pas lui.

Alexeï Dobcek, pistolet au poing, dardait sur moi ses yeux insondables de spetsnaz.

— On savait bien que vous finiriez par ramener votre cul.

Ils avaient apparemment pris la précaution de laisser leur bagnole à quelques rues de distance.

28

Dobcek s'effaça et me fit signe d'entrer. La maison était tiède, obscure, figée, silencieuse, comme toutes les maisons vides.

— Charles ? lançai-je à la cantonade.

Le Russe sourit.

— Quoi ? Vous croyez qu'on l'aurait attaché au radiateur de la salle de bains ?

Il agita sous mon nez le porte-clés de Winona – celui que Clark lui avait rapporté de Seattle et qu'elle avait remis à Charles. Tout ébouriffé et plus moche que jamais, on aurait dit que le gnome nous narguait.

— J'espère pour vous que le petit va bien, Dobcek.

Dobcek sourit de plus belle, histoire de me faire comprendre que je pouvais toujours jouer les durs à cuire, eux tenaient le gosse. Dans le salon, assis dans le fauteuil de Clark, Sautine matait une émission culinaire à la télé, sans le son. Sur l'écran, deux femmes s'affairaient face à leurs casseroles, en échangeant des sourires et des bons mots dans un silence absolu, et Sautine souriait de concert.

Son profil gauche était bouffi et violacé – un souvenir du coup de pied de Joe.

— Ça ne vous gêne pas d'être pris en flagrant délit de mensonge ? fit Dobcek. Vous n'avez pas honte de nous avoir raconté que vous ne connaissiez pas ces gens ?

— Si, bien sûr, je me réveille en nage chaque nuit.

La maison Hewitt avait été mise sens dessus dessous. Le contenu des tiroirs jonchait le sol, la vaisselle avait été cassée, et les meubles du séjour étaient éventrés ou renversés. La table de la salle à manger gisait cul par-dessus tête, les pieds dressés lamentablement en l'air. Sans doute Charles les avait-il surpris en pleine fouille. Avait-il essayé de leur résister ? S'ils lui avaient fait du mal, je me sentais prêt à les tuer.

— Où est le gosse ? demandai-je.

— En lieu sûr.

— Où ça ?

Dobcek voulut glisser une main sous mon blouson pour me délester de mon Dan Wesson et, à la même seconde, j'attrapai le canon de son pistolet de la main gauche et le détournai tout en sortant le Dan Wesson. Je lui appliquai le canon entre ses sourcils.

— Le gosse, dis-je.

Dobcek se fendit d'un sourire de requin.

— Dimitri, tu aurais dû voir cette chose qu'il vient de me faire. C'était pas mal du tout.

— *Da*.

Sautine semblait toujours aussi fasciné par les deux cuisinières.

J'armai.

Le sourire de Dobcek s'étira.

— Et après ? Que deviendrait le gosse ?

Je le fixai dans le blanc des yeux.

— *Da*, lâcha Sautine, toujours sans bouger. Le gosse.

— Nous voilà à égalité, fit Dobcek.

— J'ai Clark, et vous avez son fils ?

— *Da*. Baissez votre arme, et tâchons de régler le problème.

J'inspirai profondément, reculai d'un pas et baissai le bras droit. Dobcek tendit la main, je lui remis son pistolet. Un joli Sig P 226 flambant neuf. Facile à manier. Pike et moi lui avions déjà confisqué une arme. Où s'était-il procuré celle-ci ?

— Je vais prendre quelque chose dans ma poche, me dit-il. D'accord ?

— Bien sûr.

Il me tendit une carte de l'hôtel *Sheraton-Universal*.

— C'est là qu'on est en ce moment. Pas le gosse. Juste nous. (Charles était probablement entre les mains de Markov.) Vous allez demander à Clark s'il tient à revoir son fils vivant. Ensuite, vous m'appelez, et on en reparle.

— Le gosse contre Clark ?

— Exact.

Dobcek s'adressa à Sautine en russe et Sautine s'extirpa du fauteuil de Clark. Il était salement tuméfié. Pourvu qu'il ait mal.

Dobcek me décocha un clin d'œil, et ils s'en furent.

Je restai là pendant cinq minutes, incapable de bouger, le regard fixé sur les cuisinières du poste, m'efforçant de réfléchir. Elles préparaient un truc à base de piments arrosé de tequila et elles rigolaient tout le temps. J'aurais bien aimé me trouver avec elles pour rigoler aussi, sauf que je me sentais assez loin du compte. J'étais tout seul dans une maison dévastée, d'où venaient de sortir deux tueurs russes qui avaient pris en otage un jeune garçon, et je faisais de mon mieux pour ne pas me laisser envahir par la panique. La panique, c'est la mort. Je me sentais comme un jongleur qui aurait déjà trop de balles en l'air et à qui on continuerait d'en lancer d'autres. Allez, Cole, respire un bon coup.

— Bye-bye, les filles.

J'effaçai les cuisinières.

Si la maison avait été mise sens dessus dessous, c'était parce que Dobcek et Sautine cherchaient un indice. Là-dessus, Charles avait débarqué, et sa présence valait tous les indices du monde. Un véritable passeport pour le gros lot.

Je passai dans le couloir, levai les yeux sur la trappe du plafond : apparemment, elle n'avait pas été touchée. Je montai récupérer le sac en toile dans le grenier. Il était là où je l'avais laissé, et l'idée me vint que j'allais peut-être pouvoir m'en servir. Je ne savais pas encore comment, mais la possibilité existait. Je remis la trappe en place, verrouillai la maison et repartis pour Studio City. En roulant lentement. En pensant à Markov et à ce qu'il voulait, puis à Clark et à ce qu'il voulait, et au fil des rues, pièce par pièce, mon plan se précisa.

À mon arrivée au duplex, je trouvai Joe, Clark et Teri assis à la table du coin salle à manger, tandis que les Vietnamiens étaient toujours agglutinés dans le salon. Winona et Walter Junior suivaient une émission animalière à la télévision. Toutes les têtes se tournèrent vers moi.

— Vous l'avez retrouvé ? me lancèrent à l'unisson Teri et Clark.

— Dobcek et Sautine étaient déjà sur place. Ils tiennent Charles.

Clark se leva, fit un pas de côté involontaire, heurta le dossier d'une chaise.

— Dobcek et Sautine ? répéta Teri. C'est qui ?

— Les amis de celui qui recherche votre père, répondit Pike.

— Et ça ? demanda-t-elle, avec un regard vers le sac en toile que je venais de poser à mes pieds. C'est quoi ?

Plutôt que de répondre, je regardai Clark et dis :

— Charles va bien, mais il faut qu'on en discute.

Clark aussi avait les yeux rivés sur le sac en toile.

— C'est encore à cause de ça, hein ? s'écria Teri. Toujours cette fausse monnaie !

La tension ne cessait de monter dans sa voix.

— Teri, s'il te plaît, implora Clark, fais monter Winona.

Teri ne bougea pas.

— Teri, s'il te plaît…

— *Ne me traite pas comme une gamine !* (Une protestation soudaine, brutale, qui désarçonna Clark.) C'est moi qui m'occupe de toi ! Je suis plus sa mère que toi son père ! Si tu la faisais monter toi-même ?

Teri criait, Winona pleurait, et Clark tirait une tête d'enterrement, probablement celle qu'il avait dû tirer le jour où il avait appris l'existence de son cancer, comme si une vérité à laquelle il croyait jusque-là de tout son cœur tombait soudain en quenouille.

Dak se détourna, embarrassé.

— Teri, fis-je d'une voix douce. Teri, ce n'est pas votre faute.

Teri contourna la table et vint se blottir dans mes bras, en bredouillant quelque chose que je ne réussis pas à comprendre. Je crois que c'était : « Je ne veux pas pleurer, je ne veux pas pleurer. »

Je lui caressai les cheveux, la gardai dans mes bras. Au bout d'un moment elle prit Winona par la main et l'emmena à l'étage.

Clark avait toujours les yeux vissés au sol.

— Clark.

Il leva la tête.

— Oui ?

Je répétai ce que m'avait dit Dobcek. Le père contre le fils. Pendant que je parlais, Clark ne cessa de se tordre nerveusement les mains.

— Bon, je crois qu'il faut les appeler, coupa-t-il.

— Ils veulent votre mort, lâcha Pike.

— Ils ont Charles, soupira Clark, plus pâle que jamais. Je ne peux pas les laisser faire du mal à mon fils.

Mon grommela une phrase à Dak en vietnamien. Sans doute pour pleurer l'effondrement de leur rêve révolutionnaire.

— Je ne veux pas qu'ils fassent du mal à Charles, dis-je, mais je sais que vous sacrifier pour lui n'est pas la solution. Ils ne le relâcheront pas si vous vous livrez. Ils vous tueront tous les deux – parce que c'est la seule façon pour eux de se couvrir.

— De se couvrir ? répéta Clark. Comment ça ?

— Réfléchissez. Ces gens-là veulent votre peau. S'ils vous tuent, et que Charles en réchappe, qu'est-ce qui l'empêcherait – ou moi, ou quelqu'un d'autre – d'alerter la police ?

Clark pinça les lèvres.

— Bon. Alors, qu'est-ce qu'on fait ?

Mon grommela de nouveau quelque chose

— Ce qu'il faut pour qu'ils veuillent vous garder en vie, dit Nguyen Dak.

Je me tournai vers Dak et lui trouvai l'air sombre, déterminé, dangereux. Je pensai qu'il avait déjà dû avoir cette mine-là des années plus tôt. À la guerre comme à la guerre.

— Oui, opina Pike.

— Les Russes ont soif de vengeance, reprit Dak. Il faut substituer la cupidité à leur désir de vengeance. Tous les criminels fonctionnent de la même façon.

— Vous seriez prêt à nous aider ? demandai-je en l'observant.

— Je veux mes dôngs. Si je dois vous aider pour obtenir mes dôngs, je vous aiderai.

Un éclat dur brillait au fond de ses yeux, et je crus y percevoir un embryon de sourire.

— Les Russes, maugréa Mon.

Le coin de la bouche de Pike se contracta – et je sus qu'il avait compris. Les guerres anciennes chevauchent les guerres nouvelles. Les Russes avaient soutenu le Nord-Vietnam contre Nguyen Dak et ses amis, les Russes continuaient de soutenir le régime communiste vietnamien. Pour Dak, cela participait d'un seul et même tout. C'était une guerre qu'ils devaient gagner pour rentrer chez eux. De la pointe de ma chaussure, je touchai le sac en toile.

— Ce sont des billets Markov ? demandai-je.

Clark acquiesça.

— Est-ce que Markov les reconnaîtrait ? Est-ce qu'il se rendrait compte qu'ils sont faux ?

Clark plongea une main dans le sac, en retira une liasse et l'examina.

— Il ne saurait peut-être pas que ce sont les siens, mais il saurait qu'ils sont faux. Ses hommes sont compétents.

— Quelle est ton idée ? s'enquit Pike.

— Markov sait tout ce que savait Brownell. Cela signifie qu'il sait que Clark s'est remis à imprimer, mais peut-être pas quoi. Il n'ignore pas que Clark a du talent, mais… si on arrivait à lui faire croire que Clark est encore meilleur qu'autrefois ?

— Je ne comprends pas, fit Clark en secouant la tête.

— Si on lui rachetait Charles ?

— Avec quoi ?

— Des faux billets.

— Il se rendra compte qu'ils sont faux, objecta Clark. Des faux billets, Markov peut s'en procurer n'importe où.

— Pas n'importe quels faux billets. Supposez qu'ils soient tellement bien imités qu'ils ressembleraient à s'y méprendre aux vrais – tellement bien imités que ni Markov ni même un spécialiste du milieu bancaire ne serait capable de deviner qu'ils sont faux ?

— Comme les superdollars iraniens, fit Pike en hochant la tête.

À en croire certaines rumeurs, l'Iran inondait le marché de faux billets de cent dollars américains pratiquement indétectables.

— Exactement. (Je me tournai vers Clark.) Markov sait que vous avez du talent. Si on lui faisait croire que vous êtes arrivé au niveau des Iraniens ?

— Je serais incapable d'imprimer des billets aussi bien faits. Les Iraniens travaillent sur des presses intaglio suisses qui sont les mêmes que celles de notre département du Trésor. Ils utilisent le même papier que nous. (Il secouait toujours la tête.) Jamais je ne pourrai reproduire ce papier. Jamais je ne disposerai d'une presse intaglio. Elles coûtent des millions.

— Du vrai fric, précisa Pike.

Clark ouvrit la bouche, la referma aussitôt.

— Exactement, acquiesçai-je. On leur met sous le nez quelques milliers de dollars en vrais billets, en leur racontant que ce sont des faux. On laisse Markov les examiner et, ensuite, on lui propose un marché pour racheter la liberté de votre fils. Charles, contre la somme qu'il voudra en faux billets.

— Sauf qu'à la seconde où on lui remettra les faux dollars il découvrira le pot-aux-roses, objecta Clark. Il est capable de voir la différence.

— Je sais, dis-je. D'où la nécessité de faire appel à la police.

— D'accord, fit Clark.

Walter Tran Junior, estomaqué, poussa un cri et le visage de Mon s'assombrit de manière inquiétante.

— Pourquoi la police ? demanda Dak.

— Pour faire coffrer Markov. Markov reçoit les faux billets, on récupère Charles, les fédéraux débarquent, et Markov tombe – à la fois pour détention de fausse monnaie et pour kidnapping. (Je m'adressai à Clark.) Si on livre Markov aux fédéraux, ça ne m'étonnerait pas qu'ils acceptent de vous laisser imprimer les dôngs.

Clark ne me quittait plus des yeux.

— Ce qui vous permettrait d'être payé par Dak, ajoutai-je.

Il hocha la tête.

— Pour vos enfants.

Le regard de Clark se détacha de moi pour se perdre quelque part dans le lointain. Comme s'il venait enfin d'apercevoir une lueur ténue au fond d'un interminable tunnel.

Nguyen Dak croisa les bras. Toujours dangereux, mais également songeur. Peut-être pensait-il à ses propres enfants. Ou peut-être se demandait-il simplement comment se tirer d'affaire sans perdre le fruit de ses efforts.

— Je veux bien appeler Dobcek et prendre rendez-vous avec lui, proposai-je, mais on va avoir besoin d'un peu d'argent frais pour les appâter. Quelques milliers de dollars en billets de cent – qu'on risque de ne pas revoir. Markov pourrait demander à les garder. On sera peut-être même obligés de les détruire pour le persuader que ce sont des faux.

Clark soupira profondément.

— Génial. Et qui va nous donner cet argent ?

— Moi, intervint Nguyen Dak.

Je le dévisageai au moment où il prononça ce mot. Lui aussi me dévisageait.

— D'accord, dis-je. C'est parti.

Mon semblait presque satisfait. Apparemment, l'idée de se frotter de nouveau aux Ruskofs ne lui déplaisait pas.

29

En deux coups de téléphone, Dak fit le nécessaire pour rassembler l'argent. J'appelai ensuite Dobcek pour lui dire qu'un accord ne me semblait pas exclu, mais qu'il fallait se mettre d'accord. Je ne fis aucune allusion à l'argent, me contentant de suggérer que Clark était disposé à s'échanger lui-même contre son fils. Un amorçage classique : on promet quelque chose, on donne autre chose. Et tant pis si ça ne plaît pas à l'intéressé.

— Vous venez avec le père, exigea Dobcek.

— Exact. Et vous avec le fils.

Classique.

Derrière Dobcek, une voix se fit entendre. En fond sonore.

— On verra les détails un peu plus tard, ajouta-t-il. Donnez-moi votre numéro de téléphone.

— Pourquoi ?

— Il faut que j'en parle avec notre ami. Je vous rappelle demain matin.

Notre ami. Markov.

— Laissez tomber, Dobcek. C'est moi qui vous rappelle.

— Vous n'avez pas confiance ? ricana Dobcek. Vous avez peur qu'on vous retrouve grâce au numéro ?

— C'est moi qui rappelle.

Quelqu'un parla de nouveau derrière Dobcek.

— Appelez-moi demain matin à neuf heures pile, fit Dobcek d'un ton cassant. Et soyez prêt à démarrer au quart de tour. Vous m'avez compris ?

— Dobcek, vous parlez en ce moment au maître absolu de la comprenette. Ne l'oubliez jamais.

— *Da.*

— Et aussi au maître de la vengeance. Je vous conseille de ne pas toucher à un cheveu du petit.

Dobcek laissa échapper un éclat de rire bref et rauque avant de raccrocher.

Clark, Joe et les Vietnamiens me regardaient tous avec une intense curiosité.

— Le lieu et l'heure seront fixés demain matin à neuf heures, déclarai-je. L'argent sera prêt ?

— Vingt mille dollars en billets de cent doivent arriver ici même dans les prochaines heures, me répondit Dak.

— Bien joué, Dak, lâcha Pike.

J'étais en train de monter l'escalier pour dire quelques mots à Teri quand le téléphone sonna. Pike décrocha, écouta un instant et me tendit l'appareil.

— Lucy.

— Qu'est-ce qu'il y a ?

Mon cœur s'était mis à carillonner. Pire qu'avec les Russes. Pire qu'au moment où Mon m'avait braqué avec son AK.

Pike me tendait toujours l'appareil. Je redescendis l'escalier quatre à quatre et pris le combiné.

— Luce ?

— C'est bon.

Deux syllabes qui embrochèrent ma peur comme une lame effilée.

— C'est fini, Elvis, reprit-elle. On a gagné.

— Tu as le poste ?

— Oui.

Pike m'observait d'un air interrogateur. Je hochai la tête. Il me posa une main sur l'épaule.

— On a le temps, me dit-il. Va la voir.

Je me tournai vers Clark. Puis vers l'escalier, en fronçant les sourcils.

— Allez, insista Pike, vas-y.

Tracy Mannos habitait une petite maison récente dans une rue ravissante donnant sur Roscomare Drive, tout en haut de Bel Air. Il était à peine dix heures quand j'arrivai, mais Lucy et Tracy, les joues en feu et excitées comme des puces, étaient déjà en train d'arroser leur victoire avec une bouteille de cordon-rouge. Tracy vint m'ouvrir, et Lucy faillit la faire tomber pour se précipiter dans mes bras. Nous nous étreignîmes avec force, fous de bonheur, et Tracy éclata de rire.

— Si vous commencez à vous déshabiller, menaça-t-elle, j'appelle la police.

Lucy et moi rîmes à notre tour, et ce fut comme si un océan de tension s'asséchait tout à coup.

— Tu vas pouvoir rester un peu ? me demanda Lucy.

Je reculai d'un pas, cessant de rire.

— Pas longtemps. (Je lui parlai de l'argent. Je lui expliquai ce que nous allions tenter de faire.) Je ne sais pas trop combien de temps ça va prendre. Disons que je risque d'être assez occupé dans les jours qui viennent.

Lucy prit une de mes mains entre les siennes.

— Je comprends. De mon côté, je vais devoir repartir dès demain pour m'occuper de Ben.

Deux navires qui se croisent. Le prix de la maturité.

— Oui, mais tu vas bientôt revenir.

Son sourire s'élargit de nouveau.

— Tu l'as dit.

— Vas-y, Lucy. Raconte-moi tout ce qui s'est passé.

Elles s'y mirent à deux. La manœuvre de Richard n'était ni complexe ni habile – ces choses-là le sont rarement. Simplement vilaine. Stuart Greenberg n'était pas l'ami de jeunesse complaisant et corrompu que nous l'avions soupçonné d'être. Lorsque Richard avait appris que la chaîne KROK proposait un poste à Lucy, il avait usé de sa position chez Benton, Meyers & Dane pour avoir accès à un directeur de la société mère et lui avait laissé entendre que Lucy, sur le plan professionnel, avait un comportement erratique. La société mère, inquiète de voir sa filiale sur le point de mettre à l'antenne une personnalité aussi incertaine (sans parler de son manque d'expérience), avait fait part de ses doutes à Stuart Greenberg. Ce dernier s'étant enquis de l'origine de ces informations, on lui avait conseillé de contacter un certain Richard Chenier, avocat hautement estimé du cabinet Benton, Meyers & Dane, filiale de Baton Rouge. Greenberg n'avait fait que chercher à vérifier les informations qu'on lui avait transmises.

— Quand Stuart s'est rendu compte de ce qui s'était vraiment passé, ajouta Tracy, il s'est confondu en excuses.

— Et ? C'est tout ? Tu as eu le poste ?

Lucy sourit.

— Disons qu'on est tous d'accord pour se mettre d'accord. Stuart a promis de rappeler David Shapiro pour boucler les négociations aussi vite que possible.

— C'est dans la poche, Elvis, me glissa Tracy en se penchant vers moi.

— Et Richard ?

Lucy se rembrunit.

— Je l'ai appelé à son bureau. J'ai aussi appelé son patron.

— Elle devrait porter plainte contre cet enfoiré, lâcha Tracy.

La bouche de Lucy se durcit. Peut-être pensait-elle à Ben. Peut-être se demandait-elle jusqu'à quel point elle devait aller dans cette sale guerre, dont l'essentiel des dommages collatéraux risquait d'atteindre son fils.

— On verra, soupira-t-elle. (Elle me caressa la main.) Je dois te remercier.

— Je n'ai rien fait.

— Bien sûr que si. Tu as compris le besoin que j'avais de mener ce combat sans toi. (Elle sourit.) Je te connais et je sais que ça n'a pas dû être facile.

Je haussai les épaules.

— Aucun problème. Puisque tu m'as dit que je pourrais le descendre quand tout serait réglé.

— En effet. Je crois t'avoir dit quelque chose dans ce goût-là.

Lucy regarda Tracy, et Tracy sourit. Bel exemple de communication féminine non verbale. Tracy se leva, me planta un baiser sur la joue et poussa vers moi la bouteille de champagne. Il n'y en avait plus beaucoup.

— Prends soin de toi, ma belle, dit-elle à Lucy.

Et elle s'en alla.

— Je me trompe, ou tu viens de la renvoyer ?
— Tu ne te trompes pas.
— Bien.

Lucy et moi demeurâmes assis tous deux dans le salon, la main dans la main. Il se faisait tard, mais je n'avais aucune envie de partir.

— J'aimerais que tu puisses rester, Elvis.
— Je sais.

Elle m'observa avec attention, puis ses doigts m'effleurèrent le visage. Mon œil au beurre noir allait mieux.

— Je vais bientôt me mettre à la recherche d'un appartement. Dès que Ben aura fini l'école, on déménage.

Je hochai la tête.

— Et tu as intérêt à être encore dans le secteur.

Je hochai de nouveau la tête.

— S'il te plaît, sois prudent. Demain.
— Prudent ? C'est mon deuxième prénom.
— Ce n'est pas vrai. Et c'est bien dommage.
— Je serai là pour ton emménagement, Luce. Tu as ma parole.

Elle me déposa un léger baiser sur la main. Nous passâmes encore un moment ensemble puis, beaucoup trop vite, je repartis en voiture vers Studio City.

30

En rentrant dans le duplex sur la pointe des pieds peu après une heure du matin, je découvris Mon tapi juste derrière la porte d'entrée, l'arme au poing. Croisant mon regard, il haussa les épaules et dit :

— On n'est jamais trop prudent.

Walter Junior dormait à même le sol. Dak et Walter Senior tapaient le carton à la table de la salle à manger. Clark les regardait jouer.

— Le fric est arrivé ? demandai-je.

— Incessamment, fit Dak, concentré sur ses cartes.

— Où est Pike ?

— Parti, répondit Mon. Sans rien dire. J'aime pas trop ça.

— Il ne dit jamais rien. Ne vous en faites pas.

La peau de Clark semblait huileuse, et, à y regarder de plus près, je vis que ses mains tremblaient.

— Clark ?

Il secoua la tête.

— Comment vont les petites ?

— Elles dorment.

Je m'assis avec eux à la table, et nous attendîmes. Personne ne pipait mot. L'attente est parfois ce qu'il y a de pire.

À deux heures vingt du matin, quelqu'un gratta doucement à la porte et remit à Dak un sac de voyage contenant vingt mille dollars en liasses impeccables. De vrais billets de cent, tirés par le département du Trésor sur du papier Crane, de Dalton, Massachusetts. À croire que Dak gardait ce magot caché sous son matelas.

Clark jugea ces billets trop impeccables, les plaça dans une poche en plastique à glissière avec une demi-livre de café moulu et une livre de haricots nains, et jeta la poche dans le sèche-linge. L'argent ne risquait rien, nous précisa-t-il, mais ce processus permettrait de colorer les billets de façon suffisamment uniforme pour faire croire qu'ils avaient été artificiellement vieillis.

Joe Pike revint peu après quatre heures du matin. Il remit à Clark un petit flacon brun rempli de comprimés et lui glissa quelques mots avant de se replier dans le coin le plus sombre du salon. Clark examina le flacon, fixa Pike un long moment et se dirigea vers la salle de bains. Peu après son retour, j'eus la nette impression qu'il allait beaucoup mieux.

Officiellement, personne n'alla se coucher ; chacun s'installa comme il put, qui sur le canapé, qui dans le fauteuil, qui par terre, et nous dormîmes par à-coups d'un sommeil nerveux en attendant la venue de l'aube.

De très bonne heure, Teri descendit l'escalier, se faufila entre les corps assoupis et se nicha contre son père.

Comme convenu, je téléphonai à Dobcek à neuf heures.

— Rendez-vous sur la promenade de Venice dans une heure pile, m'annonça-t-il.

— Passez-moi le petit.

Dobcek me passa Charles, à qui j'expliquai que tout allait bien se terminer. Je lui demandai de garder son calme et de nous faire confiance, à Joe et à moi, parce que nous allions le rendre à sa famille. Dobcek revint en ligne avant que j'aie terminé mon laïus.

— Il y a une librairie là-bas. Vous connaissez ?

— Oui.

La Librairie du Petit Monde.

— Attendez en face, sur la pelouse. On viendra vous chercher.

Il raccrocha.

— Vous vous sentez d'attaque ? demandai-je à Clark.

— Bien sûr. C'est mon fils.

— Alors, on y va.

Dak accepta de rester avec Teri et Winona pendant que Joe, Clark et moi partions pour le rendez-vous. Joe s'installa au volant de sa jeep, et nous montâmes avec lui. À l'arrière, je remarquai deux étuis de forme allongée qui n'y étaient pas la veille. Sans doute Pike les avait-il préparés pendant la nuit.

Nous prîmes l'autoroute de Santa Monica, bifurquâmes vers le sud sur Ocean Boulevard et roulâmes en silence jusqu'à Venice. Pike s'engagea dans une rue latérale et stationna.

— Alors ? me demanda-t-il. Quel est le plan ?

— Clark et moi sommes censés les attendre sur la pelouse de la promenade, en face de la librairie.

Ils viendront nous trouver. Ils doivent amener le gosse, mais je n'y compte pas trop.

À l'arrière, Clark se pencha vers nous, le sac de voyage plein de billets posé sur ses genoux comme un panier de pique-nique.

— Pourquoi est-ce qu'ils n'amèneraient pas Charles ?

— Ils vont nous prévenir qu'ils l'ont laissé à proximité, en lieu sûr, mais c'est peu probable. Ils ne veulent pas négocier, Clark. Ils veulent nous tuer. Tâchez de garder ça en tête.

— Oh…

— Ils nous raconteront que votre fils nous attend à tel endroit à seule fin de nous y attirer. Un endroit tranquille, choisi par eux, où ils nous feront la peau. Dans le métier, on appelle ça la zone de meurtre.

— Vous en parlez tranquillement, observa Clark.

— C'est une réalité, fit Pike en haussant les épaules.

— Mais comment ferons-nous pour récupérer Charles ?

— On va leur montrer l'argent. Votre boulot consiste à rester calme et à les convaincre que c'est vous qui avez tiré ces billets et que vous pouvez en tirer beaucoup d'autres. C'est fondamental, Clark. Vous vous en sentez capable ?

— Oh, bien sûr.

Bien sûr…

— Markov veut votre peau, mais s'il pense pouvoir obtenir du fric de vous avant de vous éliminer, il n'hésitera pas.

— Et sinon ?

— On le dessoude, lâcha Pike.

Nous redémarrâmes. Quand nous ne fûmes plus qu'à deux blocs de la librairie, Pike s'arrêta le long du trottoir à un coin de rue, descendit de la jeep et s'éclipsa sans un mot. En emportant un des deux étuis.

— Qu'est-ce qu'il fabrique ? me demanda Clark.

— Le nécessaire pour qu'on ne se fasse pas descendre.

Je pris le volant et, à neuf heures quarante-deux, je garai la jeep en stationnement interdit dans une avenue parallèle à la promenade du front de mer de Venice.

— C'est parti.

J'empruntai avec Clark la rue la plus proche menant à la promenade et nous longeâmes le trottoir de planches jusqu'à la librairie. Le ciel était clair, laiteux, et la température douce, presque fraîche. Les marchands ambulants étaient déjà là, prêts à travailler sur la promenade jusqu'au soir, proposant aux touristes des tatouages, des vêtements ou des lunettes de soleil. Les hauts palmiers ondulaient sous la brise. Les joggeurs, les patineurs, les culturistes mâles et femelles au bronzage idéal fendaient les flots humains avec une feinte indifférence.

— Où est Joe ? me demanda Clark.

— Ne cherchez pas. Vous n'avez aucune chance de le repérer. Les Russes pourraient se douter de quelque chose.

Clark se força à regarder droit devant lui.

— Vous les voyez ?

— Non. Mais eux doivent être en train de nous observer.

— Oh.

La librairie venait d'ouvrir. Une femme à lunettes et cheveux noirs était en train d'installer sur le trottoir un présentoir à journaux. Je fis entrer Clark dans la boutique et lui demandai de m'attendre à l'intérieur en me surveillant à travers la vitrine. Il ne devait pas me rejoindre avant que je lui aie fait signe. La libraire nous examinait d'un air suspicieux. Elle devait nous prendre pour des voleurs à l'étalage en puissance.

Je retraversai la rue, m'assis sur la pelouse, posai le sac de voyage et attendis. Trois clochards paressaient à quelques pas. L'un d'eux tenait en laisse un chien obèse.

— Hé, z'auriez un peu de ferraille ? me lança-t-il.

— Désolé.

— Soyez pas radin. C'est pour le clebs.

Je secouai la tête.

— Pas de monnaie.

— Radin, fit l'homme en se tournant vers son voisin.

Je fouillai du regard la promenade, d'abord d'un côté, puis de l'autre, avant de scruter la plage, les parkings et l'embouchure de chaque rue transversale, tâchant de paraître détendu alors que tournait dans mon esprit cette question obsédante : dégainerais-je assez vite pour sauver la vie de Clark Hewitt – et la mienne. Le chien obèse finit par revenir dans mon champ de vision.

— Un peu d'exercice ne lui ferait pas de mal.

Le clochard eut l'air offensé.

— C'est pas vos oignons.

Pour le brin de conversation, c'était loupé.

À dix heures six, Alexeï Dobcek sortit à pied du parking attenant à la librairie et marcha directement sur moi, comme s'il n'existait personne d'autre que nous sur le front de mer.

— Où est le petit ? demandai-je.

— Tout près d'ici. Appelez Clark, et on y va.

— Nous avons une meilleure idée, fis-je en soulevant le sac.

Dobcek baissa les yeux dessus, puis jeta un œil derrière moi, de chaque côté de la promenade, cherchant les signes d'une embuscade. Il finit par sourire, sentant que je n'étais pas assez fou pour prendre ce genre de risque.

— Clark est dans la librairie, dit-il. On le sait. Qu'est-ce qui vous prend de faire l'imbécile ?

Je laissai tomber le sac à ses pieds.

— Zieutez un peu là-dedans.

Il regarda le sac, mais ne le ramassa pas. Le clochard aussi regardait.

— Markov nous attend tout près, fit Dobcek. Avec le gosse. On s'était mis d'accord, oui ou non ?

— Matez un peu à l'intérieur de ce sac. Il ne vous mordra pas.

— Hé, j'peux regarder, moi ? cria le clochard.

Dobcek le fusilla de son regard de poisson mort.

— Toi, tu dégages ou j'écrabouille ton clebs.

Le clochard tira sur la laisse du chien et s'éloigna en hâte.

— Sale pouilleux de merde, grommela Dobcek. Un cœur gros comme ça.

— Regardez dans le sac, Dobcek.

Il me dévisagea brièvement, puis s'accroupit et ouvrit le sac. Plongea la main dedans, palpa le papier, referma le sac, se releva.

— Et ?

— C’est le nouveau projet de Clark. Apportez ça à Markov, demandez-lui d’y jeter un œil et expliquez-lui qu’on aimerait vous proposer un autre marché.

Dobcek soupira violemment.

— Qu’est-ce que vous me chantez ?

— Apportez ce sac à Markov et dites-lui d’en examiner le contenu. Je vous attends ici.

Dobcek se pencha vers moi au point de me frôler.

— On va crever le gosse.

— Contentez-vous de faire ce que j’ai dit, Dobcek. Je vais vous attendre, et Clark aussi. On ne bougera pas, et je suis sûr que Markov aura envie d’en parler avec nous. Dites-lui qu’il s’agit d’un échantillon.

Après un regard appuyé en direction de la librairie, Alexeï Dobcek s’éloigna avec le sac de voyage.

Des couples étaient en train de prendre un café ou un petit déjeuner à la terrasse du restaurant voisin de la librairie, et je me dis que je pourrais y amener Lucy un de ces jours. Cette librairie lui plairait sûrement, et nous pourrions nous asseoir à une de ces tables pour voir les artistes de rue et passer un bon moment. Bouquiner, grignoter un peu. Un programme alléchant – si toutefois j’étais encore vivant.

Dobcek réapparut entre deux stands, accompagné de Sautine, d’Andreï Markov et d’un quatrième homme – qui portait le sac de voyage. Le nouveau venu était vêtu d’un jean et d’un polo vert. Quant à Markov, avec son blouson en peau de requin et ses chaînes d’or, il me fit penser à un gigolo de Vegas sur le retour. Une jeune patineuse en bikini vert éclata de rire en passant à sa hauteur. Ce n'était sans doute pas la réaction escomptée.

Quand les Russes m'eurent rejoint, Markov me montra le sac d'un geste sec.

— Je déteste les changements de programme.

— Vous n'avez qu'à tuer le gosse et vous en aller.

— Peut-être que je vais le faire. Je vais tuer ce gosse, et Clark, et vous. (Il sourit en regardant la librairie, désigna de nouveau le sac.) Pourquoi est-ce que vous voulez me montrer ça ?

— C'est Clark qui les a fabriqués. Il va en fabriquer beaucoup d'autres, et on a pensé que ça vous intéresserait peut-être d'en palper une partie plutôt que de le tuer. On s'est dit que si ces billets vous tentaient, vous pourriez oublier le petit accroc de Seattle et considérer que le passé est le passé…

Soit Markov tombait dans le panneau, soit il n'y tombait pas.

Le quatrième homme posa le sac à terre et en sortit un billet de cent. Il froissa le papier et me considéra en ricanant.

— Ça, des faux faffes ? (Il froissa de nouveau le billet.) Mon cul.

Ce type n'était pas russe. Vu son accent, il devait être né en Floride ou en Géorgie, et sa présence ne me disait rien qui vaille. Il avait l'air de s'y connaître en imprimerie et risquait de prendre Clark en défaut. Ce type était peut-être tout simplement le nouvel expert ès fausse monnaie de la bande à Markov.

— Qui êtes-vous ? demandai-je.

— Il pense que vous nous faites marcher, traduisit Markov.

Je lui souris.

— Vous n'êtes pas intéressé ? Tant pis.

Le clochard et son gros chien s'étaient assis dix mètres plus loin sur les planches, devant un stand de pagnes africains.

— Hé, vous, l'homme au chien ! criai-je.

Le clochard se tourna vers nous. Je refermai le sac de voyage et le lançai dans sa direction.

— Amusez-vous bien.

De nouveau face à Markov, j'écartai les bras.

— Vous ne savez pas ce que vous perdez, Markov. On restera assis sur notre tas de millions. Sans vous.

Dix mètres plus loin, le clochard entrouvrit le sac, fit un bond en arrière et s'écria :

— Wouaouh ! Oh ! Nom de Dieu ! Jésus est revenu !

— Dobcek, soupira Markov avec un léger coup de menton.

Dobcek partit au trot et arracha le sac des mains du clochard. Celui-ci résista, et Dobcek lui expédia un coup de poing en plein front. Violent. Je réussis à garder un sourire plaqué sur mes lèvres, comme si cela importait peu. Comme si je ne mourais pas d'envie de dégainer mon flingue et de descendre Dobcek sur-le-champ. Comme si je n'avais pas honte d'avoir mis ce clochard dans la panade.

— Hé, monsieur Markov, fit le quatrième homme. Si ces billets sont faux, j'aimerais vraiment qu'on me dise comment ils ont été faits.

D'un ton geignard, à croire qu'il trouvait choquant que Markov ne lui témoigne pas une confiance aveugle.

— Clark attend dans la librairie, rétorquai-je. Vous voulez qu'il vienne vous en parler ?

— *Da.*

Je fis signe à Clark de nous rejoindre. Il s'immobilisa juste derrière moi, les mains au fond des poches. Tellement ébloui par le soleil que ses yeux se réduisaient à deux traits.

— Bonjour, monsieur Markov.

— Vous avez une gueule d'enterrement, lâcha Markov.

Le quatrième homme toucha le sac du bout du pied.

— C'est de l'intaglio, pas de l'offset. Et c'est du papier Crane. Et vous dites que c'est *vous* qui avez imprimé ça ? Mon cul !

Clark cligna des yeux, chercha mon regard. Sourire d'encouragement.

— Ce type prétend que vous vous fichez d'eux. Il veut savoir comment vous vous y êtes pris.

Je croisai les bras de manière à placer ma main droite à deux centimètres de mon Dan Wesson, priant pour que Pike ait choisi de mettre Dobcek en joue, parce que j'avais décidé de tuer d'abord Sautine. Sautine, puis Markov, puis le quatrième homme, en espérant que je pourrais leur régler leur compte à tous avant que quelqu'un ait la mauvaise idée de me tirer dessus. Si ça se trouvait, vingt secondes à peine nous séparaient du bouquet final. Et même si nous en sortions vivants, le fils de Clark serait définitivement perdu, simplement parce qu'un blanc-bec de Floride qui touchait vaguement sa bille en fausse monnaie avait eu la déplorable idée d'accompagner Markov ce matin-là.

Clark cligna de nouveau des yeux.

— Expliquez-lui, Clark.

Il sortit un billet du sac, le froissa exactement comme l'avait fait le blanc-bec et adressa un sourire à Andreï Markov.

— Bien sûr que c'est du papier Crane. On ne pourra jamais imiter ce son merveilleux. (Il froissa le billet derechef, le leva vers le soleil.) Sauf qu'au départ ceci était un Washington, ajouta-t-il.

Une ombre passa sur les traits du blanc-bec.

— Du vrai bon argent américain, imprimé sur du vrai papier Crane, enchaîna Clark en tendant le billet à Markov. Des billets de un dollar. Lavés, Andreï. J'ai effacé l'encre d'origine, je les ai remis sous presse et je les ai réimprimés à l'effigie de Franklin. (Son sourire s'élargit.) Vous ne pouvez pas vous imaginer la merveilleuse qualité de la technologie qui est à ma disposition.

Le blanc-bec sortit un second billet du sac et l'inspecta avec une intense concentration.

— J'ai réussi à recycler quatre cents kilos de papier, continua Clark, et j'ai une presse intaglio. Assez ancienne, mais c'est une vraie, venue de Suisse. Elle appartenait à une imprimerie française qui a mis la clé sous la porte l'année dernière. Elle n'est pas vraiment à moi, mais aux gens qui m'ont engagé. Je travaille pour eux comme je l'ai fait pour vous dans le temps.

Je regardais fixement Clark. Épaté comme c'est pas permis.

— Et vous comptez les rouler, eux aussi ? demanda Markov.

— S'il le faut.

Il répondit en soutenant le regard de Markov et sans se tromper de ton.

— Et les plaques ? lança le blanc-bec. Elles viennent d'où ?

— J'ai scanné une série de coupures de collection à l'état neuf – des Franklins absolument sans défaut, émis entre 1980 et 1985. Je me suis servi d'un convertisseur numérique à haute densité pour obtenir une bonne définition, j'ai créé un négatif photo à partir de l'image numérique et, ensuite, je me suis servi de ce négatif pour graver les plaques. (Clark montra le billet de cent que le blanc-bec tenait entre les mains.) L'encre bave un tout petit peu, mais je crois que le résultat est très proche de l'original.

Le blanc-bec plissa les yeux, hocha la tête.

— Ouais, exact, c'est un poil trop sombre.

Comme s'il craignait d'être supplanté par Clark aux yeux de Markov.

Celui-ci avait suivi le dialogue des imprimeurs sans comprendre mieux que moi ce qu'ils disaient, mais il semblait ferré, et c'était la seule chose qui comptait.

— Peu importe que l'encre bave un tout petit peu, intervins-je. Ce sont des billets de qualité supérieure, des faux capables de tromper un banquier, un flic ou un agent des services secrets. Et Clark peut en imprimer plein d'autres. Il vous apporte le fric, vous lui rendez son fils et vous lui fichez la paix.

Markov me dévisagea. Sans doute pensait-il à son frère aîné qui pourrissait en prison.

Je mis une main sur l'épaule de Clark.

— Et qui sait, ajoutai-je. Une fois qu'il aura terminé son boulot actuel, vous pourrez peut-être vous remettre à bosser ensemble.

Markov regarda Clark, puis moi. Puis Clark.

— Vous en avez combien ?

— Quatre cents kilos, je viens de vous le dire.

— Une fois que ce stock sera imprimé, vous pourrez en recycler d'autres ? Des Washingtons ?

— Peut-être, fit Clark, mais ce n'est pas garanti. Les produits chimiques sont extrêmement difficiles à obtenir. Je ne vais pas vous raconter de bobards.

Markov, pensif, observa le blanc-bec. Le blanc-bec haussa les épaules.

— C'est du solide, Andreï. Je n'ai jamais rien vu d'aussi bon.

Je ramassai le sac de voyage et le tendis à Markov.

— Tenez. Gardez ça. Si vous avez le moindre doute, essayez de l'écouler et pensez à tout ce que vous pourriez faire si vous en aviez un gros paquet.

Andreï Markov me prit le sac des mains sans regarder dedans.

— Cinq millions, lâcha-t-il à brûle-pourpoint.

Je me tournai vers Clark.

— Vous pensez pouvoir imprimer cinq millions de rab ?

— Bien sûr. Aucun problème.

Je souris à Markov.

— Si vous nous rendiez le petit tout de suite ? Une sorte de gage de confiance ?

— Arrêtez de faire le con. Vous aurez le gosse quand j'aurai le fric.

— Et ensuite, Clark et sa famille pourront vivre tranquilles ? Vous leur ficherez la paix ?

— Bien entendu.

— Je rappellerai Dobcek dès qu'on aura les billets.

Andreï Markov opina et s'éloigna avec ses trois acolytes. Je pris Clark par le bras, et nous partîmes dans la direction opposée.

— Vous avez remarquablement joué votre rôle, Clark. Votre fils sera bientôt parmi nous.

Il resta muet. Juste après être passé devant la librairie, il tomba à genoux et vomit sur le trottoir. J'attendis que ce soit fini et l'aidai à se remettre debout.

Il n'y avait plus qu'à prévenir la police.

31

Joe Pike revint à la jeep cinq minutes après nous. Le fusil avait réintégré son étui.

— On nous a suivis ? lui demandai-je.

Pike secoua la tête.

— Ça s'est bien passé ?

Avant de répondre, j'aidai Clark à s'installer à l'arrière et lui tapotai le genou.

— Au poil. Vous avez été superbe, Clark.

Clark sourit, mais je le sentais exténué. À peine eûmes-nous parcouru quelques rues qu'il se pencha au-dessus de la portière et vomit de nouveau.

Nous allâmes directement à l'agence pour passer quelques coups de fil. Peu m'importait que les fédéraux aient mis mes lignes sur écoute, puisque je voulais justement les appeler. Après avoir laissé la jeep de Pike sur ma place de parking, nous prîmes l'ascenseur. D'ordinaire, je montais à pied, mais Clark n'était pas en état de le faire.

Quand Pike et lui furent entrés, j'ouvris la porte-fenêtre.

— Vous voulez boire quelque chose ?

Clark marmonna un « non » en secouant la tête.

— Les toilettes sont au bout du couloir…

— Merci.

Il s'assit sur le canapé, et son regard s'arrêta sur Pinocchio. J'inspirai profondément, mis un peu d'ordre dans mes pensées et composai le numéro de Marsha Fields. Je n'y allai pas par quatre chemins.

— Un parrain de Seattle nommé Andreï Markov, ça vous évoque quelque chose ?

— Non. Ça devrait ?

— L'organisation de Markov marche sur vos plates-bandes. Je connais un agent fédéral, un certain Reed Jasper, qui se trouve actuellement en ville à cause de lui. Si ça ne vous dérange pas, j'aimerais vous rappeler dans cinq minutes, quand vous vous serez rencardée à ce sujet.

— Il y a un rapport avec vos faux billets ? lâcha-t-elle avec un soupçon d'impatience.

— Ouaip.

Je raccrochai et me mis à l'aise dans mon fauteuil. Pike, debout dans le cadre de la porte-fenêtre, contemplait la ville. Clark, toujours assis sur le canapé, les mains sur les genoux, respirait doucement. Il regardait en souriant Pinocchio et mes figurines.

— Votre bureau n'est pas ce que j'aurais cru.

— Vous non plus.

Il se tourna vers moi, acquiesça.

— Merci encore, dit-il. Pour tout ce que vous avez fait.

Il s'humecta les lèvres, comme pour ajouter quelque chose, mais se ravisa.

Après avoir accordé dix minutes à Marsha Fields, je la rappelai.

— Vous aviez raison, me dit-elle. Votre ami Markov est un joli morceau.

— C'est une façon de voir les choses.

— Si j'ai bien compris, Jasper essaie en ce moment de remettre la main sur un faussaire qui a autrefois témoigné à charge contre le frère de Markov.

En dix minutes, Marsha Fields avait fait du bon boulot.

— Je peux vous aider à faire tomber Markov pour détention de fausse monnaie et enlèvement suivi de séquestration.

— Enlèvement ? De qui ?

— Markov tient le fils de Hewitt. Un gamin de douze ans.

— Seigneur… (S'ensuivirent dix secondes de silence.) Clark Hewitt a repris du service ?

Marsha Fields avait fait plus que son boulot.

— Il y a quatre jours, à Seattle, les hommes de Markov ont assassiné un certain Wilson Brownell. Ils se servent du gosse pour attirer Hewitt, et dès qu'ils l'auront, croyez-moi, ils ne se gêneront pas pour effacer toute la famille. Markov vous intéresse, oui ou non ?

— Vous voulez quelque chose en échange pour Hewitt. Je me trompe ?

— Hewitt témoignera pour vous, comme il l'a fait à Seattle, et il est prêt à fournir une collaboration suffisante pour vous permettre de boucler Markov, mais il faut que ses autres activités en cours ne fassent l'objet d'aucune enquête ni d'aucune procédure judiciaire.

— Personne n'acceptera ce marché.

— C'est à prendre ou à laisser.

Je l'entendis respirer bruyamment au bout de la ligne.

— Laissez-moi ajouter ceci : Clark Hewitt ne fabrique pas de dollars, et son activité présente n'est passible d'aucune autre poursuite, au civil ou au pénal. Je ne vous demande qu'une tolérance ponctuelle. Ensuite, vous n'aurez plus jamais à vous soucier de Clark Hewitt.

— Qu'est-ce qui vous permet de l'affirmer ?

— Il est en train de mourir d'un cancer de l'estomac.

Quand je prononçai cette phrase, Clark n'eut aucune réaction. À croire qu'il s'était résigné à cette idée.

Marsha Fields inspira longuement.

— Comment pourrais-je savoir que vous dites la vérité ?

— Vous n'avez qu'à le faire examiner par un médecin de chez vous.

Elle hésitait.

— Allez, Marsha. Je vous offre une chance de coffrer Markov et une demi-douzaine de ses complices, peut-être même la totalité du réseau. Soit vous estimez que ça vaut le coup, soit non. En échange, je vous demande de foutre la paix à Clark Hewitt quand ce sera fait.

— Où êtes-vous ?

Je lui donnai mon numéro. Elle me promit de me rappeler dans l'heure, mais ne me fit pas attendre plus de quarante minutes.

— Personne n'a encore accepté quoi que ce soit, dit-elle, mais nous sommes disposés à en discuter. Hewitt viendra avec vous ?

— Non.

— Vous faites vraiment chier, Cole.

— Vous ne le verrez qu'après avoir accepté notre offre. Pas avant.

— Midi. À mon bureau.

Je téléphonai à Dak pour le prévenir de l'arrivée de la relève. Pike me déposa à ma voiture, puis ramena Clark au duplex pendant que je filais vers le centre-ville. J'arrivai au Royal Building à midi trois. J'y trouvai Reed Jasper en compagnie de son pote rouquin de l'antenne de L.A. de la police fédérale, ainsi qu'un type dégarni et musculeux au nez chaussé de petites lunettes à monture carrée. Il s'appelait Lance Minelli et était le chef de Marsha Fields au département du Trésor. Une Noire opulente aux cheveux striés de gris représentait les services du ministère de la Justice. Vêtue d'un ensemble de lin vert foncé, elle s'identifia sous le nom d'Emily Thornton ; à la façon dont tous les autres la regardaient, je sentis tout de suite que c'était elle qui décidait.

— Ça alors, Jasper, remarquai-je, vous êtes partout.

Jasper ne me tendit pas la main. L'autre fédéral non plus.

— J'étais sûr que vous fricotiez quelque chose avec Hewitt, me dit-il. Ça vous collait au derche comme une mauvaise odeur.

Emily Thornton s'éclaircit la gorge. Elle s'assit ; tout le monde s'assit.

— Si j'en crois l'agent spécial Fields, commença-t-elle en s'adressant à moi, vous êtes en possession de renseignements concernant un certain Andreï Markov.

— L'agent spécial vous a-t-il décrit ces renseignements ?

— « Décrit » ! répéta Jasper. Ce mec est vraiment pas possible…

Il fut aussitôt crucifié par le regard d'Emily Thornton, dont les sourcils se haussèrent de trois millimètres.

— Vous êtes ici sur invitation, je crois, n'est-ce pas, monsieur Jasper ?

Jasper fit grise mine, mais s'abstint de répondre. Cette Emily Thornton me plaisait. Elle se retourna vers moi.

— L'agent Fields m'a effectivement exposé la situation, reprit-elle, mais j'aimerais entendre tout cela de votre bouche.

Je répétai mon histoire, en expliquant que j'étais en mesure de leur offrir sur un plateau Andreï Markov, pour détention de faux dollars avec intention de les distribuer frauduleusement et, plus grave, enlèvement et séquestration de mineur. J'expliquai que Clark Hewitt était prêt à témoigner à charge dans les deux affaires. Thornton me laissa terminer, puis :

— Qui est ce mineur ?

— Le fils de Hewitt. Il a douze ans.

Elle jeta quelques mots sur un carnet.

— Hewitt continue-t-il de fabriquer des faux dollars ?

— Tout ce que je peux vous dire, c'est qu'il se trouve en ce moment dans l'agglomération de Los Angeles.

— Putain d'enfoiré ! s'exclama le rouquin, les coudes sur la table, en adressant une grimace à Minelli. Bon Dieu, Lance ! Que ce mec aille se faire foutre !

Le regard de Thornton s'arrêta sur lui.

— Vous nous apportez du café, s'il vous plaît ?

Le rouquin tiqua.

— Du café pour tout le monde, répéta Thornton. Avec des sucrettes et du lait.

La tronche de l'ami de Jasper vira au rouge-brun. Il se força à sourire – comme si son interlocutrice avait commis une méprise et qu'il s'apprêtait à lui remettre les yeux en face des trous.

— Si vous voulez du café, madame, je crois qu'il va falloir vous adresser à quelqu'un d'autre.

Emily Thornton ne broncha pas ; Lance Minelli prit la parole :

— Sortez de cette pièce, s'il vous plaît.

D'une voix douce. Impassible.

Le rouquin ouvrit la bouche, changea d'avis, se leva et quitta le bureau de Marsha Fields en refermant la porte derrière lui. Si délicatement qu'on l'entendit à peine. Il devait être salement perturbé.

Lorsqu'il fut parti, Thornton pinça les lèvres et pianota brièvement sur la table du bout d'un de ses ongles vernis.

— Vu le danger qui menace son fils, observa-t-elle, j'aurais cru que votre M. Hewitt aurait daigné se déplacer.

— Nous avons l'intention de le retrouver, avec ou sans votre aide, madame Thornton, répondis-je. Cela dit, vous pourriez nous faciliter grandement la tâche.

Un sourire microscopique ourla les coins de sa bouche.

— Vous connaissez Ida Leigh Washington, n'est-ce pas ?

— Oui, madame.

Ida Leigh Washington était une femme que j'avais aidée quelques années plus tôt. En prouvant que son fils avait été assassiné par un petit groupe de policiers corrompus, puis en obtenant qu'elle se fasse indemniser par la municipalité.

Son sourire s'agrandit légèrement, puis disparut tout à fait.

— Dans ce cas, j'imagine que vous êtes effectivement capable de retrouver cet enfant. (Nouveau tapotement d'ongle sur la table.) Qu'est-ce que vous voulez au juste ?

— Clark Hewitt est en train de mourir d'un cancer de l'estomac. Il vient de s'engager dans une activité ponctuelle qui devrait lui permettre de gagner suffisamment d'argent pour assurer l'avenir de ses enfants après sa mort. Je veux qu'il puisse mener cette activité à son terme sans avoir à subir une enquête ou des poursuites.

Emily Thornton secoua la tête.

— Il m'est impossible d'accepter cela.

— Alors, nous n'avons rien à négocier.

— Et si on vous mettait tout bonnement à l'ombre ? lança Jasper.

— Sur quels chefs ? fis-je, ouvrant les mains.

Jasper se renfrogna. Minelli haussa les épaules.

— On devrait pouvoir trouver un motif, dit-il.

— Allez-y, si c'est ce que vous voulez.

— Quelle est l'activité de Hewitt ? demanda Marsha Fields.

— Il ne fabrique pas de dollars, répondis-je en regardant Emily Thornton dans le blanc des yeux. Ni aucune autre monnaie convertible aux États-Unis. Il ne se livre à aucun trafic et n'est impliqué dans aucune autre activité criminelle passible d'une mise en examen. Si vous souhaitez parvenir à un accord, il est impératif que vous n'en sachiez pas plus.

— Autrement, résuma Emily Thornton en hochant la tête, nous franchirions la ligne blanche. On pourrait nous accuser d'avoir tendu un traquenard à Markov.

— Exact, répondis-je. Nous cherchons à nous débarrasser de Markov, et vous avez les moyens de le mettre hors d'état de nuire. Je suis ici pour négocier ça. Je peux récupérer le gosse sans vous, mais les risques seront moindres si vous êtes partants. De toute façon, que vous jouiez le jeu ou non, sachez que j'ai l'intention de passer à l'action. Si vous m'appuyez, vous aurez Markov, et il vous sera possible de démanteler son réseau.

Je me carrai sur ma chaise et attendis.

— Concrètement, vous voyez ça comment ? me demanda Minelli.

— Markov va recevoir une grosse somme en faux dollars à titre de rançon. Dès que je connaîtrai le lieu et l'heure de la transaction, je vous préviendrai, afin que vos hommes puissent se déployer sur place. Vous n'aurez plus qu'à l'arrêter pour détention de fausse monnaie, et Hewitt témoignera contre lui dans l'affaire de l'enlèvement de son fils.

Marsha Fields se balançait doucement sur sa chaise. Elle ne me quittait pas des yeux, et je sentis que ma proposition lui plaisait.

— Vous savez, remarqua-t-elle, plus Markov aura de faux billets sur lui, plus on sera à l'aise pour l'inculper. (Tous les regards convergèrent sur elle.) S'il avait, disons, un million de dollars, on pourrait l'inculper non seulement pour détention avec intention de vendre, mais aussi pour fabrication. Oui, un million, ce serait impeccable.

— Agent Fields, vous vous rapprochez dangereusement de la ligne blanche, observa Emily Thornton.

Marsha Fields battit candidement des cils.

— Oh… ce n'était pas une suggestion. Je ne faisais que penser tout haut.

— Hum.

Lance Minelli sourit.

— Markov est directement responsable de la mort d'un agent fédéral, intervint Reed Jasper. Son organisation est soupçonnée d'au moins quatorze homicides non élucidés dans la région de Seattle. Je me fous totalement de la manière dont on s'y prendra pour coincer Markov – ce qui compte, c'est qu'on le coince. (Jusque-là, ça me plaisait. Mais, tout à coup, il se pencha en avant et pointa son index sur moi.) Seulement voilà, ma mission consiste aussi à assurer la sécurité de Hewitt, et sur ce plan-là je ne fais aucune confiance à ce branleur. Au cas où on accepterait son idée, il faut absolument qu'on ait quelqu'un sur zone pour s'assurer que la situation ne dégénère pas. Je me porte volontaire.

— Comment ça, sur zone ? demandai-je.

— Tout à fait d'accord pour avoir un des nôtres dans la place, Emily, dit Lance Minelli. Je tiens à m'assurer que Hewitt ne se volatilisera pas dans la nature dès qu'il aura récupéré son fils. (Son regard revint sur moi.) Je ne crois pas une seconde à cette histoire de cancer.

Marsha Fields acquiesça.

— Je suis du même avis. L'idée de Cole est intéressante, et j'aimerais savoir comment les choses se passent, même si on n'intervient pas officiellement.

— Adjugé, lâcha Emily Thornton.

— Eh, attendez une minute, fis-je. Je ne suis pas seul en cause, et mes amis pourraient ne pas être d'accord.

Emily Thornton se leva.

— Ils n'auront pas le choix. Je crois que nous allons pouvoir nous entendre, mais seulement si l'un des nôtres vous accompagne afin de maintenir un certain degré de contrôle. (Elle me tendit la main.) C'est notre dernière offre, Cole. À prendre ou à laisser.

Je la fixai pendant un bon millénaire avant de lui serrer la main.

— Il semble qu'on n'ait pas le choix, madame Thornton. On prend.

— Je m'en doutais, dit-elle avec un sourire désarmant.

Le sourire du vainqueur.

32

Thornton et Minelli furent les premiers à quitter le bureau. Je remerciai Marsha Fields et annonçai à Jasper que je le préviendrais dès que j'aurais consulté Clark et les autres intéressés.

— Je ne bougerai pas d'ici tant que vous ne m'aurez pas fait signe, répondit-il.

— Vous risquez d'attendre un moment.

— Je n'ai rien de mieux à faire, dit-il avec un haussement d'épaules.

Je repartis pour Studio City et arrivai au duplex juste avant trois heures. Joe Pike se tenait immobile sous un pin de l'allée.

— Alors ?

— Ça roule. Ils sont d'accord, mais à condition qu'on accepte d'avoir un fédéral avec nous. Jasper.

— Dak n'appréciera pas.

— Je n'ai pas eu le choix. Ils ont accepté de fermer les yeux sur le reste.

La mâchoire de Pike bougea imperceptiblement.

— Mais ils seront au courant.

— Oui, ils seront au courant. Tu es partant ?

— Toujours.

Nous entrâmes, et j'exposai la situation à Clark et aux Vietnamiens. Quand je mentionnai l'indispensable présence de Jasper, Dak fit entendre une sorte de chuintement, tandis que Mon et Walter Senior s'exclamaient à l'unisson :

— Non, non, non, non ! Ils vont tout découvrir !

À croire qu'ils avaient répété la scène. Walter Junior dormait par terre et ne se réveilla pas.

— Cessez de crier, dis-je, et écoutez-moi. Les fédéraux vous laisseront tranquilles. Jasper ne sera là que pour vérifier qu'on n'essaie pas de les rouler. Ils ont accepté de ne pas ouvrir d'enquête à propos de vos relations avec Clark.

— Je n'y crois pas, geignit Mon, se passant nerveusement la main dans ses cheveux gris. On va se retrouver sur la paille !

Vive la ferveur révolutionnaire !

— Écoutez, insistai-je, il n'y a que Clark et Markov qui les intéressent. Si vous êtes inquiets, vous n'avez qu'à retourner à l'entrepôt pour retirer ce qui pourrait vous compromettre, vous et vos amis. En ne laissant que le strict nécessaire pour que Clark puisse imprimer votre fric.

Mon s'arrachait toujours les cheveux.

— Et nos dôngs ? me demanda Dak.

— Dès qu'on en aura fini avec Markov, je ramènerai Clark à l'entrepôt, et il imprimera vos dôngs.

— On risque la prison, soupira Dak.

— Vous le saviez déjà quand vous avez décidé de violer la loi, mais il me semble que vous êtes plus en sécurité à présent. Avant, les fédéraux auraient pu entendre parler de votre projet, ouvrir une enquête et vous coffrer. Tandis que là, ils vont se contenter de détourner pudiquement le regard. Sans même vous demander qui vous êtes.

— Vous croyez qu'on peut leur faire confiance ? interrogea Walter Senior.

— Oui.

Mon allait ajouter quelque chose, quand Dak secoua la tête et se lança dans une tirade en vietnamien. Vingt secondes plus tard, ils étaient tous partis.

— Clark, vous pouvez fabriquer des dollars ?

— Bien sûr.

Comme si c'était trois fois rien.

— Combien de temps, pour un million ?

— Markov a demandé cinq millions, objecta Clark, soucieux.

— C'est ce qu'il veut, mais ce n'est pas ce qu'il aura. L'important est qu'il se fasse pincer avec un million de dollars. C'est le nombre magique.

— Trois ou quatre jours.

— Il s'agit de sauver Charles, bon Dieu ! Il va falloir aller plus vite que ça.

Clark fronça les sourcils.

— Le problème, c'est que je n'ai pas le bon papier. Ni les bonnes encres.

— Tant pis si les billets ne sont pas excellents, Clark. Tout ce qu'on vous demande, c'est qu'ils soient faux et qu'il y en ait pour un million.

— Mais Markov saura au premier coup d'œil qu'ils n'ont rien à voir avec ceux que vous lui avez montrés.

— Croyez-moi, il n'aura pas le temps de s'en apercevoir. Il sera trop occupé à entendre Marsha Fields lui lire ses droits.

Clark réfléchit encore un instant, consulta sa montre.

— Bon, soupira-t-il, je sais où me procurer un papier qui devrait faire l'affaire. Et il va nous falloir de quoi transporter l'argent quand il sera imprimé.

— Ça fait quel volume, un million de dollars ? s'enquit Pike.

— Il nous faudra environ cinq valises de taille standard. Ça devrait suffire.

La voix de l'expérience.

— OK, fit Pike. Je m'occupe des valises.

— Combien de temps, Clark ?

Nouveau temps de réflexion.

— Demain midi.

— Vous allez pouvoir imprimer un million de dollars d'ici demain midi ? articulai-je en le fixant intensément.

— Bon, ce ne sera sûrement pas mon chef-d'œuvre…

Je me servis du téléphone de la cuisine pour contacter Dobcek à son hôtel.

— *Da ?*

— On peut vous livrer le fric demain en milieu d'après-midi.

— Cinq millions de dollars ?

— Oui. On se retrouve à Griffith Park ?

Dobcek éclata de rire.

— Rappelez-moi quand vous aurez le fric. Je vous dirai où et quand.

— Comme vous voudrez.

Je raccrochai.

— C'est parti. Tout sera réglé demain après-midi. Il faut qu'on s'y mette le plus vite possible.

Clark récupéra son flacon de cachets dans la salle de bains et, cette fois, il emporta aussi son sac. Sa douleur empirait. Je montai à la chambre-bureau pour dire quelques mots à Teri et à sa petite sœur. Winona, assise par terre, coloriait un dessin. Teri la regardait ; elle leva la tête à mon entrée.

— Ça va, les filles ?

— Ça va, répondit sèchement Teri.

— Nous devons encore vous laisser seules. Ça ira ?

— Bien sûr.

Irritée de se retrouver exclue. Et peut-être d'autre chose.

— Il y a tout ce qu'il faut à manger au frigo, et la supérette est au coin de la rue. (Je sortis quarante dollars de mon portefeuille et les déposai sur le bureau.) Voilà un peu d'argent.

Teri n'eut pas un regard pour mes billets.

— Comment ça s'est passé pour votre amie ?

Lucy.

Je m'assis par terre à côté d'elles. Winona était en train de dessiner son gnome. Il avait l'air triste.

— Bien. Ça s'est arrangé.

— C'est génial… pour vous. (Son ton était glacial. Elle parut s'en rendre compte, car le feu lui monta aux joues. Elle rajusta ses lunettes et détourna le regard.) Excusez-moi. C'est idiot.

Je lui passai un bras autour des épaules. Quinze ans à peine, et déjà des chagrins de trentenaire.

— Je sais que c'est dur pour vous, Teri.

— Vous l'aimez beaucoup ?

— Oui.

— Vous préféreriez être avec elle en ce moment ?

— Oui. Mais il faut que je règle ce problème, à la fois pour Charles, pour votre père et pour vous.

Pike gratta doucement à la porte.

— Clark est prêt.

Les yeux de Teri débordaient ; elle retira ses lunettes pour sécher ses larmes.

— Moi aussi, je vous aime beaucoup, souffla-t-elle. Vraiment.

— Berk ! lâcha Winona.

Je souris.

— Moi aussi, Teri. Mais Lucy est ma fiancée.

— Je peux vous serrer un peu contre moi ? S'il vous plaît ?

Elle me prit dans ses bras, serra fort et chuchota :

— S'il vous plaît, prenez soin de mon papa. S'il vous plaît, sauvez mon petit frère.

— On y met toute notre énergie, Teri.

Je rejoignis Clark et Joe en bas. Nous décidâmes que Clark et moi irions chercher le papier pendant que Pike passerait prendre Jasper au Trésor et s'occuperait ensuite des valises. Je composai le numéro de poste de Marsha. Elle répondit aussitôt.

— On y va, dis-je. Jasper est toujours dans le coin ?

Elle me le passa sans dire un mot, et il s'enquit :

— Alors ? Paré à décoller ?

— Joe passera vous prendre dans une quarantaine de minutes.

— J'ai ma voiture. Dites-moi juste où je vous retrouve.

— Joe passe vous prendre. Si vous tenez vraiment à conduire, vous n'aurez qu'à le suivre.

Je raccrochai avant qu'il ait eu le temps d'ajouter quelque chose, et nous partîmes à la chasse au papier monnaie.

33

Clark téléphona à plusieurs fournisseurs et finit par en trouver un qui disposait du type de papier dont il avait besoin.

— C'est un mélange de cotons, mais ça devrait faire l'affaire.

À l'entendre, on aurait pu croire qu'il parlait chiffons.

— Rappelez-vous, Clark, qu'il n'est pas indispensable que ces billets soient parfaits. Ni même de qualité supérieure.

— Soit, mais vous voulez quand même qu'ils ressemblent à un vrai boulot de faussaire, oui ou non ?

— Oui.

— Croyez-moi, reprit-il d'un air sombre, personne ne risque de confondre ce truc avec du papier Crane. Enfin, ce sera toujours mieux que des billets de Monopoly.

Ces artistes sont incorrigibles.

Le fournisseur était installé en bas d'un petit immeuble de briques rouges sur Yucca Street, à un jet de pierre de Hollywood Boulevard. Deux caisses de la taille approximative d'un carton de déménagement nous attendaient. Ça n'avait l'air de rien, mais ce papier pesait sacrément lourd. J'entrai avec Clark, vu que c'était moi qui payais. Avec ma carte de crédit.

En déposant la seconde caisse à l'arrière de ma voiture, je dis :

— Ça ne fait pas des masses de papier.

Clark avait expliqué qu'il fallait cinq valises pour transporter un million de dollars, et pourtant ce papier ne remplissait que deux caisses.

— Les rames de papier sont archiserrées. Une fois les billets imprimés, coupés et mis en liasses, ils prendront beaucoup plus de place.

— Ah bon.

Le trajet en direction de l'entrepôt de Long Beach en pleine heure de pointe nous prit près de trois heures. Clark passa l'essentiel de ce temps dans un état de demi-sommeil apparemment paisible. Le ciel à l'est vira d'abord au mauve, puis au noir, tandis que le soleil disparaissait sur notre droite et que, tout autour de nous, des milliers de travailleurs bouclaient une journée de plus par un pèlerinage aussi lent que morose vers leurs foyers.

Nous nous garâmes sur le parking attenant à l'entrepôt juste avant huit heures du soir, à l'instant où un énorme Boeing 747 des lignes nationales coréennes s'élevait vers le ciel en rugissant. Le parking était désert à l'exception d'une Pontiac blanche, appartenant sans doute à quelqu'un qui travaillait dans le bâtiment d'à côté ou d'en face. Dak et les siens avaient levé le camp, mais le parking restait vaguement éclairé par l'ampoule solitaire qui brillait au-dessus de la porte d'entrée.

— Clark…

Il rouvrit les paupières.

— On y est.

— Au boulot, dit-il en hochant la tête.

J'ouvris avec la clé de Dak. Les Vietnamiens avaient laissé quelques lampes allumées à l'intérieur de l'entrepôt, mais de nombreuses zones d'ombre subsistaient, et les profondeurs silencieuses de ce bâtiment désert me rendirent aussitôt nerveux. Je sortis mon Dan Wesson. Personne ne se tenait en embuscade derrière la porte, ni dans le couloir ni dans la grande salle où était entreposé le matériel d'imprimerie. Il n'y avait d'ailleurs aucune raison pour qu'il en aille autrement mais, tout de même, je me sentais mieux l'arme au poing. Des vertus apaisantes du calibre 38.

Clark actionna un interrupteur, et les néons répandirent sur la grande salle une lumière froide et bleue comme la glace. Il inspecta le matériel laissé par les hommes de Dak sur les deux longues tables avant de mettre en marche l'insolateur de plaques et le Macintosh.

— Je peux faire quelque chose ? demandai-je.

— Allumez la radio, c'est tout.

J'obtempérai et fis ensuite de mon mieux pour ne pas me fourrer dans ses pattes. L'assistant inutile type.

Les grandes caisses de papier russe avaient disparu, ainsi que les plaques photographiques destinées à la fabrication des dôngs et les trois quarts du stock d'encre.

— Il n'y a presque plus d'encre, observai-je.

Clark ne se donna pas la peine de se retourner.

— On n'aura besoin que du noir et du vert. J'ai dit à Dak ce qu'il fallait laisser. Vous pourriez apporter le papier ?

Je ressortis et transférai les deux caisses de ma voiture à la grande salle. En deux voyages et sans trébucher une seule fois.

Pike et Jasper frappèrent à la porte trois quarts d'heure plus tard. Avec les valises. Un Noir aux cheveux ras les accompagnait. Clark, qui était occupé à connecter le scanner au Macintosh, se redressa à l'entrée de Jasper.

— Bonsoir, monsieur Jasper.

Reed Jasper sourit.

— Bon Dieu, Clark, vous êtes sacrément dur à dénicher.

Mon regard ne quittait pas le Noir. Il portait un costume bleu marine, et son regard semblait vouloir tout enregistrer en même temps.

— Vous êtes qui ?

— Claude Billings, des services secrets.

Il mâchait un chewing-gum.

— Jasper devait venir seul.

Billings s'approcha de la presse en faisant une bulle de la taille d'un pamplemousse avec son chewing-gum.

— Ils ont dû réfléchir et se dire qu'il valait mieux mettre sur le coup une équipe de pointe, me répondit-il tranquillement.

Pas de doute, ce mec appartenait bien aux services secrets. L'arrogance faite homme.

Jasper et Pike déposèrent leurs valises au bout d'une des tables, puis Jasper vint serrer la main de Clark. Celui-ci parut presque embarrassé.

Ensuite, les mains sur les hanches, Jasper s'intéressa de plus près à la presse lithographique, l'insolateur de plaques et l'ordinateur.

— Bon, dit-il à Clark, je ne peux pas vraiment vous en vouloir d'avoir pris peur après ce qui est arrivé cette nuit-là, mais, quand même, vous auriez dû rester dans le programme. Tout se serait bien passé.

— Je suis navré pour votre ami.

Peterson. Celui qui s'était fait descendre.

— Ouais, bon. (Jasper s'approcha de la presse et laissa ses doigts courir dessus pendant que Billings retirait sa veste, la pliait avec soin et la déposait sur une des tables.) J'ai cru comprendre que votre fils avait des ennuis. J'en suis désolé.

Clark cessa ses préparatifs.

— On tâchera de faire un peu mieux cette fois-ci, ajouta Jasper avec une tentative de sourire amical.

Clark revint à son Macintosh et passa un billet de cent dollars au scanner. J'observais ses gestes. Billings s'approcha pour regarder aussi. Clark commença par scanner le côté Franklin, puis il retourna le billet et scanna le côté Independence Hall. Quand les deux images furent prêtes, il les fit apparaître sur l'écran du Macintosh, les agrandit et entreprit d'isoler certaines zones du billet.

— Qu'est-ce que vous faites ? demandai-je.

— Il va falloir que je fabrique des plaques, et, pour ça, j'ai besoin d'une image propre. Comme il s'agit de dollars, je vais avoir besoin de trois plaques. Une pour le verso, parce que le verso est uniformément vert, et deux pour le recto – parce qu'il est imprimé en noir, sauf les numéros de série et le sceau du Trésor, qui eux sont en vert. Ces images doivent donc être imprimées séparément.

— Ah bon.

Clark s'interrompit pour nous observer, Billings et moi.

— Il faut vraiment que vous me regardiez travailler ?

— Pardon.

Billings et moi nous éloignâmes en direction de la table. Comme il n'y avait que deux chaises pour cinq personnes, je m'assis en tailleur sur la table. Billings, lui, prit une des chaises.

Les heures suivantes s'écoulèrent aussi lentement qu'un flot de mélasse. Clark travaillait à un rythme soutenu. Quant à nous, il nous fallait tuer le temps. Pike se retira dans le coin de la salle le plus éloigné pour faire le poirier. Je me livrai moi-même à quelques exercices de yoga et sentis l'assoupissement me gagner peu à peu. Jasper faisait les cent pas à travers la salle. Billings faisait des bulles. La lutte contre la criminalité sous son aspect le plus excitant.

— Je crève la dalle, finit par grommeler Jasper. Quelqu'un d'autre a faim ?

— Moi, répondirent à l'unisson Pike et Billings.

— J'ai repéré un fast-food en venant.

— Joe ne mange pas de viande, objectai-je.

À la tronche de Jasper, on aurait pu croire que le végétarisme de Pike était le problème numéro un de la planète.

— Il y a un chinois tout près d'ici, déclara Clark.

— Ça me va, approuva Billings.

Pike et Jasper s'en allèrent chez le chinois, revinrent peu avant dix heures, et nous dînâmes. Clark ne s'interrompit pas pour manger. Soit la came lui démolissait l'appétit, soit il pensait trop à Charles.

Quand Clark disposa de trois images parfaites, il procéda à leur inversion sur l'ordinateur et obtint des négatifs photographiques également parfaits, qu'il recopia en plusieurs exemplaires sur une même page, afin de pouvoir imprimer les billets vingt par vingt. Un million de dollars, cela représente dix mille billets de cent, mais si on en imprime vingt billets par feuille, cela ne fait que cinq cents feuilles. Bien entendu, chaque feuille allait devoir passer trois fois sous presse, mais, au total, l'impression proprement dite ne durerait pas plus de trois ou quatre heures. Toute la difficulté était en amont.

Clark plaça ses trois négatifs dans l'insolateur de plaques et, par brûlure, obtint une image positive de chacun d'eux sur une fine feuille d'aluminium. Ensuite, une à une, il trempa ces feuilles dans un bain chimique afin de les préparer pour l'encrage. Il lui fallut près de six heures pour faire les plaques. Pendant ces heures qui s'étirèrent effroyablement, Pike, Jasper, Billings et moi ne pouvions rien pour l'aider, si ce n'est lui adresser de-ci, de-là un petit mot d'encouragement. Heureusement, le fast-food était ouvert vingt-quatre heures sur vingt-quatre ; Jasper ressortit pour acheter des boissons, et j'y allai la fois suivante, mais le reste du temps nous nous tournions les pouces. Clark était livide et en nage ; par deux fois, il dut s'asseoir, mais jamais longtemps.

— Si vous faisiez une petite pause, Clark ? lui proposai-je. Allons prendre un peu l'air.

— Il n'y en a plus pour longtemps.

Il répétait cette phrase même quand on ne lui demandait rien. Il la prononça au moins une bonne centaine de fois.

Jasper s'approchait afin d'observer Clark, s'éloignait, revenait l'observer, et s'éloignait de nouveau. Il devait commencer à perdre patience.

— Ces biffetons n'ont pas besoin d'être parfaits, bon Dieu, finit-il par grogner.

Clark s'interrompit pour le regarder, puis mit la presse en marche. Jasper s'éloigna.

À six heures dix, je sortis sur le parking pour humer l'air frais de la nuit et contempler les premières traînées rosâtres qui balafraient le ciel à l'est. Une nuée de phalènes tourbillonnait autour des réverbères en se cognant contre le verre avec une lancinante régularité, et l'idée me vint qu'elles se réjouissaient peut-être de la venue de l'aube. Quand l'aube serait là, elles pourraient enfin cesser de se cogner la tête contre ce truc invisible qui les renvoyait sans cesse aux ténèbres. La grande différence entre les hommes et les phalènes, c'est que pour nous l'aube n'existe pas. Nous ne cessons jamais de nous cogner contre des parois invisibles.

Clark avait trimé toute la nuit. Sa souffrance devait être effroyable mais, à la différence des papillons de nuit, il tenait le coup par amour pour son fils. Je crois que j'aurais fait la même chose, et il ne me restait plus qu'à espérer que l'amour atténuait vraiment la douleur.

À mon retour, Hewitt travaillait toujours. Billings s'était endormi.

À sept heures passées, Clark approcha les plaques de la presse, inséra celle qui portait le buste de Franklin dans le cylindre d'impression et alimenta le réservoir en encre noire. Il se tourna vers moi et déclara :

— Je crois que c'est prêt.

— Pas trop tôt, maugréa Jasper.

Pike faisait toujours le poirier dans son coin. À mon avis, il n'avait pas bougé depuis des heures. Billings se réveilla, s'assit, fit une nouvelle bulle et regarda Pike en secouant la tête. Il devait le trouver bizarre.

— On va procéder à quelques tirages tests, annonça Clark. Pour voir.

Je lui apportai une rame de papier. Histoire de me rendre utile.

Clark inséra une pile de feuilles dans le bac d'alimentation et déclencha deux tirages. L'énorme presse fit entendre un grondement sec au moment où le papier se mettait en branle – la première feuille ressortit plus vite que je ne m'y attendais. Barbouillée et nettement trop sombre.

— Loupé, lâcha Clark.

Il effectua quelques réglages avec un petit tournevis et lança deux nouveaux tirages. Cette fois, le résultat me parut satisfaisant, mais Clark était mécontent. Quant à Jasper, il leva les yeux au ciel. Clark effectua un nouveau réglage et imprima deux nouvelles feuilles que je jugeai identiques aux précédentes. Clark, lui, hocha la tête.

— Ça devrait aller. Je crois qu'on est prêts à tirer.

— Écoutez, dit Joe Pike.

— Quoi ? demanda Billings.

Et il fit éclater une énorme bulle rose.

— Finissons-en, bon Dieu, intervint Jasper. Imprimons ce fric et partons d'ici.

Pike s'approcha de la presse et appuya sur l'interrupteur. Le cylindre cessa de tourner, le bourdonnement se tut.

— Ces bécanes mettent du temps à chauffer, observa Clark.

Jasper intervint :

— Qu'est-ce qui vous prend, bon sang ?

Pike, la tête légèrement inclinée sur le côté, leva un doigt et dégaina son revolver.

— Écoutez, répéta-t-il.

Il me sembla percevoir le grincement étouffé d'une porte sur ses gonds ainsi que le choc assourdi d'un objet contre un mur. Ma première pensée fut que Dak et les siens étaient peut-être revenus voir où nous en étions, mais ce n'était pas cela, et je n'eus pas le temps d'en former une deuxième.

Claude Billings trottina jusqu'à la porte, risqua un œil dans le couloir, et, à la même seconde, la balle d'Alexeï Dobcek creva sa jolie bulle avant de lui fracasser la tête.

34

Pike poussa Clark derrière la presse et le plaqua au sol. Je me précipitai vers la porte, fis feu trois fois vers le tunnel obscur et une autre dans le mur. Dobcek hurla en russe et se replia avec l'un de ses acolytes vers le fond du couloir qui menait au parking. Après avoir tiré deux autres bastos, je ramenai Billings dans la grande salle en le traînant par les bras, mais il était déjà mort.

— Les Russes, dis-je. On dégage !

J'eus la vision fugace de silhouettes courant sur le parking, et un fracas sourd s'éleva à l'autre bout de l'entrepôt, du côté de l'entrée.

Jasper se pencha sur Billings.

— Bordel ! s'exclama-t-il, comment est-ce qu'ils ont fait pour nous retrouver ? Vous en voyez combien ?

— Cinq. Peut-être plus. Ils couraient vers l'entrée, et je crois qu'ils attaqueront par là.

— L'argent ? demanda Clark.

— Oubliez l'argent, fit Pike en l'aidant à se relever.

— Et Charles ?

— S'ils vous attrapent, ils n'auront plus besoin de Charles.

Jasper passa brièvement la tête dans l'embrasure, scrutant le fond du couloir qui donnait sur le parking. Cette porte était close. Un homme en arme se tenait probablement tapi derrière, prêt à tirer sur le premier qui se risquerait à la rouvrir. Le raffut provenait de l'autre couloir, celui qui desservait l'entrée.

— Merde, lâcha Jasper, on est coincés, les mecs.

— Là-haut, ordonna Pike.

Je poussai Clark vers l'escalier métallique et lui fis signe de monter.

— Il y a des bureaux à l'étage, et un autre escalier qui descend vers la porte d'entrée. Si on arrive à traverser les bureaux pendant qu'ils nous cherchent en bas, on a une chance de pouvoir ressortir dans leur dos.

Clark, Jasper et moi gravîmes l'escalier de fer, empruntâmes une étroite passerelle et entrâmes dans le premier bureau pendant que Pike retournait vers le couloir, lâchait quatre balles en aveugle et se hâtait de nous rejoindre.

Il régnait une chaleur d'étuve dans les bureaux obscurs de l'étage. On entendait le piétinement des Russes au-dessous de nous, un son étouffé et distant. Je commençais à croire que nous allions réussir, quand un type râblé à grosse moustache se pointa en bas de l'escalier, nous vit et replongea dans l'ombre avec un cri. Je poussai Jasper et Clark en arrière, leur hurlai de reculer, mais le moustachu jaillit de nouveau à découvert, libérant deux balles qui s'en allèrent crever le plafond au-dessus de nos têtes. Alors que je ripostais, Alexeï Dobcek traversa en flèche mon champ de vision pour s'engouffrer dans une porte adjacente, flinguant à tout va.

— Ça craint vraiment, souffla Jasper.

Nous nous repliâmes dans les bureaux, reprîmes la passerelle en sens inverse et redescendîmes l'escalier de fer pour nous retrouver dans la grande salle ; nous touchâmes terre au moment précis où Dimitri Sautine et le moustachu arrivaient en tirant sur la passerelle. Sautine arborait un tee-shirt de Disneyland vantant LE PLUS GRAND BONHEUR DU MONDE.

— Joe ! m'écriai-je, en me précipitant pour plaquer Clark au sol derrière l'insolateur.

Au même moment, Pike pivotait sur lui-même et, avec son 357, ouvrit le feu une seule fois en direction de Sautine.

Le moustachu se réfugia en catastrophe dans le premier bureau, mais pas Sautine. Malgré ses cent cinquante kilos, la balle du 357 de Pike le colla au mur et lui fit lâcher son flingue. Baissant les yeux sur sa poitrine, il vit s'épanouir une flaque écarlate à l'emplacement du PLUS GRAND BONHEUR.

— Alexeï… ? couina-t-il.

Lentement, il bascula la tête la première par-dessus la rambarde et s'écrasa sur le ciment du rez-de-chaussée avec un bruit de sac de blé mouillé.

Un homme blond se découpa dans la porte du couloir, tira à deux reprises et disparut.

La fusillade cessa ; plus personne ne criait. Les seuls bruits audibles étaient maintenant les battements de mon cœur et les râles bredouillés de Dimitri Sautine. Il toussa à deux reprises, se mit à pleurer. Jasper était embusqué sous l'escalier.

— On dirait que vous êtes pris au piège, lança la voix de Dobcek. Qu'est-ce que vous en pensez ?

Il était tapi derrière la porte qui séparait la passerelle du premier bureau.

— Je croyais qu'on s'était mis d'accord, Dobcek.

— *Da*. Mais vous avez essayé de nous rouler.

Je jetai un regard vers le portail réservé aux camions. L'ouverture était commandée par un levier rouge fixé au mur, à six ou sept mètres de moi. Restait à piquer un sprint, à baisser le levier et à me replier ventre à terre en priant pour qu'aucune balle ne me fauche.

Dimitri Sautine réussit à rouler sur le flanc, mais n'alla pas plus loin. Il pleurait comme un moutard, avec de petits hoquets pathétiques.

— Oooh, j'ai mal, Alexeï. J'ai besoin d'aide…

— La ferme, abruti !

Les sanglots se muèrent en toux grasse.

— Livrez-nous Hewitt, reprit Dobcek, et on vous laissera peut-être la vie sauve, *da* ?

D'un claquement de doigts, Pike m'indiqua le portail pour camions.

J'opinai. Dehors, quelqu'un n'attendait probablement que la première occasion de nous tirer dessus, mais, au moins, si ce portail était ouvert, on verrait ce qui se passait sur le parking. Et, du coup, on arriverait peut-être à déclencher un feu suffisant pour tenter une sortie.

Pike rechargea son Python, moi mon Dan Wesson.

— Jasper, fis-je, vous êtes paré ?

— Sûr.

— Joe.

Pike émergea de derrière l'insolateur, tira deux fois vers la porte du couloir, puis trois fois vers la passerelle. Je démarrai à la même seconde, courus à toutes jambes vers le portail et actionnai la grosse manette rouge. Le portail se mit en branle, Dobcek hurla quelques mots. D'un seul coup, les Russes de l'étage et les Russes du couloir se mirent tous à cracher un feu d'enfer ; le signal de l'offensive était donné.

Leurs balles s'abattirent sur le portail comme une pluie de coups de marteau. La pétarade me blessait les tympans, et je ripostai en tâchant de rester plaqué le plus possible contre le sol. La grande salle s'emplit bientôt de fumée, d'une puanteur de poudre brûlée et de cris d'hommes en russe.

— Je suis à sec ! cria Jasper.

J'entendis son chargeur tinter sur le sol. Pendant que Pike rechargeait son Python et que je tripotais mon Dan Wesson, les Russes postés à la porte du couloir ouvrirent de nouveau le feu. Une grêle de balles. L'un d'eux, plié en deux, réussit à atteindre le bas de l'escalier pour s'installer en embuscade et couvrir les suivants. Soudain, nous entendîmes un incroyable *boum-boum-boum* de fusil à pompe. Des hommes se mirent à crier sur le parking. Enfin, le portail fut suffisamment soulevé pour nous permettre de voir Mon et deux autres Vietnamiens jaillir en courant de l'entrepôt d'en face, pendant qu'une BMW noire bourrée de Viets arrivait en faisant hurler ses pneus sur le parking.

Les types qui se ramenaient au pas de course étaient tous armés de fusils à pompe. Tous trois s'arrêtèrent sur le parking et dégommèrent deux Russes, dont un qui fit un vol plané et atterrit sur le capot de la Pontiac. L'autre réussit à se mettre à couvert derrière la bagnole en rampant.

Les Russes du couloir braillaient, galopaient et tiraient dans tous les sens. L'un d'eux courut jusqu'à la porte du parking et repéra les Vietnamiens. Dobcek aboya quelques ordres sans cesser de nous arroser de l'étage. Brusquement, la fusillade cessa. Un fracas se fit entendre au-dessus de nos têtes, et Pike annonça :

— Ils se replient.

— Restez à terre, Clark. Ça va ? m'enquis-je.

— Euh, oui.

— Jasper ?

— Qu'est-ce que c'est que ce foutoir ?

Mon et un autre Vietnamien passèrent le portail au trot, le fusil à pompe toujours bien en main, et, de l'index, je leur indiquai la mezzanine. Mon et son copain grimpèrent sans un bruit les degrés de fer.

— Dak a dû demander à ses hommes de nous tenir à l'œil, expliquai-je. Ils étaient planqués dans l'entrepôt d'en face. En entendant les coups de feu, ils ont débarqué.

Quelques détonations résonnèrent encore à l'avant de l'entrepôt, puis dans la rue. Deux autos rugirent, démarrèrent en trombe, et le silence retomba.

— Charles, fit Pike.

Je courus vers Sautine, fis voler d'un coup de pied l'arme qu'il tenait dans la main et l'attrapai au col.

— Où est le petit, Dimitri ?

Sautine continuait à émettre des gargouillis. Mon et son copain redescendirent dans la grande salle, regardèrent autour d'eux et se tapèrent dans les mains comme s'ils venaient de remporter un championnat.

Je secouai Dimitri en tirant sur son tee-shirt.

— Où est le petit, salopard ?

— Markov…

On l'entendait à peine.

Je le secouai de plus belle.

— Où est Markov ?

Dimitri Sautine émit un bredouillis informe, ses pupilles basculèrent vers le haut, et ses cent cinquante kilos rendirent l'âme.

Je lui martelai la poitrine, tentai un massage cardiaque, l'interrogeai sur Charles en hurlant, exigeant qu'il me dise où Markov avait caché l'enfant, mais Dimitri était au-delà de tout cela, et finalement Jasper lâcha :

— Bon Dieu, Cole, c'est fini. Laissez tomber.

Je restai un moment agenouillé, les genoux meurtris par le ciment.

— Mon ! m'écriai-je.

Cessant de frapper dans les mains de son copain, il me regarda, un grand sourire aux lèvres, au moment précis où Dak franchissait le portail, l'air inquiet.

— Ils ont abandonné une de leurs voitures ?

Mon secoua la tête.

— Non. Ils sont venus à deux voitures, ils sont repartis à deux voitures. Mais on en a descendu trois, de ces salauds !

— Je vais voir si je trouve quelque chose sur le Russe, me dit Joe en me montrant la Pontiac.

Il passa le portail en courant.

Je me plantai devant Mon et son pote.

— Téléphonez aux flics et donnez-leur la description de ces bagnoles.

Mon écarquilla les yeux, fit mine de pointer son fusil sur moi. Je retournai le canon et le frappai au visage avec.

— Vous n'avez rien à craindre des flics, bordel ! Grouillez-vous de leur téléphoner, et peut-être qu'on pourra leur mettre la main dessus avant qu'ils aient descendu le gosse.

Mon semblait mourir d'envie de me tuer, mais Dak lui dit quelque chose en vietnamien, et il s'éloigna en hâte.

Le tee-shirt de Sautine était entièrement rouge, à présent, et le sang s'était répandu sur son pantalon et sur le sol. Sans réfléchir, je retournai le corps et arrachai sa poche de tee-shirt, puis celles de son pantalon, dans l'espoir d'y trouver quelque chose qui pourrait nous mener à Markov. Il n'y avait rien. Les yeux me brûlaient ; j'aurais voulu accabler ce cadavre de coups de pied. Je me hâtai de ressortir de l'entrepôt et traversai le parking au pas de course pour donner un coup de main à Pike, mais le boulot était déjà fait.

Pike s'écarta du Russe vautré en travers du capot de la Pontiac et agita la carte magnétique qu'il tenait à la main.

— Je sais où ils sont, me dit-il.

C'était une clé de l'hôtel *Disneyland*.

35

Disneyland n'était qu'à un quart d'heure de trajet.

Sur le portable de Dak, j'appelai Marsha Fields. Non seulement elle allait contacter le bureau du shérif d'Orange County mais aussi envoyer à l'hôtel *Disneyland* des agents des services secrets et de l'antenne locale du FBI.

Dès que j'eus coupé la communication, Pike m'avertit :

— S'il apprend par Dobcek qu'il y a eu une embrouille, Markov tuera le gosse pour l'empêcher de témoigner.

— Je sais. Tu prends le volant.

Jasper n'eut pas l'air d'apprécier, mais nous suivit, et nous nous entassâmes à quatre dans la jeep de Joe, qui avala l'autoroute de Garden Grove pour bifurquer ensuite à l'est vers Anaheim. La belle ligne droite de Garden Grove était encombrée par le trafic matinal, et Pike passa plus de temps sur la bande d'arrêt d'urgence que sur la chaussée, klaxonnant, freinant, puis écrasant de nouveau l'accélérateur pour s'engouffrer dans la moindre brèche.

— C'est quoi, votre dernière volonté, les gars ? grommela Jasper.

— Très drôle, dit Pike.

Nous décrochâmes de l'autoroute à la sortie de Harbor Boulevard, tournâmes au nord vers le parc d'attractions et, peu après, le sommet neigeux du Cervin [1] se dressa devant nous. Nous arrivâmes à l'hôtel. Une voiture de patrouille routière d'Orange County était garée devant, sous la station de monorail, et deux adjoints attendaient à l'intérieur, portières ouvertes : un grand Blanc noueux et moustachu, et une Noire élancée. Jasper brandit son insigne.

— On nous a dit d'attendre le FBI ici, déclara le moustachu.

— Très bien. Suivez les consignes.

Nous entrâmes dans l'hôtel. Jasper montra sa plaque à la réceptionniste, lui tendit la carte magnétique et lui demanda à quoi elle correspondait. Nous découvrîmes que Markov avait réservé trois chambres en enfilade au huitième, plus une suite au même étage.

— On attend les renforts, ordonna Jasper.

— Allez, protestai-je. S'il a déjà filé avec le gosse, on va perdre du temps.

— Mais s'il est toujours là-haut, insista Jasper, l'air inquiet, on a intérêt à y aller en nombre.

— Laissez tomber, fit Pike, en l'écartant pour passer.

— Ah, merde…, lâcha le fédéral.

Il nous emboîta le pas à contrecœur.

1. Une des attractions phares de Disneyland : une reproduction du mont Cervin, haute comme un immeuble de quatorze étages, qu'on dévale en bobsleigh.

Nous traversâmes la cour à pas rapides, longeâmes la piscine et atteignîmes le bâtiment du fond. L'ascenseur nous emmena au huitième étage. Plusieurs chariots de ménage stationnaient dans le couloir, et un mugissement d'aspirateur s'échappait de la porte entrouverte de la suite de Markov. L'oiseau s'était envolé. Nous étions en train d'inspecter les chambres louées à son nom en réfléchissant sur la conduite à tenir quand une des femmes de chambre nous adressa un sourire.

— Vous cherchez le monsieur avec le petit garçon ?

Nos quatre paires d'yeux convergèrent instantanément sur elle. Petite, trapue, elle pouvait être originaire de l'Équateur.

— Exact, dis-je.

— Ils sont partis ça fait quelques minutes, expliqua-t-elle avec une moue. Ils disent qu'ils vont dans le parc. Le grand, il dit au petit qu'on va faire la montagne.

Le grand. Markov.

— Le Cervin ? lâcha Clark, fronçant les sourcils.

Elle nous décrivit leur tenue de son mieux. Nous la remerciâmes et redescendîmes dans le hall. Clark toussota bizarrement pendant que nous repassions devant la piscine.

— Ça va ? demandai-je.

— Très bien, répondit-il sans me regarder.

Deux shérifs adjoints d'Orange County venaient d'arriver, ainsi qu'un agent du FBI nommé Hendricks. Nous les trouvâmes en compagnie du directeur de l'hôtel et d'un grand blond qui s'appelait Bates et qui se présenta comme le responsable de la sécurité du parc.

— Le père de l'enfant, précisai-je en lui indiquant Clark.

Hendricks et Bates hochèrent la tête.

— Vous feriez peut-être mieux d'attendre dehors, monsieur, lui dit Hendricks.

— Il s'agit de mon fils.

— S'il vous plaît, insista Hendricks.

Courtois.

Clark sortit. Jasper et moi répétâmes ce que nous savions aux nouveaux venus, et en particulier ce que la femme de chambre nous avait dit. D'autres fédéraux et d'autres hommes du shérif d'Orange County étaient en route, ainsi que des agents secrets. Bates avait l'air calme et compétent. Au terme de notre résumé, il acquiesça et dit :

— S'ils sont dans le parc, on les tient. On va placer des gars à toutes les issues et on n'aura plus qu'à attendre leur sortie. (Il ponctua sa phrase d'un hochement de tête, comme s'il cherchait à se donner du cœur à l'ouvrage.) On a déjà coopéré avec les autorités. On connaît la musique.

Le coup paraissait jouable. Il était effectivement peu probable que Markov s'en prenne au gosse à l'intérieur du parc, même si Dobcek les retrouvait. Le risque d'être vu était trop grand – et que ferait-il du corps après l'avoir tué ? Il valait donc mieux attendre pour augmenter nos chances de récupérer Charles avec un minimum de dégâts.

Pike et moi laissâmes les officiels régler les détails de l'opération et retournâmes à la voiture pour prévenir Clark – mais il n'y était pas. Pas plus que devant l'hôtel ou dans les toilettes du hall.

— Il a pris le monorail, déduisit Pike. Il est allé chercher son fils.

Ledit monorail était en train de démarrer.

J'appelai Hendricks à pleins poumons. Tandis que Pike et moi montions vers la station de départ, il émergea du hall.

— Hé, les gars, vous allez où ? Où est Clark ?

Je le lui dis, en ajoutant qu'on y allait aussi.

— Bon Dieu, tonna Hendricks, on avait dit qu'on attendrait ! Les renforts arrivent !

— Clark est parti les chercher, Hendricks. S'il retrouve Markov ou Dobcek, ils le tueront. Ils risquent aussi de tuer son fils, et tout sera foutu.

Hendricks gravit quatre à quatre l'escalier de la station pour nous rejoindre, talonné par Jasper, Bates et trois adjoints du shérif d'Orange County. Bates ordonna au préposé de nous laisser entrer, et nous attendîmes tous sur le quai l'arrivée du monorail suivant. Cela prit deux minutes, une éternité. Quand le convoi se fut immobilisé, Bates pria tous les passagers de la première voiture de descendre. Poli et professionnel… un peu nerveux, cependant. Comme si ce genre de chose était totalement déplacée au pays du Bonheur. Une fois la voiture vidée de ses occupants, nous l'investîmes à la façon d'un commando aéroporté qui s'entasse à bord de l'hélico avant l'attaque. Bates parlait sans cesse dans son talkie-walkie.

— Franchement, je ne suis pas trop sûr que…, lâcha-t-il à notre intention.

— Ça ira, dit Hendricks.

— Le superviseur nous attend à la prochaine station avec plusieurs de nos employés de sécurité.

— Je vous dis que tout va bien se passer, nom de Dieu !

Les mâchoires de Hendricks étaient crispées ; il semblait mourir d'envie de taper sur quelqu'un. Moi, sans doute.

Nous glissâmes en silence à travers le parking. Un moment que je mis à profit pour donner aux flics le signalement de Markov, de Dobcek, de Clark et de Charles. Hendricks leur expliqua ensuite que l'objectif numéro un était de retrouver Clark et de lui faire quitter le parc avant qu'il soit tombé sur les Russes. Ensuite, il faudrait localiser Markov et le gamin, mais rien ne devrait être tenté dans l'enceinte du parc. Bates parut soulagé.

— On se contentera de les suivre et d'attendre, pour les neutraliser, qu'ils soient dans un lieu où l'enfant courra le moins de risques possible.

« Les neutraliser. » Voilà qui était parlé.

Une petite armée d'agents de sécurité du parc munis de talkies-walkies nous accueillirent à la station Pays de Demain. Ils n'avaient rien de preux chevaliers, et tout des professionnels de la tabasse. Ces hommes et ces femmes ne demandaient pas mieux que de mater une petite rébellion. Hendricks leur résuma la situation, et, une fois de plus, je fournis le signalement de Markov, de Charles et de Clark. Les agents de sécurité ne tenaient pas à nous voir participer à l'intervention, Pike et moi. Mais nous étions les seuls – Jasper mis à part – à avoir déjà vu les personnes que nous recherchions.

— Donnez-leur un talkie, bon Dieu ! s'écria Hendricks. Ils ne sont pas là pour faire de la figuration !

Sans enthousiasme, on nous remit à chacun un talkie-walkie et on nous expliqua de ne surtout pas passer à l'action si nous repérions Markov. Consigne : rester à couvert et signaler sa position.

— D'accord, dis-je.

Quand Bates s'aperçut que nous étions armés, il rougit jusqu'aux oreilles et exigea que nous lui remettions nos calibres.

— Laissez tomber, fit Pike.

Jasper plaida leur cause :

— Écoutez, ce parc est une propriété privée, et les gens de la sécurité sont sacrément coopératifs. Il ne faut surtout pas que ça se mette à flinguer dans tous les sens.

Hendricks leva les yeux au ciel, soupira et me regarda.

— Par pitié, donnez-leur vos armes, que la fête puisse commencer, bon Dieu !

Pike me regarda. Je haussai les épaules et remis aux agents du parc mon Dan Wesson. Joe se sépara à regret de son Python. Ça eut l'air de les calmer – à peine.

Après qu'on nous eut répété la consigne de signaler régulièrement notre position, Pike et moi descendîmes dans le parc par l'escalator. Les agents de sécurité se répartirent en plusieurs équipes et se mirent en mouvement à leur tour, chaque équipe prenant une direction différente.

Nous contournions un chariot de barbe à papa, quand Pike m'effleura le bras et dit :

— Là-bas.

Et il se plia en deux derrière le chariot comme pour refaire son lacet ; en fait, il attrapa un petit Sig 380 fixé sur sa cheville gauche et me le cala au creux de la paume.

— Et toi ? demandai-je en souriant.

— J'ai ce qu'il faut.

Toujours prêt, ce Pike.

Nous nous rapprochâmes du Cervin en passant devant la cohue qui marquait l'entrée de la grotte sous-marine. Nous fîmes de notre mieux pour regarder les vingt ou trente mille personnes que nous croisâmes en chemin, avec le sentiment déprimant que nous n'avions pas l'ombre d'une chance de passer en revue tous les visiteurs du parc et que nous avions peut-être déjà croisé Markov, Charles et Clark une demi-douzaine de fois sans les voir. Ils pouvaient être aux toilettes, faire la queue devant un stand de hot dogs ou piloter un sous-marin.

Nous nous séparâmes au pied du Cervin, que Pike contourna par la gauche, et moi par la droite. Quand nous nous retrouvâmes de l'autre côté, nous n'avions rien trouvé.

— La femme de chambre a pourtant parlé de la montagne ! s'emporta Pike.

— Ouais, mais peut-être qu'ils ont déjà fait la descente ou qu'ils sont encore là-haut. À moins qu'ils soient sur une autre attraction et qu'ils aient décidé de venir ici plus tard.

Un million de peut-être.

Les verres noirs de Pike me fixaient, opaques.

— Tu t'occupes de la montagne, finis-je par ajouter. Pendant ce temps, je suis le flot jusqu'au château de la Belle au bois dormant. Je vais jusqu'au pont et je reviens.

Pike disparut dans la foule pendant que je poursuivais mon chemin sur l'allée principale. Je dépassai une jolie jeune femme qui vendait des bananes givrées, croisai un petit groupe de marins britanniques, et tout à coup Markov, Charles et un type à sale gueule, dont le visage semblait épais comme du cuir, apparurent derrière un stand photo, de dos. Le type à face de cuir avait une main posée sur l'épaule de Charles. Le garçon arborait une paire d'oreilles de Mickey, mais ça n'avait pas l'air de l'emballer. Markov, qui suçotait un cornet de glace, portait lui aussi des oreilles de Mickey. Son prénom était brodé en lettres rouges à l'arrière de sa casquette. *Andreï*. Apparemment, c'était aussi le pays du Bonheur pour les voyous de Seattle.

Je me calai dans le sillage d'un couple obèse et déclenchai mon talkie-walkie.

— Ici Cole. Je les ai.

— Où ça ? crachota la voix de Hendricks.

J'allais lui expliquer ma position, quand Dobcek fendit en courant un essaim de retraités de Floride, gueula quelque chose en russe et me tira dessus trois fois de suite.

Autour de moi, quarante mille personnes sursautèrent en même temps, comme frappées par une décharge électrique.

Les balles de Dobcek, parties trop haut, ricochèrent sur un pilier du monorail. Il se mit à courir vers Markov, lequel s'était jeté au sol en entendant les détonations mais était déjà en train de se relever, plaquant le gosse contre lui et écoutant Dobcek, qui venait de le rejoindre. Gardant Charles en guise de bouclier humain, il s'éloigna à reculons parmi la foule paniquée. Je signalai leur position à Hendricks.

— Surtout, n'intervenez pas, m'enjoignit-il.

— Rameutez vos hommes, Hendricks, mais dites-leur d'y aller mollo. Markov se planque derrière le gamin.

Markov, Dobcek et Charles se mirent à courir vers le pays des Rêves, et je les suivis, assurant le commentaire radio en direct pour Hendricks tout en m'efforçant de garder Markov en ligne de mire sans trop m'approcher. Quand ils franchirent le pont du château de la Belle, je les perdis de vue. Je prévins Hendricks, traversai le pont-levis coudes au corps et déboulai dans la cour du château. Markov et Charles m'y attendaient. Markov, immobile à côté de l'entrée des montagnes russes, avait passé un bras autour du cou de Charles et tenait un petit pistolet noir dans sa main libre. Dobcek se trouvait en retrait d'une dizaine de mètres. Par contre, je ne vis nulle part Face de cuir.

— Espèce de fumier ! me lança Markov. Sale magouilleur ! Vous avez essayé de me doubler !

Je voulais gagner du temps. J'attendais avec impatience que les agents de sécurité et les flics arrivent en masse, lui passent les menottes et dispersent la foule des badauds.

— Relâchez-le, Andreï. Le parc est cerné. Vous n'avez aucune chance.

— C'est ce que vous croyez.

Ce fut alors que Face de cuir surgit de l'arrière d'un stand de jus de fruits, m'enfonça son flingue dans le creux des reins et murmura :

— Tu peux dire adieu à ton petit cul, mec.

Au même instant, Clark émergea de la file de touristes qui s'apprêtaient à embarquer sur les montagnes russes.

— *Lâchez-le !*

Personne ne s'attendait à le voir.

Markov fit un bond de côté, Dobcek aussi, et j'en profitai pour faire volte-face, détourner le flingue de Face de cuir et lui enfoncer dans les côtes le canon du petit Sig de Pike. Je pressai une seule fois la détente. La détonation sonna creux. Un *blam !* assourdissant retentit presque à la même seconde, et Andreï Markov se jeta à terre. La foule céda alors à la panique, et les gens se mirent à courir dans toutes les directions comme les milliers de flocons d'un blizzard humain.

Joe Pike nous dominait tous, immobile sur le parapet du château de la Belle, armé d'un fusil à pompe sans crosse d'au moins trente centimètres de long. Dobcek tira cinq fois – *panpanpan-panpan* – pour l'abattre et courut vers Markov. Je me précipitai sur Clark et Charles pour les plaquer au sol, en leur hurlant de ne plus bouger. Je m'attendais que Pike fasse de nouveau parler la poudre, mais il s'abstint.

Assourdi par les battements de mon cœur, je m'appliquai à respirer régulièrement, et je sentis peu à peu les hoquets du père et du fils recroquevillés sous mon corps, pendant que des hordes humaines cavalaient en tous sens et nous piétinaient avec autant de discernement et d'égards qu'un troupeau de bisons.

— On t'a récupéré, Charlie, dit Clark. On t'a récupéré, mon petit ange.

Il le répéta encore et encore. Jusqu'alors, jamais il ne me serait venu à l'idée que Charles ait pu être l'ange de quelqu'un.

Mon regard balaya le décor pour s'arrêter sur Pike, toujours debout sur son parapet, tel un démon justicier.

— Markov ? réussis-je à lancer.

Pike secoua la tête.

Markov et Dobcek avaient réussi à s'enfuir.

36

Hendricks et Jasper arrivèrent au pas de course tandis que les adjoints du shérif d'Orange County entreprenaient de verrouiller le périmètre.

— Pas de blessés ? haleta Hendricks.

Clark secoua la tête. Charles, le souffle court et bruyant, se contorsionna entre les bras de son père pour lorgner Face de cuir.

— Il est mort ?

— Tout le monde va bien, répondis-je. Et Markov est touché.

Hendricks sourit en se frappant la paume du poing.

— Ça y est, on le tient, ce salaud !

— Touché où ? interrogea Jasper, sortant son portable.

— Je lui ai mis une décharge dans l'épaule droite. Ici, précisa Pike en se tapotant la clavicule.

— Bien, fit Jasper en composant un numéro. Ils ont filé de quel côté ?

Pike lui indiqua la direction, et Jasper fit signe à Bates de le rejoindre. Pendant que celui-ci approchait, Jasper se tourna vers moi.

— Je m'occupe de finir le boulot, Cole, mais je tenais à vous remercier. Vous avez fait ce qu'il fallait.

— Merci.

— Où puis-je vous joindre ? J'aimerais vous passer un coup de fil quand on aura eu Markov, histoire de faire le point.

Je lui dictai le numéro de téléphone de la planque. Il s'éloigna au trot avec Bates, parlant dans son portable pendant que Bates organisait le déploiement des agents de sécurité du parc. L'heure tournait. La capture de Markov n'était plus qu'une question de minutes.

Hendricks nous jeta, à Pike et à moi, un regard dubitatif.

— Il me semblait pourtant qu'on vous avait confisqué vos armes, les gars.

Personne ne répondit.

— D'accord, soupira Hendricks. Après tout, ça ne s'est pas trop mal passé.

Je l'entraînai à l'écart.

— Marsha Fields vous a expliqué la situation ?

Hendricks acquiesça.

— On va devoir parler au père pour étayer l'accusation d'enlèvement, me dit-il. Et aussi entendre le petit.

— Je sais.

Son regard tomba sur Clark et Charles. Tous deux étaient toujours à terre, Charles blotti dans les bras de son père. Celui-ci semblait très secoué, au bord de la panique, mais pas son fils. Il faisait des grimaces au cadavre.

— Restez encore un peu dans les parages, suggéra Hendricks. Le temps qu'on coince Markov. Ça ne devrait pas prendre très longtemps.

— Entendu.

— Vous n'avez qu'à m'attendre à l'hôtel. Histoire que le petit mange quelque chose.

— Entendu.

— Je vous retrouve là-bas dès qu'on aura coincé ce fumier.

Deux autres agents du FBI arrivèrent, ainsi qu'une demi-douzaine d'adjoints du shérif d'Orange County et l'envoyé des services secrets. Tous souriaient et s'administraient des claques dans le dos, persuadés que Markov était cuit. Le parc, selon eux, était totalement verrouillé.

Un adjoint nous ramena à l'hôtel. Ce que Charles n'apprécia pas.

— J'veux faire un tour en sous-marin ! J'veux descendre le Cervin !

On ne se refait pas.

J'appelai Teri de la réception pour l'avertir que nous avions retrouvé Charles et que tout allait bien. Teri passa le mot à Winona, et toutes deux se mirent à hurler au bout du fil en frappant dans leurs mains. Cela me fit sourire.

Nous commandâmes des hamburgers au bar de l'hôtel et passâmes deux heures à traîner dans le hall et autour de la station de monorail. Quand Hendricks revint enfin, ce fut pour nous annoncer que Markov et Dobcek demeuraient introuvables.

— Vous voulez que j'aille vous les chercher ? proposa Pike.

Hendricks s'assombrit.

— On y arrivera sans vous. Merci quand même.

Pike haussa les épaules.

— Je vais ramener Clark et son fils, dis-je à Hendricks. Vous pourrez toujours prendre leur déposition plus tard.

— D'accord, fit-il à contrecœur.

Charles toussa un « con-nard ».

Hendricks le foudroya du regard et s'éloigna à grands pas, la tête baissée.

Pike nous ramena d'abord à l'entrepôt, où j'avais laissé ma voiture. Le FBI et les flics de Long Beach cernaient toujours le bâtiment, mais Dak et les siens avaient disparu, de même que les cadavres. Le grand portail réservé aux camions, toujours levé, dévoilait la presse lithographique, l'ordinateur et l'insolateur, mais personne ne semblait y faire attention. Marsha Fields était sur le parking, accompagnée d'un membre des services de l'attorney, et tous deux discutaient avec deux inspecteurs-chefs du département de police de Long Beach. En nous apercevant, Marsha Fields s'approcha, se présenta à Clark et à Charles, puis sourit à Joe.

— Salut, Joe.

Un frémissement au coin de la bouche de Pike. Pas de doute, ces deux-là se connaissaient.

Le regard de Marsha s'attarda sur Joe avant de se fixer sur Charles.

— Dis donc, petit diable, tu sais que tu es mignon, toi ?

Charles rougit comme une tomate.

— Monsieur Hewitt, lança-t-elle à Clark, nous étions plus qu'impatients de vous rencontrer.

Clark était resté dans la jeep. Trop épuisé pour descendre.

— Quand vous voudrez, madame.

J'entraînai Marsha à l'écart :

— Et notre accord, dans tout ça ?

Son regard se posa sur trois policiers de Long Beach qui riaient, à l'autre bout du parking. Rien ne s'était passé selon nos plans. Markov n'avait pas été arrêté pour possession de fausse monnaie, et nous n'avions réussi qu'à provoquer deux fusillades, l'une à Long Beach et l'autre à Disneyland. Le matériel d'imprimerie des Vietnamiens avait été vu par une armada de flics, qui savaient tous de quoi il retournait. Il y aurait aussi quelques morts à expliquer. Moi, je tenais plus que jamais à ce que Clark touche son argent, et, pour cela, il allait devoir imprimer les dôngs de Dak. Je fis part de mon désir à Marsha.

Sans cesser de fixer les policiers hilares, elle opina.

— Quand vous nous avez proposé ce marché, vous étiez de bonne foi, Cole, et nous aussi. Nous sommes toujours preneurs du témoignage de Clark pour ce qui est de l'accusation d'enlèvement. Un marché est un marché. Que Clark finisse son travail mais, surtout, dites bien à ceux qui financent cette opération que s'ils s'avisent d'enfreindre la loi une seule fois de plus, j'en ferai une affaire personnelle. Est-ce que c'est clair ?

— Parfaitement clair.

Je lui tendis la main. Elle la prit. Je lui donnai le numéro de téléphone de la planque, et elle promit de m'appeler dès qu'elle aurait des nouvelles.

Marsha Fields s'éloigna de quelques pas, stoppa, se retourna vers moi.

— Des dôngs ? fit-elle en haussant un sourcil.

J'écartai les bras. Comment avait-elle pu deviner ?

Je rejoignis Pike et Clark, leur annonçai que nous étions libres de faire ce que bon nous semblait. Charles déclara qu'il voulait faire le trajet avec moi. Rouler dans une Corvette décapotée, c'était le pied, il trouvait ça supercool. Il nous fallut une heure trente-cinq pour remonter à Studio City, et pendant tout ce temps Charles ne cessa de me bassiner avec Marsha Fields, sans un mot sur Markov. Tant mieux. Il avait l'air en pleine forme et, selon toute vraisemblance, venait de tomber amoureux.

Nous arrivâmes au duplex une dizaine de minutes après Joe et Clark. Charles se montra terriblement déçu.

— Putain, la honte ! On s'est fait gratter comme des nazes !

Quand nous entrâmes, Teri et Winona gratifièrent Charles d'une gigantesque embrassade, et toute la famille pleura, mais pour une fois il s'agissait de larmes de bonheur. J'eus droit à mon quota d'étreintes, moi aussi, et demandai à Pike si Hendricks avait appelé. Il ne l'avait pas fait, et cela m'inquiéta. Si Markov et Dobcek avaient réussi à se faufiler entre les mailles du filet, nous nous retrouvions à la case départ. Je n'y croyais pas trop, mais on ne sait jamais. Je montai dans la chambre-bureau et composai le numéro de Nguyen Dak. Sans être ravi d'entendre ma voix, il fit preuve de cordialité.

— Le garçon va bien ? demanda-t-il.

— Oui. Clark aussi. J'ai parlé à Marsha Fields, et l'accord tient toujours.

— La police a posé un tas de questions.

— Elles seront vite oubliées. Votre journal ne fera l'objet d'aucune enquête en ce qui concerne le matériel d'imprimerie retrouvé à l'entrepôt. Vous non plus.

— Et les cadavres ? Quelle explication va-t-on donner ?

— L'explication est toute trouvée. Des employés du *Journal* ont surpris des cambrioleurs en flag, et ces salauds ont sorti leurs armes. La riposte de vos employés relève de la légitime défense.

— Votre amie a ce pouvoir-là ? fit Dak après un silence.

— Elle représente le gouvernement, Dak. Elle a tous les pouvoirs.

— Vous êtes un homme de parole, monsieur Cole. C'est une chose que je respecte profondément.

— Ce n'est pas moi, Dak. C'est elle.

J'ajoutai que Clark le rappellerait dès le lendemain pour organiser la fabrication des dôngs, puis raccrochai et fixai longuement le téléphone dans le silence de la chambre. Des éclats de voix me parvenaient d'en bas, mais ici tout était paisible, et cette paix était réparatrice. Je ne me sentais pas une âme particulièrement noble, je n'éprouvais aucun sentiment de triomphe. Simplement, j'avais eu de la chance de ne pas me faire descendre. Charles et Clark aussi, et j'avais tué des hommes dont je ne me rappelais même pas le visage. Je considérai mes mains. Le sang de Dimitri Sautine demeurait incrusté sous mes ongles. Saisi d'un début de tremblement, je fermai les yeux et attendis que les frissons aient cessé. Puis je passai dans la salle de bains, où je me lavai les bras et les mains. Je les lavai deux fois et, pour finir, je pris une douche.

Quand je redescendis, Teri me lança :

— On a décidé de fêter ça. On va commander une pizza.

— Génial !

Le téléphone sonna. Je décrochai, pensant qu'il s'agissait de Marsha Fields, mais ce n'était pas elle.

— Vous êtes au courant ? fit Reed Jasper.

— De quoi ?

— On les a eus. Dobcek et Markov. Alors qu'ils essayaient de filer par une porte de service au nord du parc.

Je plaquai ma main sur le combiné et annonçai à la cantonade que Markov venait d'être capturé. Jasper pouffa au bout du fil en entendant fuser les cris et les applaudissements.

— Vous restez un moment dans le coin ? me demanda-t-il quand le calme fut revenu.

— Bien sûr. On va s'offrir une petite fiesta, et ensuite je crois que je ramènerai les Hewitt chez eux.

— J'aimerais bien passer pour dire au revoir à Clark. Je repars pour Seattle demain matin.

— OK, Jasper. Excellente idée.

Je lui indiquai le trajet.

Nous commandâmes la pizza, et Joe et Winona partirent à pied vers la supérette voisine en quête de sodas et de bière. Les Hewitt souhaitaient rentrer chez eux après la pizza, ce qui me paraissait être une bonne idée. Qu'ils redeviennent une famille. Qu'ils s'endorment tous ensemble sous le même toit, sans avoir à redouter qu'un inconnu enfonce la porte et leur tire dessus. Teri et Charles montèrent préparer leurs bagages. Clark se pencha vers l'ouverture du passe-plat et me vit en train d'émincer une gousse d'ail dans la cuisine.

— Il va falloir que vous les mettiez au courant, dis-je en surprenant son regard.

— Je ne sais pas comment m'y prendre. (Il se tortillait sur place, visiblement nerveux.) J'ai beau réfléchir, je ne vois aucune formulation satisfaisante.

— Dites-leur juste la vérité, Clark. Vous vous asseyez avec eux et vous leur expliquez que vous êtes malade et que vous allez bientôt mourir. Ils pleureront, et vous pleurerez avec eux.

— Ils sont tellement jeunes…

— Ils sont plus mûrs que vous ne le croyez. (Je pris des tomates et un concombre dans le réfrigérateur.) Si vous vous sentez mal, pourquoi ne pas vous étendre un peu sur le canapé ?

Clark fronça les sourcils.

— À moins que vous ne préfériez me donner un coup de main.

— Hein ? fit-il, l'air surpris.

— Vous voulez m'aider à préparer la salade ?

Il me regarda fixement.

— Bien sûr.

Il fit le tour de la cloison et s'avança dans la cuisine. Je lui demandai de rincer les tomates et d'éplucher le concombre, puis de les couper en tranches fines.

— J'ai compris, me dit-il en hochant la tête.

— Quoi ?

— Soit je m'allonge sur le canapé et je continue à me sentir mal, soit je vous aide à préparer la salade.

— Ouaip, fis-je en versant l'ail dans un bol, puis en ajoutant un peu d'huile d'olive.

— Je mourrai dans les deux cas.

J'acquiesçai. C'était une vérité qu'il avait déjà admise. Le marché passé avec Dak le prouvait.

— Je devrais peut-être leur parler dès ce soir.

— Ce serait bien. Si vous voulez, je peux être là.

Il réfléchit, secoua la tête.

— Merci, mais ça ira. Je peux le faire.

Un point pour toi, Clark.

Nous étions en train de tourner la salade quand quelqu'un frappa.

— C'est la pizza, dit Clark.

J'ouvris la porte, mais ce n'était pas la pizza. Reed Jasper s'engouffra dans le duplex, Dobcek et Markov sur ses talons. Dobcek braqua son flingue sur moi et me frappa deux fois au visage avec le canon. Je fus précipité contre le mur.

— Ohmondieu..., bredouilla Clark.

Le canon se pointa sur lui. Dobcek mit un doigt sur ses lèvres et murmura un « Chut » en nous forçant tous à refluer vers le séjour.

Markov entra à sa suite. Pâle et tremblant, il penchait du côté droit ; un coupe-vent en travers de ses épaules masquait son hémorragie. Ses yeux eurent une lueur où s'affichait une envie féroce de me dévorer vivant. De bien sentir la chaleur de mon sang dans sa bouche. Je me détournai de ses yeux pleins de haine pour m'intéresser à Jasper.

— Salopard, lâchai-je.

Jasper haussa les épaules. Son arme de service pendait entre ses doigts, le long de sa cuisse.

— Il faut bien vivre.

Markov sourit en apercevant Clark. Il passa le bout de sa langue sur ses lèvres sèches. À croire qu'on se dessèche quand on se vide de son sang.

— Je vais te trucider de mes mains, vermine.

Clark blêmit et se mit à trembler.

— Je vous en prie, ne faites pas de mal à mes enfants.

— Pike est en haut, annonçai-je. Avec un pistolet-mitrailleur.

Jasper leva son bras armé et me mit en joue.

— La ferme. Asseyez-vous.

Markov s'affala sur le canapé. Dobcek monta l'escalier à pas de loup.

— C'est vous qui les avez fait sortir du parc ? demandai-je à Jasper. Comment ?

Jasper vit le saladier, prit entre ses doigts une rondelle de concombre.

— Ça n'a pas été simple, mais j'y suis arrivé. Il a fallu que je trouve deux uniformes d'employés de maintenance.

— Fermez-la, bordel, gronda Markov, qui souffrait visiblement, en changeant de position sur le canapé.

Jasper haussa les épaules.

— Quelle importance ? Ce branleur n'ira plus moucharder nulle part.

Il reprit une rondelle de concombre.

— C'est votre faute si votre collègue s'est fait descendre, la nuit où vous avez pris en charge Clark et sa famille, dis-je. Vous aviez vendu la mèche à Markov.

Nouveau haussement d'épaules.

— Si Peterson n'avait pas voulu jouer les héros, tout se serait bien passé.

Je soutins son regard un moment, puis me tournai vers Markov. Pike et Winona auraient déjà dû être rentrés. Deux pâtés de maisons seulement séparaient la résidence de la supérette. Je tâchai en vain de me rappeler si Pike avait gardé son feu sur lui. J'avais laissé le mien dans ma boîte à gants.

— Vous avez perdu beaucoup de sang, Markov. Vous risquez d'y passer.

— Je m'en tirerai. D'abord, je m'occupe de cet enfoiré, et ensuite je me fais recoudre.

Mon regard revint sur Jasper.

— Vous allez le laisser tuer trois enfants ?

— Bien sûr. Pourquoi pas ?

Un piétinement se fit entendre à l'étage, et Charles couina :

— Lâche-moi, pauv'con !

Charles et Teri dévalèrent l'escalier, talonnés par Dobcek, qui tenait Charles par la peau du cou. Teri semblait folle de colère.

— Où est l'autre ? demanda Dobcek.

Sans que je sache s'il parlait de Pike ou de Winona.

— Qu'est-ce que ça peut foutre ? rétorqua Jasper, agacé. On les refroidit et on se barre d'ici.

— *Da*, approuva Markov.

Au même instant, on frappa à la porte. Dobcek plaqua sa main sur la bouche de Charles et braqua son pistolet sur Clark.

— Chut.

Jasper s'approcha de la porte, et Markov se leva du canapé avec peine, tenant son arme d'une main tremblante. En principe, Pike avait la clé. Mais il se pouvait qu'il ait vu entrer Markov et Dobcek. Qu'il ait même vu la traînée de sang qui menait à la porte. Ou alors, c'était le livreur de pizza.

Jasper jeta un coup d'œil par le trou de la serrure, fit une grimace et recula d'un pas.

— J'y vois que dalle.

Si c'était Pike, l'action n'était pas loin.

Si c'était Pike, ce petit coup frappé à la porte n'avait qu'une fonction possible : détourner notre attention pendant qu'il entrait par une autre issue.

J'observai Teri, Charles, puis Dobcek. Dobcek respirait bruyamment en fixant la porte. Les deux enfants se tenaient juste devant lui, et la bouche de son canon frôlait la nuque de Charles. Je me levai.

— À votre place, je jetterais l'éponge, lançai-je d'un ton détaché. La police est là.

— La ferme, lâcha Dobcek en me mettant en joue.

— Fais-le taire, râla Markov en agitant son arme en direction du spetsnaz.

Quelque chose craqua au-dessus de nous, et Dobcek jeta un coup d'œil vers le haut de l'escalier, comme s'il n'était pas sûr d'avoir entendu. Une goutte de sueur glissa de son cuir chevelu, s'attardant sur sa tempe.

— Qu'est-ce que c'est que cette mauvaise odeur, Dobcek ? insistai-je, levant la voix. La trouille vous a fait chier dans votre froc ?

Dobcek fit un pas dans ma direction, un seul, puis s'arrêta. Il se tenait toujours tout près des enfants. Je voulais qu'il s'en écarte. Je cherchais à l'attirer vers moi. C'était risqué : il pouvait décider de m'abattre de loin.

— Alors, les dégonflés, articulai-je encore plus fort, qu'est-ce que vous attendez pour ouvrir cette porte ? (J'avançai d'un pas vers Markov.) Je dois le faire moi-même, ou quoi ?

— Fais-le taire, nom d'un chien, siffla Markov à Dobcek.

Dobcek quitta Charles et Teri, vint à moi et me colla son flingue contre la tempe. Sa main s'écrasa sur ma bouche, et il appuya sur le canon avec un sourire répugnant, le visage rouge sang, les cheveux hérissés sur le crâne.

— Toi, je te crèverai tout à l'heure. À petit feu.

Je captai le regard de Teri et fixai le sol avec insistance. Elle attrapa Charles par les épaules et le fit mettre à quatre pattes sur la moquette.

La porte restait le centre de toutes les attentions. Markov s'humecta les lèvres et ordonna à Jasper :

— Ouvrez.

Jasper ouvrit brusquement la porte, mais ne trouva personne derrière, sauf le petit gnome de Winona, pendu à la poignée, qui bouchait le trou de serrure. Il semblait de très mauvais poil.

— Qu'est-ce que c'est que ce merdier ? grommela-t-il.

Une ombre fugace passa en haut de l'escalier, et sans doute Alexeï Dobcek l'entrevit-il, parce que je sentis ses muscles se crisper contre moi un dixième de seconde avant que la balle de Joe Pike ne lui traverse la tempe. Quand Dobcek bascula en arrière, l'onde de choc et un résidu de poudre brûlée me frôlèrent avec un courant d'air chaud qui rappelait une pluie d'orage.

La détonation fit sursauter Jasper, mais j'étais déjà lancé. Je percutai Markov d'un coup d'épaule, lui arrachai son pistolet de la main et fis feu à trois reprises sur l'agent fédéral, qui voltigea sur le seuil et s'écroula dans l'allée. Je tirai jusqu'à être sûr qu'il était hors jeu. Expédié. Liquidé.

Lorsque je me retournai vers Markov, Joe Pike était sur lui. Toujours au sol, hébété et clignant des yeux, le Russe semblait sidéré par la vitesse à laquelle le cours de sa vie avait basculé.

— C'est passé tout près, remarquai-je.

Pike eut un claquement de langue, totalement impassible.

— Pas si près que ça.

Quel type.

Tous les Hewitt étaient indemnes.

— Je crois qu'on n'a plus qu'à appeler les flics, dis-je.

— Ils sont déjà prévenus, lâcha Pike. Ils arrivent.

Charles se précipita sur Markov et lui flanqua un grand coup de pied.

— Con-nard !

Nous dûmes soulever le gamin du sol pour l'empêcher de continuer.

La police arriva trop tard.

Petit à petit, la haine de loup enragé qui dansait dans les yeux d'Andreï Markov s'éteignit, et il quitta ce monde. Vidé de son sang avant l'arrivée de la cavalerie.

Pike ressortit et alla chercher Winona, qu'il avait installée dans sa jeep après avoir appelé la police.

Je serrai les quatre Hewitt dans mes bras en leur disant que c'était fini – et, cette fois, c'était la stricte vérité.

37

Le jardin et les trottoirs furent rapidement investis par la police et les badauds ; quelques minutes plus tard, une camionnette de la chaîne ABC pointa le bout de sa calandre.

La nervosité des flics monta en flèche quand ils découvrirent trois cadavres, dont celui d'un fédéral. Je téléphonai à Marsha Fields, mais elle n'était pas revenue de Long Beach. Je réussis à joindre Emily Thornton et lui passai l'inspecteur-chef qui, après lui avoir parlé, accepta sans rechigner ma version des faits. Avoir des amis haut placés n'est jamais inutile. Quand la pizza arriva, Charles en grignota un peu, et les flics bouffèrent le reste. Personne d'autre n'en voulut.

L'inspecteur-chef déclara à Clark qu'il pouvait rentrer chez lui. Clark s'approcha de moi et voulut me parler en privé. Il semblait embarrassé.

Je l'entraînai à l'écart.

— Qu'est-ce qu'on fait pour Dak ? demanda-t-il.

— Appelez-le dès ce soir et prenez rendez-vous pour demain. Il a tellement envie de ses dôngs qu'il vous enverra sans doute une limousine avec chauffeur.

Clark se tourna vers ses enfants, qui l'attendaient sous un pin à deux pas de la rue.

— Je risque d'en avoir pour deux jours, dit-il. Je ne veux plus les laisser seuls.

Je souris malgré moi.

— Vous n'avez qu'à me faire signe. Je peux m'en occuper.

Clark hésita, rejoignit les siens, et ils s'éloignèrent tous les quatre vers la jeep. C'était Joe qui devait les ramener chez eux.

Je quittai le duplex peu après, en faisant halte à la supérette pour m'acheter une belle darne de saumon, quelques pommes de terre et un pack de six Budweiser. J'aurais préféré de la Falstaff, mais ils n'en avaient pas. On fait avec ce qu'on a.

De retour chez moi, j'allumai le barbecue, mis les patates au four et pris une douche pendant qu'elles cuisaient. Ensuite, j'appelai Lucy. Il était plus de huit heures du soir à Baton Rouge. Elle répondit à la deuxième sonnerie.

— C'est réglé, dis-je.

Elle me posa des questions, naturellement. Je lui parlai pendant une bonne demi-heure tout en surveillant du coin de l'œil le charbon en train de rougir. Stuart Greenberg avait tenu parole et, dès le lendemain de leur entretien, elle avait finalisé son accord avec David Shapiro – un accord qui allait l'amener à Los Angeles et, du moins l'espérais-je, l'intégrer plus étroitement à mon quotidien.

Quand les braises furent à point, je promis de lui envoyer le supplément immobilier du journal du dimanche.

— Je t'aime, Elvis.

— Moi aussi, Lucy.

Il me suffisait de le lui dire pour avoir envie de sourire.

J'arrosai ma darne de sauce soja, la déposai sur la grille, quand le téléphone sonna. Je m'attendais que ce soit encore Lucy, ou Joe, ou Clark – pour me dire qu'il avait besoin de moi pour ses enfants –, mais pas du tout.

— Vous croyez avoir gagné, gronda une voix d'homme que je reconnus aussitôt comme étant celle de Richard Chenier. Vous croyez que tout est fini, mais vous vous trompez.

Et il raccrocha.

J'inspirai profondément, revins au barbecue et retournai ma darne. Si on n'y fait pas attention, le saumon se dessèche vite.

J'aurais pu rappeler Lucy, mais, comme la première fois, je m'abstins. À l'époque, j'avais trouvé que cela ressemblait trop à du cafardage. Et, ce soir, je ne voulais pas accorder à ce blaireau plus d'importance que Lucy et moi ne tenions à lui en laisser.

Assis sur ma terrasse face à la nuit liquide, je finis ma Bud et dégustai le saumon tout en écoutant les coyotes qui chantaient les étoiles et la montagne. Je finis par m'endormir sur place, au moment où je me disais que j'avais bien de la chance d'être, entre tous les hommes, celui qu'elle avait choisi d'aimer.

D'ailleurs, comme aurait dit Pike, on pourrait toujours le descendre plus tard.

38

Le soir même, Clark annonça à ses enfants qu'il avait un cancer et que ses semaines étaient comptées. Il me raconta plus tard que si Teri et Charles avaient violemment accusé le coup, Winona avait mieux réagi. Cela me faisait de la peine pour Teri ; je fus néanmoins heureux d'entendre qu'elle ne refoulait pas son chagrin. Je voyais là un progrès.

Le mardi de la semaine suivante, Clark boucla le tirage de cent millions de dôngs pour le compte de Nguyen Dak et de ses amis contre-révolutionnaires. En guise d'émoluments, il toucha deux cent cinquante mille dollars en espèces – des billets de cent, tous authentiques. Clark les vérifia un par un. Probablement sensibilisé à ce genre de détail.

Le gouvernement fédéral prélève des impôts sur tous les revenus, même ceux qui dérivent d'activités illégales comme la contrefaçon, mais Clark n'avait aucune intention de partager son pactole avec les fédéraux. Ses enfants en avaient nettement plus besoin que le système de couverture sociale, le complexe militaro-industriel ou le service de la dette. J'étais de son avis. Je téléphonai à une amie directrice de banque pour lui demander un coup de pouce. D'ordinaire, les banques ont l'obligation de signaler toute transaction en espèces d'un montant supérieur à dix mille dollars, mais, comme j'avais aidé son mari à se tirer d'un sale pas quelque temps plus tôt, elle ne demandait pas mieux que de me rendre la pareille. Un compte fut ouvert au nom des enfants de Clark, dont j'étais l'exécuteur, et ensemble nous répartîmes le capital sur un éventail de fonds de pension et de portefeuilles obligataires. Aucune déclaration ne fut adressée au gouvernement.

Clark proposa de me payer, ce que je refusai.

Il lui restait moins de quatre mois à vivre. Après avoir longuement soupesé les options qui s'offraient à lui, il arriva à la conclusion que le mieux serait que ses enfants soient inscrits dans un internat. Il me demanda si j'en connaissais un bon, à quoi je répondis qu'il ferait peut-être mieux de laisser Teri étudier la question.

Ce qu'il fit. Après quelques réticences initiales, Teri mena son enquête sur les internats de la région avec autant de zèle que lorsqu'elle avait recherché un détective privé. Elle commençait à se rendre compte qu'on pouvait apprendre à l'école des choses qu'on ne trouvait pas dans les livres.

Le dimanche suivant, nous partîmes tous les cinq en Saturn pour Ojai, à une heure et demie de route de Los Angeles, afin de visiter un établissement de ce type, la Rutgers Academy. Clark et moi avions pris place devant, les trois enfants à l'arrière.

— Hé, j'pourrai conduire au retour ? s'enquit Charles.

— Sois pas débile, rétorqua Teri.

C'était une journée magnifique, limpide, et les prés verdoyaient, après les récentes pluies printanières. La Rutgers Academy était nichée au pied d'une colline. Alors que nous franchissions le portail et remontions la longue allée menant aux bâtiments ultramodernes de l'école, Clark remarqua :

— C'est très joli.

— Oh oui, approuva Winona.

— C'est quand qu'on sort les flingues ? fit Charles.

Teri se pencha entre les sièges avant pour mieux observer les bâtiments qui grossissaient devant nous. Peut-être percevait-elle plus nettement que son frère et sa sœur que, s'ils le choisissaient, cet endroit deviendrait leur foyer pendant de longues années.

— Alors ? demandai-je. Qu'en penses-tu ?

— Il y a des écuries et des chevaux.

En effet, trois filles de son âge longeaient un sentier au pas, en file indienne, sur des chevaux roux.

— Il paraît qu'il y a aussi des courts de tennis et une piscine.

— Je suis sûr qu'ils vont vous montrer tout ça, dis-je.

Le directeur, M. Adamson, était un homme d'une cinquantaine d'années aux manières douces. Je lui avais passé un coup de fil, et il nous attendait pour nous faire visiter. Il n'était pas seul. Une femme rondelette et séduisante qu'il présenta sous le nom de Mme Kennedy se tenait à ses côtés, de même qu'un couple d'élèves de quinze ou seize ans, Todd et Kimberly.

— Si je montrais les chevaux à Winona ? déclara Mme Kennedy dès que les présentations eurent été faites. Ça te plairait, Winona ?

— Oh oui !

Kimberly se proposa de montrer les lieux à Charles. Quant à Todd, il était visiblement là pour Teri.

— Demande-moi n'importe quoi à propos de cette boîte, dit-il à Teri. Je suis ici depuis que j'ai dix ans.

Todd ressemblait à un Robert Redford adolescent.

Les trois jeunes Hewitt partirent chacun dans une direction, et M. Adamson se tourna vers Clark et moi :

— Nous insistons beaucoup sur la solidarité entre élèves, expliqua-t-il. Vos enfants seront en bonnes mains ici.

— J'aurais pas mal de questions à vous poser, dit Clark.

— Je suis ici pour vous répondre, monsieur Hewitt. Si vous voulez bien me suivre, nous allons discuter de votre situation dans mon bureau.

Clark pénétra dans l'aile administrative avec le directeur, et je les suivis, mais je ne restai pas longtemps. J'avais déjà eu l'occasion d'évoquer la situation de Clark avec Adamson – et aussi de parler des tarifs et de la durée du contrat d'inscription. Dès que Teri avait suggéré le nom de cette école, je m'étais livré à une vérification méticuleuse. On n'est pas le meilleur détective du monde pour rien.

La Rutgers Academy, outre qu'elle jouissait d'une excellente réputation sur le plan de l'enseignement, était connue pour offrir à ses élèves un environnement sain et enrichissant. Adamson, marié, trois enfants, possédait un doctorat en sciences de l'éducation et avait été élu deux fois enseignant de l'année dans le Colorado avant d'assumer ici ses fonctions de directeur. Son dossier était irréprochable. Aucune plainte d'aucune sorte n'avait jamais été déposée contre l'école, ni contre un seul de ses professeurs ou employés administratifs.

Je laissai donc Clark lui poser tranquillement ses questions, ressortis et inspirai profondément pour m'emplir les poumons d'air de la montagne. Un groupe d'enfants assis en cercle sous un chêne probablement cinq fois centenaire parlaient et riaient. Des parents allaient et venaient dans le parc en compagnie d'autres enfants, se dirigeant soit vers le parking, soit vers l'école. Sans doute me prenait-on pour un parent comme les autres. Cet endroit me plaisait, mais mon sentiment importait peu. Une seule chose comptait, c'était de savoir s'il conviendrait à Teri, Charles et Winona.

Les deux plus jeunes restaient invisibles, mais je n'eus aucune peine à repérer Teri. Todd et elle venaient de ressortir de l'écurie et marchaient vers les trois adolescentes à cheval. Todd fit les présentations. Les trois filles sourirent à Teri, et Teri leur sourit. Elles bavardèrent ensemble quelques instants, puis les trois cavalières reprirent leur promenade, pendant que Todd et Teri se dirigeaient vers un ensemble de bâtiments qui abritaient probablement les salles de classe. Todd dit quelque chose à Teri, et elle éclata de rire. Todd fit de même, et Teri le poussa légèrement du coude.

Riant toujours, ils disparurent dans un bâtiment. Peu après, ils en ressortirent et me rejoignirent à la voiture.

— Tu as encore des questions ? demanda Todd à Teri.

Après avoir répondu qu'elle n'en voyait pas d'autre pour l'instant, elle le remercia.

— On remet ça quand tu veux, fit Todd avec un sourire plein de chaleur, qui révéla de profondes fossettes.

Teri et moi attendîmes les autres à côté de la voiture.

— Alors ? commençai-je. Ça vous a plu ?

— Pas mal, dit-elle en se mordant la lèvre inférieure.

— Ce garçon est plutôt mignon, non ?

Elle rougit, rajusta ses lunettes.

— Est-ce que vous viendrez nous voir ?

Elle avait peur. À sa place, j'aurais certainement eu aussi peur qu'elle.

— Bien sûr. Aussi souvent que vous voudrez.

Teri se mordit de nouveau la lèvre et glissa sa main dans la mienne. Je la serrai.

— Ça va aller, Teri. Vous serez très bien ici.

— Je sais.

Remerciements

L'auteur tient à remercier plusieurs personnes pour leur aide inestimable : Howard A. Daniel III, du Southeast Asian Treasury, en matière de devises étrangères et de techniques d'imprimerie ; Kregg P.J. Jorgenson, pour sa connaissance intime de Seattle, de l'administration des douanes des États-Unis et de la criminalité dans la région Nord-Ouest ; et Gerald Petievich, qui lui a ouvert diverses portes des services secrets nationaux, sans mentionner les agents qui, sous couvert de l'anonymat, lui ont fait profiter de leur technologie et de leur savoir-faire. Toute erreur contenue dans ces pages relèverait de la seule responsabilité de l'auteur.

Le petit monde d'un roman doit la vie à de nombreuses mains. Merci à Patricia Crais, Lauren Crais, William Gleason et Andrea Malcolm, Jeffrey Liam Gleason, Carol et Wayne Topping, Aaron Priest, Norman Kurland, Robert Miller, Brian DeFiore, Lisa Kitei, Marcy Goot, Chris Murphy, Kim Dower, Samantha Miller, Jennifer Lang. Un merci particulier à Leslie Wells.

"Bingo !"

(Pocket n°10990)

L'érudition n'a jamais nourri un homme. Ben Lindberg, professeur de lettres à l'université du Texas, est un habitué des fins de mois difficiles. Parti à la recherche de son chat, il découvre un jour sept sacs bourrés de dollars cachés dans un entrepôt. Une aubaine ? Un véritable cauchemar ! Condamné à vivre avec son embarrassant mago, Ben sait qu'il devra bientôt rendre des comptes au propriétaire de ces billets verts...

Il y a toujours un Pocket à découvrir

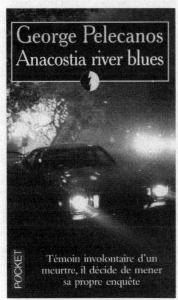

Impression réalisée sur Presse Offset par

BRODARD & TAUPIN

GROUPE CPI

20296 – La Flèche (Sarthe), le 24-09-2003
Dépôt légal : octobre 2003

POCKET – 12, avenue d'Italie - 75627 Paris cedex 13
Tél. : 01.44.16.05.00

Imprimé en France